S0-BJS-109

Floryda

Grzegorz Bogdał

Floryda

Wołowiec 2017

Projekt okładki Łukasz Piskorek / Fajne Chłopaki
Projekt typograficzny Robert Oleś / d2d.pl

Tłumaczenie piosenki *Tavaszi szél vizet áraszt*:
http://hallmann.art.pl/piesni_rzeczpospolitej/tavaszi.html

Redakcja Tomasz Zając
Korekta Katarzyna Juszyńska / d2d.pl, Sandra Trela / d2d.pl
Redakcja techniczna Robert Oleś / d2d.pl
Skład pismami Minion Pro i Scala Sans Pro Sandra Trela / d2d.pl

Książkę wydrukowano na papierze Ecco-Book Cream 70 g/m², vol. 2,0,
dystrybuowanym przez firmę Antalis Sp. z o.o.

ISBN 978-83-8049-445-9

Ty mnie, ja ciebie

Nie ustąpię ani o centymetr. Nie oddam nawet chrząstki. Nogi nie mogą być przecież krótsze od kutasa.

Tak pan pędzi, a dotrzymuję kroku, i mało po mnie widać, prawda? Nie pożałuje pan, że znalazł trochę czasu. No, uparłem się, bo nie powinniście tak z góry odrzucić, bez zobaczenia i bez posłuchania. Pisałem, że nie mieszczę się w przedziale wiekowym, ale mam inny pomysł, a wy nic. Właśnie. Dlatego zacząłem przychodzić i się domagać. Żeby w cztery oczy. W środę będą trzy tygodnie. Nieładnie, przyznaję się bez bicia, czasami człowieka poniesie, ale wcale nie straszyłem. A oni napuszczali na mnie policję, ta kurwa bileterka pierwsza do tego była, aż się trzęsła, jak wybierała numer, czy to jest kultura, pytam. Nie obrażam, mówię, jak jest. Co to za prawo tak człowieka wynosić. Strój wybrałem skromny, poznaje pan, z Budapesztu. Chyba mi wolno tu wejść i być, ile zechcę, to miejsce publiczne, nie muszę od razu biletu kupować. Zawsze jestem trzeźwy, czysty, nie śmierdzę. A że zjem własną kanapkę i napiję się herbaty z termosu, też mi coś, kto by cały dzień wytrzymał, muszę zresztą cukru pilnować, dopiero byście mieli kłopot, gdybym tu odwalił kitę. Toaletę po sobie sprzątam, tego nikt mi nie zarzuci, swój papier przynoszę, nie chcę gadania. Tyle razy prosiłem, żeby mi pozwolili z panem. Tak, krzyknąłem raz czy dwa, co miałem zrobić, jak mnie nikt nie słuchał i wszyscy pokazywali drzwi i drzwi, jak psu, tacy ważni, chociaż do nikogo niepodobni. Wyście to we mnie obudzili, to teraz nie możecie mnie zostawić i już, bo się sam sobą udławię. Nie mam żalu. Czułem, że z pana jest dobry człowiek i jak o mnie usłyszy, to pogadamy jak swój ze swoim. Pójdziemy na kompromis, wszystko wykombinowałem, zdziwi się pan, jaki mam łeb do tych spraw.

Skąd, niedawno. W nowy rok wszedłem jeszcze cały, metr siedemdziesiąt siedem. Stopy amputowali mi w marcu. O, przyjemnie tutaj, to tapeta? Dostałem kule, tymczasowe protezy uwierały jak za ciasne, wykrochmalone gacie, ale uparłem się i nosiłem. Kto by przypuszczał, że to taka poważna sprawa, wyglądało jak zwykłe odmrożenie, stopy były czerwone i swędziały. Moczyłem je w letniej wodzie z szarym mydłem, ale nic. Aż którejś nocy się budzę, dotykam lewej, prawej, obie miękkie i mokre, zapalam światło i widzę, że fioletowe jak śliwki. Zaraz rano do lekarza, stamtąd karetką prosto do szpitala i na stół. Pierwsza moja myśl po wybudzeniu z narkozy była taka, czy bez stóp dalej jestem sobowtórem Freddiego Mercury'ego, czy już tylko sobą. A druga, mniejsza z tym, zostawię ją dla siebie. Mogę stać, żeby pan nie pomyślał, że nie ustoję. W takim razie siadam. Bardzo wygodny. Nie chcę robić kłopotu. Kawy. Parzonej. Z mlekiem. Chyba że to problem. To z mlekiem. Dwie. Dziękuję. No, słucham. Nie trzeba mi mówić, że jest pan zajęty. Umowa stoi, kawa i do domu. Słowo harcerza. Tego nie. Bo się dogadamy. Chyba że się nie dogadamy, to zgoda, nigdy więcej nie przyjdę. Ale w to nie wierzę, bo jak ma pan wyczucie w tych sprawach, to jeszcze będzie mi dziękować. Wiem, że teraz trudniej rozpoznać na pierwszy rzut oka. Dawniej przystrzygłem wąsa, uczesałem się, ubrałem i po sprawie. Co prawda Freddie urodził się w czterdziestym szóstym, a ja w pięćdziesiątym, więc korzystałem z przewagi, ale teraz mam dwadzieścia więcej niż on, kiedy umarł. Długo dobrze się trzymałem i nikt by mi nie dał więcej niż czterdzieści. Dopiero po dwutysięcznym, jak stuknęła mi pięćdziesiątka, zrobiło się ciężko. Dla ludzi Freddie to dalej był ten młody, zdrowy facet z filmów i zdjęć. Niech się pan dobrze przypatrzy albo i dotknie, no, czego się pan boi, to twarz Freddiego w wieku sześćdziesięciu sześciu lat. Nigdzie indziej drugiej takiej pan nie znajdzie.

Od początku brałem pod uwagę, że tych lat mam za dużo, i wpadłem na taki pomysł, że zaproponuję, żeby pan dodał do tego swojego przedstawienia. Tak, do musicalu. Dodał takie fragmenty, nawet napisałem, co i jak, przyniosłem, już pokażę. Ale jakby co, proszę wołać. Fragmenty o tym, że Freddie wcale nie umarł, ale żyje gdzieś jak Elvis, rozumie pan, i ja właśnie bym zagrał tego żywego Freddiego, który udaje, że umarł. To by mi wystarczyło, kto wie, czy by nie było ciekawsze. Długo nie mogłem wymyślić, czemu tak zrobił, i dopiero tu, któregoś dnia, jak na pana czekałem, a oni nic. Ano, miał tego hifa i wiedział, że umrze, a bardzo nie chciał umierać, bo lubił żyć, i obiecał Panu Bogu, że jak go wyleczy, to zrezygnuje z kariery, ze wszystkiego, co ma, i będzie żył cicho i spokojnie. Po paru dniach zapalenie płuc przeszło jak ręką odjął, mięsaki zniknęły, wie pan, co to są mięsaki, takie kurestwo na twarzy. No ale gdzie by ludzie pozwolili Freddiemu ot tak zrezygnować. Musiał udać swoją śmierć, cały pogrzeb urządzić, żałobę i tak dalej. Zastanawiał się pan kiedyś, dlaczego nie wiadomo, gdzie tak naprawdę jest jego grób? Dopiero wtedy zniknął. Od tego czasu dotrzymuje obietnicy, ale szkoda mu poprzedniego życia i sobie je wspomina, jak to dawniej tańczył i śpiewał. I tego Freddiego na emeryturze zagrałbym ja, resztę niech wezmą tamci. Chociaż ci ze zdjęć na tablicy za panem to sami przebierańcy, niestety, od razu widać, a sobowtórem trzeba się urodzić. Nie trzeba mi tłumaczyć, przecież siedzimy w tej samej branży, wiem, że już jakiś plan całego spektaklu pan ma. Musicalu, mój błąd. Plan jest, ale tu coś można skrócić, tam usunąć i się moje zmieści. Poza tym nie chcę honorarium, od razu mogę zrezygnować, każdy papier podpiszę. Rozumiem, ale mimo wszystko. No nie, przepraszam, ja tu jestem ofiarą, gdyby nie pisało w gazecie, że szukacie sobowtórów, nic bym nie wiedział, nikomu bym się nie naprzykrzał. Sam z sobą miałbym święty spokój. Nie krzyczę, mówię, jak jest. To jest instytucja publiczna, tak samo moje podatki na to idą, mam prawo powiedzieć, co uważam. Wcale się o to nie prosiłem. Od ośmiu lat już nie udawałem Freddiego i dobrze mi z tym było. Ostatnio w *Mam talent*, w pierwszej edycji. Tłumaczyłem im, a te tumany nie rozumiały, że patrząc na mnie, widzą takiego Freddiego, jakim by się stał, gdyby nie umarł. Jestem kopią, która przetrwała oryginał, i to jest szczęście i przekleństwo, bo już nie ma mnie z czym porównać. Mam w reklamówce stare zdjęcia, mogę pokazać, nie odróżni pan, który to Freddie, a który ja. Pewnie, pewnie, nie zmuszam. Jakby co, w każdej chwili.

Po tym występie w *Mam talent* zmieniłem fryzurę, zgoliłem wąsy i skończyłem z Freddiem. To tak, jakbym samego siebie wsadził do trumny, spuścił do dołu i przysypał ziemią. Byłem sobie trupem, grobem i zniczem. Prawda, kostiumów, zdjęć i innych rzeczy nie wyrzuciłem, jedynie schowałem na strychu. Ale nie zawsze od razu się wyrzuca po zmarłych. Umarł ktoś panu? To wie pan, że najpierw człowiek w tę śmierć nie wierzy, potem płacze, a jak się tym zmęczy, samego siebie pociesza: umarł, to umarł, no i dobrze, no i chuj. Później całymi dniami obraca zmarłego w głowie jak zaśniedziałą monetę i obwąchuje palce, a kiedy ma tego dość, szuka zajęcia, żeby przestać to robić. No i jest spokój. Do czasu. Mówię za siebie. Nagle się człowiek orientuje, że skoro nie myśli o zmarłym na okrągło, a jedynie raz na jakiś czas, to znaczy, że go porzucił. I z tym już trzeba żyć. Tacy są zmarli, że z żywych robią zdrajców. Więc i ja nie wierzyłem, że Freddiego, którym byłem, już nie ma. W głowie robiła mi się dziura za każdym razem, gdy o nim pomyślałem. Taką samą czuję w żołądku, kiedy zażywam antybiotyk, dużą, gładką kulę, pustą w środku. Po kiwi mam podobnie. Płakałem, wcale się nie wstydzę. Żeby się od tego oderwać, zdrapywałem z kafelków w łazience delfiny, takie plastikowe, srebrne naklejki, całe w plamach od mydlin, jeszcze po poprzednich lokatorach, podważałem nożem i trach je po kawałku. Pękały i wpadały do wanny, od lat się do tego zabierałem, aż wreszcie. I przeszło. Minęło. Zaraz, gorąca, poczekam, aż przestygnie. Minęło siedem lat. Przypadkiem trafiłem na ogłoszenie, że będzie widowisko. Tak, musical. Przeczytałem je raz i więcej do niego nie wracałem. Wydawało mi się, że obeszło mnie to tyle co nic. Gazetę wziąłem do domu, ale dlatego, że zbieram papiery na rozpałkę do pieca kaflowego. Sam, bez niczyjej pomocy, po operacji też. Ile się zmieści, tyle węgla wkładam do plecaka, ręce potrzebuję mieć wolne, i wynoszę z piwnicy na górę. Drewna mam na dwa lata, wszystko już pocięte.

Ostatnio, jeszcze przed amputacją, pracowałem w lombardzie koło monopolowego, który całą dobę jest otwarty, lombard, nie monopolowy, bo ten zamykają przed północą, i jeszcze obok w salonie z jednorękimi bandytami. W lombardzie wypłacałem pieniądze za fanty, co kto przyniósł, a w salonie gier rozmieniałem na pięciozłotówki banknoty, bywało, że te same, które wcześniej dałem komuś za komórkę czy telewizor. Wypiję, co się pan boi, wypiję i pójdę. Kiedy nie było klientów i przychodziła druga, trzecia w nocy, najgorsza pora, bo sen łamie, a spać nie wolno, oczy same mi się zamykały, a wtedy, to było już po tym ogłoszeniu, budziło mnie pukanie, tak jak się puka do lekarza, nie wiedząc, czy siedzi w gabinecie sam, czy z pacjentem. Wyglądałem na zewnątrz, ale nic, nikogo. Kilka dni i przeszło to w łomot, zrywałem się przestraszony i spocony. Później doszło skrobanie pazurami, nie takie zwykłe, tylko dzikie, przy którym łamią się paznokcie i skóra schodzi z palców. I nagle koniec. Cisza. Zrozumiałem, że najgorzej wcale nie jest zapomnieć o zmarłym, ale zorientować się, że pochowało się żywego. Od tej pory w dzień i w nocy Freddie śpiewał w mojej głowie. *Samtajms aj fil am gona brek dan en kraj. So lonli. Wypuść mnie, wypuść z tej trumny. Get lonli. Ja nie chcę w grobie gnić.* Improwizuję dla przykładu, melodia może nie całkiem się zgadza. Próbowałem go zagłuszyć telewizorem i radiem. Gdzie tam, tak się darł, że zęby mi dzwoniły jak pięciozłotówki wysypujące się z maszyny po rozbiciu banku. *A get so lonli, lonli, lonli, zdradziłeś mnie. Do grobu, cwelu, wciągnę cię.* Wszystkie stroje Freddiego, które zebrałem przez lata, wpakowałem do pieca na spalenie. Zmarli uczepią się niekiedy swoich rzeczy i wracają tam, gdzie one są. Mojej babce musieli miesiąc po pogrzebie włożyć do trumny pończochy. Ponoć chodziła po mieszkaniu, wzdychała, przesuwała rzeczy, stukała w okna i drzwi, nie pozwalała spać. Jej córka, czyli moja matka, zapłaciła grabarzowi, a on w nocy rozkopał grób, wrzucił te pończochy, i odtąd się uspokoiło. Była przy tym i popatrzyła na babkę, nie mogła się powstrzymać. Czemu to mówię. Dlatego, że i ja nie mogłem się powstrzymać, by nie popatrzeć na ciuchy. Niektóre to były prawdziwe cacka, jak ukradzione z garderoby Freddiego. No i musiałem zdecydować, czy zakopuję grób z powrotem, czy wyciągam z niego gościa, który tyle lat w nim gniótł się i dusił bez słowa skargi.

Moment, moment. I teraz taka scena. Jest grudzień, późne popołudnie, ciemno, ulica, ludzie wracają z pracy, a ja, z wąsami i fryzurą jak należy, brnę przez śnieg do połowy łydek, mam na sobie obcisłe getry w biało-czarne romby, przemoczone sportowe buty na rzepy, do tego bawarski uniform wojskowy ze srebrnymi epoletami, rozpięty mimo mrozu, dłonie mi drętwieją w cienkich, białych rękawiczkach, które lata temu kupiłem w sklepie z ubraniami na pierwszą komunię, uszyli za duże i były na przecenie, wchodzę na pocztę, słyszę szepty i śmiechy, to nic, szukam pieniędzy i listu, które wsunąłem w gacie, bo nie mam kieszeni, najpierw obmacuję się na wysokości pasa, z przodu i z tyłu, list przykleił mi się do pośladka, forsy nie wyczuwam, no więc wkładam rękę aż po łokieć, schylam się, żeby materiał nie strzelił, popuszczam kapkę ciepłego moczu, trącam faceta za mną, czerwonego na gębie rówieśnika w kożuchu i czapie z nausznikami, przepraszam, a on udaje, że nie zwraca na mnie uwagi, ale tak naprawdę próbuje sobie przypomnieć, gdzie jego ojciec zakopał pepeszę, jest, znajduję dychę pod kolanem, wyciągam, po drodze zsuwa mi się rękawiczka i zostaje w getrach, moja kolej, ślinię znaczek, o tak, jakbym lizał sutek kobiety albo, skoro wiemy o upodobaniach Freddiego, zbierał kroplę spermy z główki kutasa, po czym przyklejam go, ten znaczek, do koperty, w której jest moja odpowiedź na ogłoszenie o castingu do widowiska, tak, musicalu, i przesuwam po blacie, a kobieta za okienkiem przybija pieczątkę. Priorytetem? *Pijorere!*

Nie poznaje pan, to z tego przeboju, w teledysku do niego miał właśnie ten strój, getry, uniform i tak dalej, a w refrenie śpiewał *di do de de*, ale ja słyszałem to jako *pijorere* i nigdy nie dałem sobie wmówić, że jest inaczej. Mniejsza z tym. Czekałem na odpowiedź i drapałem się w stopy, myślałem, że swędzą mnie z nerwów. Aż się zrobiły czerwone, później fioletowe, a potem położyli mnie na stole i było czarno. Dopiero po wyjściu ze szpitala zadzwoniłem tu i się dowiedziałem, że już po przesłuchaniach i że mnie nawet nie zaprosili. To było dziesiątego? Nie szkodzi. Chodzi jedynie o to, że jeśli dziesiątego, to w tym samym czasie, jak się ci kandydaci na sobowtórów mizdrzyli przed panem, sto metrów stąd, tyle jest od teatru do szpitala, nie więcej, lekarze piłowali mi kości, a ja pierwszy raz w życiu byłem w narkozie. Nie wiem, czy pan kiedyś. Komu ja w takim razie mówię. Zapytam, nie musi pan odpowiadać, może tylko mnie się wydaje, ale czy i pan poczuł, że taka właśnie jest śmierć, jak to coś między zaśnięciem a wybudzeniem, że już zawsze ciemno jak w dupie i nic więcej. Nie, bardzo dobra, piję małymi łykami, bo kubek trzyma ciepło. Zaraz, zaraz. Przerwał mi pan przedtem, zgubiłem wątek i zacząłem mówić nie o tym, co powinienem. Nie skończyłem o pomyśle na Freddiego. Wiem, że ma pan kupę roboty, dlatego lepiej to załatwić od razu. Już niedługo, słowo, i znikam.

Mówiłem, że Freddie, o którym cały świat myśli, że umarł, w rzeczywistości żyje, cudownie uzdrowiony przez Pana Boga. To dopiero początek. Problemy zaczynają się, kiedy ktoś, na przykład dziennikarka, urodzona w Anglii, ale z matki Polka, piękna i zdolna, odnajduje Freddiego. Od początku ta sprawa wydawała jej się podejrzana, bo to, że ma hifa, ogłosił dzień przed śmiercią, i nie wiadomo, co z grobem. No i na zlecenie telewizji wypytywała świadków rzekomej śmierci, lekarzy, kochanków, tam jakiś ślad, tu coś, i wreszcie. Jest tak i tak, mówi Freddiemu. Mistyfikacja. Zaraz, niech mi pan pozwoli. Freddie boi się, że się wszystko wyda, cały świat się dowie, wrócą mięsaki i kaszel, opadnie z sił i umrze. Opowiada więc kobiecie zmyśloną historyjkę o tym, że jest sobowtórem. Rozumie pan. Prawdziwy udaje udawanego. I to będzie moja historia, tego jak zostałem sobowtórem, ale nie opowiedziana, tylko odegrana przez aktorów, bez przynudzania, że Freddie w kółko mówi do widzów, tak jak ja teraz do pana. Starym Mercurym udającym sobowtóra będę ja sam, a mnie młodego zagra któryś z tych przebierańców. Proste, prawda? Chwila moment. Piosenek mogą sobie ludzie posłuchać w domu, a do teatru przychodzą zobaczyć jakieś życie, że coś się dzieje, tak myślę, dawno nie byłem, ale gdybym chodził, to właśnie po to. Jak gdzie, w Polsce się ukrył. W dużym mieście, bo za wsią nie przepada, choćby tu, w Krakowie, miał dość forsy, nie musiał pracować. Języka nauczył się z telewizji i radia, zmienił fryzurę, założył okulary, wąsa zostawił, żeby się nie wyróżniać, w zimie wkładał grube buty na rzepę, w lecie gumowe klapki, a jak ktoś pytał, kłamał, że jest na rencie, górniczej czy innej, i śmiał się z tego, że go mają za dawnego esbeka. Co dlaczego. No bo mówiłem, że ma opowiadać moją historię. To akurat proste. Gdzie by taki drugi pierdolnik znalazł, w całym kosmosie nie ma większego zadupia, i nie będzie, chociaż się podobno ciągle rozszerza, kosmos, nie Polska. Kto mnie tu będzie szukał, kombinował. A tu niespodzianka, o to chodzi. Przecież jak ta dziennikarka odnajduje Freddiego, to on mieszka tu już ponad dwadzieścia lat. Z akcentem by sobie poradził, w końcu piosenkarz, mógłby też skłamać, że niedawno miał udar albo że mu spadła na głowę bryła węgla, stąd taka dziwna wymowa, i dlatego też dostał rentę, wszystko się pięknie składa. Nie ma się co czepiać drobiazgów, ważna jest opowieść o tym, jak zostałem sobowtórem, jakie miałem przygody i jak się to wszystko skończy, bo ja już wiem, a pan musi dopiero usłyszeć i wtedy uczciwie zdecydować, czy się moje życie nadaje do widowiska. Do musicalu, zwał jak zwał. Czy się do niczego nie nadaje. I sobie pójdę. A kawa nie ma z tym nic wspólnego.

Przepraszam, muszę na chwilę ściągnąć protezy, cały dzień w nich byłem. A czy ja mam pretensje? Teraz bym nigdzie nie uszedł. Będzie pan taki dobry i pociągnie? Świetnie. Teraz drugą. Położę je tutaj, dobrze? Niech się pan nie boi, przyczepię z powrotem, nie trzeba będzie mnie wynosić. Ano, tak się stało, niestety. Po co się miałem żalić. Niby się wszystko goiło, odcięte stopy swędziały jak własne, a ja ćwiczyłem, żeby być w formie, bo myślałem, że jeszcze zaprezentuję panu takie kroki, jakie robił Freddie, ale po miesiącu nogi znowu zmieniły kolor. Bum na stół. Tym razem ciachnęli za kolana. Wróciłem do domu, wypiłem ćwiartkę albo dwie, położyłem się na brzuchu, przeczołgałem do tyłu, tak że kikutami dotknąłem ściany, ołówkiem zrobiłem znak na podłodze, przy czubku głowy, zmierzyłem. Metr dwadzieścia trzy. I przysiągłem, ani centymetra więcej, choćby zgniły aż po chuja, nie oddam nawet chrząstki.

Skoro i tak muszę tu zostać, póki mi giczoły nie odpoczną, to niech pan słucha, bo nie skończyłem. Jest tak, że Freddie wymyślił sobie, właśnie na wypadek gdyby go ktoś rozpoznał, inne życie, i byłoby mu szkoda, jakby się zmarnowało, nigdy nie opowiedziane. Siedzą więc, dziennikarka, która wierzy, że odkryła prawdę, i Freddie, który ma nadzieję, że będzie przekonujący jako swój własny sobowtór, siedzą naprzeciwko siebie przy stole, on mówi i skubie brzeg ceraty, ona nie przerywa, pali papierosy i wszystko nagrywa na dyktafon. Kiedy się ściemnia, on włącza lampę, ledwo się mieszczą w kręgu słabego światła, a wszystko, co mówi, to historia o mnie, sama prawda, chociaż na scenie wygląda jak zmyślone widowisko albo, jak pan reżyser woli, musical. Widzowie usłyszą jedynie początek tej opowieści, kilka zdań, resztę odegrają aktorzy, za coś im się w końcu płaci. Nie, proszę się nie bać, nic nie będę czytać, to na wszelki wypadek, jakbym się pogubił w historii, to zerknę, inaczej nie otworzę, znam to zresztą prawie na pamięć.

O tym, że jestem sobowtórem Freddiego Mercury'ego, dowiedziałem się pod koniec lat osiemdziesiątych od niedorozwiniętej Renatki. Miała dwadzieścia kilka lat, żółte zęby i tłuste uda wciśnięte w zmechacone getry. Zalatywało od niej jak z pustej puszki po sardynkach, śmiała się na wdechu i przynajmniej raz w miesiącu proponowała, abym został jej mężem, a ja nigdy nie odmówiłem. Zanim mnie uświadomiła, nie miałem pojęcia, że Freddie w ogóle istnieje. Ale też wpatrzone w niego miliony fanów nie wiedziały, że gapią się na Kazimierza Bednarza, zamieszkałego w Krakowie, operatora wózków widłowych w państwowym zakładzie produkcji chemii gospodarczej Kolor, nałogowego palacza, krótkowidza, smakosza grzybów, zwłaszcza w śmietanie, i męża Cecylii oraz ojca Agaty. Ta Renatka mieszkała za ścianą z rodzicami, Heniem i Basią. Kiedy się zdenerwowała, podduszała ojca, a on, mimo że był z niego kawał byka, pozwalał jej na to, bo miała wadę serca i w każdej chwili mogła umrzeć. Po osiedlu chodziły plotki, że Renatka urodziła się opóźniona dlatego, że jej rodzice są rodzeństwem. Nigdy w to nie wierzyłem, chociaż Baśka rzeczywiście wyglądała jak starsza siostra Henia. Często nas do siebie zapraszali na niemieckie przysmaki, kolorowe alkohole i wideo. Henio miał układ z celnikami, od których skupował zarekwirowane towary z przemytu i puszczał je w obieg. Szczegółów nie znam, nigdy nie dał się pociągnąć za język. Cecylia śmiała się z upośledzenia Renatki, fryzur Baśki i z tego, że Henio się zacinał, gdy wypił, ale chodziła do nich, żeby móc im zazdrościć kuchenki mikrofalowej, szamponów i keczupów, które dotąd widziała jedynie w katalogach niemieckich domów handlowych, leżących na stoliku u fryzjerki. Unikała wizyt u sąsiadów wyłącznie wtedy, kiedy miało przyjść więcej ludzi, bo chciała mieć ich na wyłączność, a sama być gościem specjalnym, którego namawia się długo i nieszczerze.

Podczas jednej z prywatek Renatka siedziała obok mnie, ciągnęła za rękę i marudziła, a głos miała bełkotliwy jak na nagraniu puszczonym w zwolnionym tempie, żebym poszedł do jej pokoju, bo przygotowała niespodziankę. Miała swój magnetowid, proszę sobie wyobrazić, w latach osiemdziesiątych, oglądała wszystko jak leci, po polsku czy nie, wykręcałem się, a ona nie odpuszczała, aż wreszcie Baśka ją wyrzuciła. Przy mojej żonie nie miała dla Renatki litości. Zrobiło mi się jej żal, to jednak też człowiek, i potem, po wyjściu z kibla, zajrzałem do jej pokoju. Siedziała bokiem przy oknie, z łokciem na parapecie, po którym kręcił się chomik, i z głową opartą na dłoni, sypał gęsty śnieg, pierwszy tej zimy, i nie wiem, może to kolorowa poświata od lampek na choince, a może to, że byłem na gazie, ale wyglądała jak normalna, młoda kobieta, a nie jak debil. Zastukałem w futrynę. Co mi chciałaś pokazać, zapytałem. Wrzuciła chomika do akwarium i uklękła przed telewizorem, ale tak, jak się klęczy w kościele, z dupą na piętach. Kazała mi zamknąć oczy, dopóki nie przewinie do początku. Nie umiała inaczej niż na podglądzie. Już? Jeszcze nie. Gdyby ją rodzice zostawili ulicę obok, toby nie trafiła do domu, dlatego przed każdym wyjściem zawieszali jej na szyi adresatkę jak dla psa. Nie otwieraj, wszystko widzę. Nie pamiętała też swojego nazwiska i wieku, nie miała koleżanek ani kolegów, nigdy nie była nad morzem, bała się gołębi i wywróciła moje życie do góry nogami. A ja na kolanach zebrałem bilon, który wysypał się z kieszeni, i nie zostawiłem dla niej ani grosza.

Już, powiedziała i klepnęła miejsce na dywanie obok siebie. Usiadłem. Poszło. Pewnie dobrze to pan zna, skoro się zajmuje tym tematem. Wideo, kaseta, akcja. Dwa miasta pokazane z samolotu albo helikoptera, jedno na górze, drugie w dole, między nimi szeroka rzeka. Domy, kościoły, hala dworca. W tle czyjś śpiew, rozwlekły i w dziwnym języku, a kiedy się kończy, słychać brawa, gwizdy i piski, na ekranie pojawia się słowo MAGIC. Zaczyna się nowa muzyka, jak z syntezatora, wiatr targa flagą z herbem, z prawej wjeżdża napis QUEEN IN BUDAPEST, po nim lista nazwisk, trzecie to Freddie Mercury, teraz wiem, widziałem już setki razy to nagranie, ale wtedy nie zwróciłem na to uwagi. Stadion, bieżnia, długie ławki. Perkusja wybija rytm: *pam pam pa pa pa pam*. Robotnicy budują scenę, na ławkach przybywa widzów, obraz zapierdala jak chomik w kołowrotku, widownia pełna, widok z góry, wieczór, światła nad stadionem, kamera i dźwięki coraz wyżej. Renatka łapie mnie za rękę i śmieje się, nagle talerze, bębny, ostre gitary, na scenę energicznie wkracza facet z wysoko uniesioną prawą ręką, trzyma w niej statyw z mikrofonem, ale wygląda raczej jak olimpijczyk z pochodnią, jest zwinny i mocny, cały ubrany na biało-czerwono, kurtka, spodnie, podkoszulek, zasuwa od lewej do prawej, kroki stawia raz drobne, a raz długie, jest precyzyjny jak niemiecki cyrkiel, podnosi ręce, wybija rytm nogą, kamera pokazuje z bliska jego twarz, gdy śpiewa, krótkie włosy, pot i wąsy, niedobrze mi, jak na niego patrzę, i dalej nic mi nie świta, chociaż serce bije szybciej, aż dopiero Renatka mówi: to ty.

Nigdy nie miałem wąsów, nosiłem okulary i dłuższe niż Freddie włosy, o, gdzieś dotąd, za ucho. Powiedziałem Renatce, że faktycznie podobny, i na tym się tego wieczoru skończyło. Fragment koncertu trwał nie więcej niż pięć minut, został przerwany filmem. Kowboje, tak naszpikowani strzałami, że wyglądali jak jeże na koniach, uciekali przed Indianami, którzy szyli do nich z łuków i darli się jak pojebani. Nie dawało mi to jednak spokoju, chciałem jeszcze raz zobaczyć nagranie, tym razem na trzeźwo. Głupio było przyznać się przed sąsiadami, dlatego celowałem w takie dni i godziny, kiedy Renatka mogła być sama. Niestety, za każdym razem to samo. Pukałem, a ona podchodziła, szurając komunistycznymi kapciami po kapitalistycznej wykładzinie, i wołała: nikogo nie ma, nikogo nie ma. Renatko, prosiłem, ale nie za głośno, przecież obok moje mieszkanie, Renatko, otwórz. Nikogo nie ma, nikogo nie ma. To ja, wujek Kazik, wpuść mnie, obejrzymy razem tego pana, co tańczy i śpiewa. Nikogo nie ma, nikogo nie ma! A niech cię chuj strzeli, kląłem tak i jeszcze gorzej, po czym wracałem do siebie albo schodziłem na dół, a ona dalej stała za drzwiami, bo po minucie, dwóch znów słyszałem jej wycie: nikogo nie ma, nikogo nie ma.

Pamiętam, że w osiemdziesiątym piątym albo szóstym trzeba było za wideo dać roczną pensję, jak nie więcej. Później ceny spadły, ale dalej była to droga zabawka. Nie rozpaczałem. Większość dnia zasuwałem w pracy, czasami jeszcze się zostało na wódkę, niczyich imienin nie przegapiliśmy, wieczorami pomagałem Agatce odrobić lekcje, bo żona zrzucała to na mnie, mimo że uważała się za mądrzejszą, a kilka razy w miesiącu i tak się coś obejrzało u sąsiadów, tyle mi wystarczało. To Cecylia marzyła o własnym magnetowidzie i pokazach dla koleżanek i kolegów, ale nie z takimi filmami jak u Henia, zabili go, a on uciekł, tylko na poziomie, mówię jej słowami, ja nie miałem nic przeciwko dobrej strzelaninie czy karate. Chciała przemeblować pokój, żeby więcej gości się zmieściło przed telewizorem, i do każdego seansu robić dużą wazę ponczu, który uważała za oznakę luksusu i wyrafinowania. Ale sprzęt w Peweksie był za drogi, a ona prędzej by odgryzła własny język, niż poprosiła Henia o przysługę lub pozwoliła mnie to zrobić. Niczego nie chciała zawdzięczać sąsiadom, zwłaszcza że miałaby magnetowid jako druga po nich, a licząc z Renatką, trzecia.

Miałem trochę odłożonego grosza z tego, co dorobiłem na boku. Sprzedawałem kierowcom przyjeżdżającym po towary do Koloru spirytus i ropę spuszczaną z wózków widłowych. Mimo wszystko za mało na Pewex. Nie było innej rady, pogadałem dyskretnie z Heniem i w dwa tygodnie załatwił mi po kosztach czarnego technicsa z pilotem. Ciężki kloc, głośny jak diabli, ale nie do zdarcia. Czasami jeszcze z niego korzystam, lubię sprawdzać, czy wciąż działa, chociaż wszystkie kasety parę lat temu dałem przegrać na płyty takiemu specowi z giełdy elektronicznej. Mniejsza z tym. Cecylii powiedziałem, że magnetowid kupiłem od kolegi z pracy, który szybko potrzebował forsy na późną skrobankę dla jakiejś dziewuchy. Uwierzyła i był spokój, dopóki się Baśka nie wygadała, ale to potem, więc nieważne. Pożyczyłem od Henia stertę kaset i przewijałem na podglądzie, bo nie wszystkie były podpisane, w końcu trafiłem na tę z Freddiem. Kiedy zostawałem w mieszkaniu sam, oglądałem ten krótki fragment w kółko. Jak zaczynali się Indianie, cofałem do początku. Sprawdziłem całą kasetę, był w jednym miejscu. Kilka minut, z czego większość schodziła na miasto, stawianie sceny i tak dalej, a twarz pokazana z bliska pojawiała się na moment, dwa, trzy razy. Łapałem ją na stopklatce. Brałem lusterko Cecylii i zerkałem raz na twarz Freddiego, raz na swoją, i ciągle nie byłem pewien.

Zacząłem codziennie po pracy obchodzić bazary, gdzie handlarze trzymali kasety w reklamówkach albo bagażnikach samochodów, zaglądałem też do serwisów elektronicznych, w których sprzedawali je spod lady. Cecylia myślała, że szukam piątej czy szóstej części *Emmanuelle*. Wybrała ten film na pierwszy seans dla znajomych, bo chciała coś odważnego i z klasą. Szybko go zdobyłem i zostawiłem w szatni w pracy. Udawałem, że dalej szukam, a w rzeczywistości pokazywałem handlarzom kartkę z napisem „Queen" i pytałem, czy mają coś z tym zespołem, bo nie byłem pewien, jak się to wymawia, a kojarzyło mi się jedynie z kartami, w których „Q" oznaczało damę. Wtedy jeszcze nie wiedziałem, że facet, którego jestem sobowtórem, nazywa się Freddie Mercury. Agatka na pewno by mnie oświeciła, ale chciałem to utrzymać w tajemnicy. Znów pomógł Henio. Skłamałem, że potrzebuję kasety z ulubionym zespołem córki na jej urodziny. Obiecał skontaktować mnie z facetem, który podobno był w stanie załatwić wszystko. Czekał w umówionym miejscu. Niski, z twarzy jak Kaczor Donald z obciętym dziobem, w adidasach, prawdziwych dżinsach i czapce z daszkiem, spod której wystawał mu kucyk. Powiedziałem, że jestem od Henia, i podałem hasło. Odwrócił się i poprowadził mnie ścieżką przez krzaki. Na plecach ortalionowej kurtki miał naszytego orła, ale nie naszego, tylko amerykańskiego. Całą drogę pytał, co mnie interesuje, kobiety, mężczyźni, dzieci, starcy, zwierzęta, solo, pary, trójkąty, grupy, białe, czarne, żółte, ostro, romantycznie, w buzię, w piczkę, w kakao, mieszkanie, samochód, plaża, chudzi, grubi, fabuła, bez fabuły, niemieckie, rosyjskie, francuskie, z gumą, bez gumy, brunetki, blondynki, szczanie, wymioty, sranie, gwałty, na wesoło, po palec, po pięść, po ramię, ciąża, cieczka, katolicy, żydzi, muzułmanie, brudni, czyści, bez rąk, bez nóg, bez oczu, umysłowi, starożytność, kosmici, depilowane, owłosione, duszenie, bicie, żywi, trupy, aż wyszliśmy na plac z dwoma rzędami blaszaków, stanął przodem do mnie, no, to co będzie, zapytał i zadzwonił kluczami wyciągniętymi z kieszeni, muszę wiedzieć, który garaż otworzyć, a ja mu podałem kartkę z napisem „Queen" i poprosiłem o jakiś koncert, najlepiej z Budapesztu. O, kolego, zacmokał, takie cuda wyłącznie na zamówienie.

Krzywię się, bo kurwy bolą, to nie przejdzie tak od razu. Mam tabletki, ale skończyłem kawę, a bez popijania nie przełknę, bo mi stanie w gardle. Nie, za wodę dziękuję, czystą to jedynie wódkę. No nie przejdzie mi przez usta, muszę chociaż kapkę soku dodać dla smaku i koloru. Nie chcę robić więcej kłopotu. To kawę. Ale jakby co. Tak, parzoną. Z mlekiem. Po kawie nawet szybciej działają te leki. Słucham, każdą. I tak więcej niż połowę pomijam, ale dobrze, spróbuję. Więc za tydzień dostałem kasetę. Kosztowała mnie kilka razy więcej niż te z bazaru, był na niej koncert i teledyski. Na starszych w ogóle Freddie samego siebie nie przypominał, bardziej młodszego mnie. No i się zorientowałem w końcu, jak się nazywa, bo te klipy raz miały podpis „Queen", a raz jego imię i nazwisko. Wszystko tam było, i ten, gdzie jest przebrany za kobietę, i drobnymi krokami wbiega do pokoju, potrafiłem to zrobić, teraz nie, teraz mogę jedynie udawać jego pomnik, rozkrok, ręka w górę, zero ruchu, i ten, gdzie tańczy na balu przebierańców, urządzonym z okazji jego urodzin, czyli *pijorere*, i pełno innych. Patrzyłem na niego jak na brata, któremu lepiej się powiodło, i który nie wiedział o moim istnieniu, albo udawał, że nie wie, ze strachu, żebym go nie pociągnął za sobą w dół.

Jakoś w tym czasie rozwalili komunę i miałem inne zmartwienia niż to, czy jestem podobny, czy nie do jakiegoś piosenkarza. Najpierw wywalili z Koloru połowę załogi, w tym mnie, a potem w ogóle zamknęli zakład. Dużo produkowaliśmy, ale też wszystko się rozchodziło, nie nadążaliśmy niekiedy, a ci wymyślili, że przynosimy straty. Kto na tym zarobił, niech mnie pan nie pyta. Szukałem nowej pracy i nic, Henio nie pomógł, bo wpadł na granicy i go przymknęli, pisali o tym w gazetach. Nigdy tyle czasu nie przesiadywałem w domu i się okazało, że nam z Cecylią za ciasno, ciągle na siebie wpadaliśmy, jedno drugiemu przeszkadzało, nie mieliśmy co ze sobą robić, a ona jeszcze miała pretensje, że inni sobie radzą, zakładają firmy, handlują, czym się da, a ze mnie taka niedojda. Musieliśmy sobie dużo odmawiać, w kółko jedliśmy na obiad ziemniaki z kefirem. Nie obijałem się, naprawdę, ale udawało mi się łapać jedynie krótkie fuchy. To ona od rana do wieczora snuła się po mieszkaniu w szlafroku i oglądała telewizję. Może by mnie pan poczęstował papierosem, te tabletki są mocne i zanim zaczną działać na ból, to najpierw mieszają w głowie, tytoń mi pomaga, łatwiej po nim zebrać myśli do kupy. Przecież nikt się nie dowie, że zapaliliśmy. Nie, na korytarz nie, musiałbym przyczepiać to dziadostwo do kikutów, a za wcześnie, dalej mnie rypią. Niech pan da chociaż powąchać, o, porządne, wezmę na później, dobra?

Do tego zaczęły się kłopoty z Agatką. Chodziła do ósmej klasy, to ile miała, czternaście, piętnaście lat, a wydawało jej się, że jest dorosła. Nieraz dostała od Cecylii w twarz i usłyszała, że jest tumanem i tym podobne. Ja nigdy na nią ręki nie podniosłem i nie skląłem, zawsze Agatko to, Agatko tamto. Na początku, jak Cecylia zabraniała jej iść na dyskotekę, to nie było dyskusji, szła do swojego pokoju płakać. Minęło trochę czasu i przestała nas pytać, po prostu wychodziła. Do łazienki nie można się było dostać, bo Agatka malowała się godzinami, zaczęła nosić miniówy, obcisłe getry i krótkie bluzki, z pępkiem na wierzchu, adidasy na gołe stopy. Jak widziałem, że sobie wyrywa włosy z myszki, takiego dużego, brązowego placka na łydce, wiedziałem, że pójdzie gdzieś i wróci, kiedy się jej spodoba. Podobnie ze szkołą, wagarowała, ile wlezie. Raz przeszukałem jej rzeczy, bałem się, czy nie wpadła w jakieś narkotyki, kleje i kompoty były w modzie, i znalazłem notes w czarnej oprawie, a w nim daty, imiona i nazwiska albo ksywki różnych chłopaków i mężczyzn, a przy każdym literka, na przykład es, el albo pe, na samym końcu do każdej wyjaśnienie, nie będę ich panu powtarzać, ale jak to przeglądałem, zimny pot mnie oblał, i pomyślałem, że jak tak dalej pójdzie, to jeszcze przed maturą zostanie kurewką od a do zet i z powrotem, i nie pomyliłem się ani o jedną literę. Cecylii nic nie powiedziałem, szkoda mi było córki, bałem się, że ją stłucze, ale prawdę mówiąc, zależało mi na spokoju, miałem już powyżej uszu wrzasków i szarpaniny. Wiem, miałem mówić o Freddiem, nie o tym, ale jedno z drugim się łączy, bo siedziałem w domu bez pracy i papierosów, jadłem kromki z wodą i cukrem i popijałem je kawą zalewajką. Za oknem ciemno, pusto i brudno. Jedynie Freddie na wideo był wesoły i kolorowy. Włączałem go zaraz, jak zostawałem chociaż na chwilę sam. Wyobrażałem sobie, że patrzę nie na niego, tylko na samego siebie w innym, lepszym życiu. I żeby sobie to bardziej ułatwić, ściąłem włosy, co się spodobało mojej żonie, zapuściłem wąsy, co się jej nie spodobało, i w łazience przed lustrem, gdy ściągnąłem okulary, pierwszy raz zobaczyłem Freddiego na żywo. Potrzebowałem czasu na oswojenie się z tym. Jak się całe życie jest Polakiem, to nie tak łatwo.

Nie mówię tego z zazdrości, ale ta muzyka w ogóle mi nie wpadała w ucho, wręcz mnie wkurwiała, a zwłaszcza śpiew, nie moje klimaty, bez porównania z Boney M., Al Bano i Rominą Power czy Royem Orbisonem. Byłbym to porzucił w cholerę, gdyby nie jeden problem. Ja byłem tylko sobą, a on był Freddiem Mercurym. Uczyłem się więc poruszać jak on i udawałem, że razem z nim śpiewam te pojebane piosenki, z których nic nie rozumiałem, a nawet dzisiaj piąte przez dziesiąte, nie znam angielskiego. Jedyne, co mi się podobało, to króciutki utwór, który śpiewał przy akompaniamencie gitary akustycznej, bardziej pieśń niż piosenka, i po węgiersku. Do dzisiaj bardzo go lubię i często nucę. To szło mniej więcej tak: *Tawaszi sel wiset arast, wiragom, wiragom. Minden modar, tarszot waloszt, wiragom, wiragom*. Ładne, prawda? Tego mogłem słuchać kilka razy z rzędu. Nie mam przy sobie tłumaczenia, załatwiłem je od kogoś po latach czy znalazłem w gazecie, mniejsza z tym, ale może sobie sam przypomnę, to powiem panu, jak to szło po polsku. Nic, co miałem w szafie, nie przypominało kostiumów Freddiego, z jednym wyjątkiem: dżinsy z bazaru i biały podkoszulek bez rękawów, to mi musiało wystarczyć. Wkładałem to przed włączeniem kasety i to mi pomagało się rozruszać, jak puszczałem koncert czy teledysk, dostawałem już porządnego kopa i skakałem pod sam sufit. Może się pan zdziwi, że skoro jestem podobny, to czemu nikt we mnie nie rozpoznał Freddiego, ale tak właśnie było. Ani córka, ani żona czy przechodnie na ulicy. Pewnie trochę przez okulary, które ciągle nosiłem, i przez ubranie. Teraz myślę, że to jak z nadawaniem dziecku imienia na chrzcie, tyle że tu trzeba samemu się ogłosić czyimś sobowtórem, a ja nie miałem odwagi. Chciałem zostać rozpoznany i jednocześnie się tego bałem, taka była ze mnie cnotka, a trzeba było się puścić na żywioł, jak Agatka, zostać sobowtórem od a do zet i z powrotem.

Nagle tańce przed telewizorem się urwały, bo znalazłem pracę na stałe, to znaczy nie wiadomo, czy na stałe, ale nie dorywczą, tylko codzienną, na akord, dlatego się siedziało od rana do późnego wieczora przy wtryskarkach do plastiku. Robiliśmy gniazdka, plakietki, pokrętła, tysiącami, czego by pan nie chciał. Wychodziło to z maszyn w takich ramkach, trzeba było powyciskać i wyrównać nożykiem, żeby nie sterczały kawałki. To już na zewnątrz, jak była pogoda, bo w środku brakowało powietrza. Od pętli autobusowej szedłem spory kawał drogą rozjeżdżoną przez ciężarówki. Albo była cała w pyle, albo w błocie, jeszcze w autobusie przebierałem buty na stare trepy. Po obu stronach stały różne zakłady, magazyny i warsztaty. Za ogrodzeniami sterty blachy, palety, zwoje drutów i kabli, gdzieniegdzie sypały się iskry przy spawaniu. Śmierdziało spalinami, towotem i zatkaną kanalizacją. Po prawej, naprzeciwko mojej firmy, w długiej, wysokiej hali dygotały szyby z brudnego pleksi, a w środku suwnica stukała za każdym razem, gdy cięgnik dotarł do końca pomostu, jak pływak, który uderza w ścianę basenu i zawraca. I tak przez dziesięć, dwanaście godzin. Zazwyczaj wracałem stamtąd tak ujebany, że na Freddiego mogłem co najwyżej popatrzeć, a i do tego brakowało mi ochoty. Szlag mnie trafiał, jak wstawałem rano do pracy, ledwo wytrzymywałem dniówkę, wlekły się te godziny niemiłosiernie, dosłownie płakać mi się chciało z tej niesprawiedliwości, że niczym się nie różniłem od Freddiego, a taki pierdolony był mój los. Zdarzały się awarie, kłopoty z dostawą czy z innego powodu przestój. Do domu nie mogliśmy iść, trzeba było czekać, aż produkcja znowu ruszy. Nudziło nam się, dlatego jak szefa nie było, lepiliśmy z gorącego plastiku kulę, i latały tam dwa wilczury, które pilnowały zakładu, spuszczone luzem w dzień i w nocy, rzucaliśmy im tę kulę i patrzyliśmy, jak się o nią żrą.

Powoli, powoli, bo dochodzę do tego, co najciekawsze, to się na pewno przyda do musicalu, widzi pan, szybko się uczę. Tego powinien pan posłuchać ze szczegółami. Dobrze, spróbuję krócej, wedle życzenia, oby pan potem nie żałował. W razie czego jest zeszyt, gdzie wszystko po kolei i dokładnie spisałem. Pewnie, nie zmuszam przecież, dobrze radzę, a czy pan skorzysta, co ja mogę. Dałem słowo, skończę i wyjdę. Miałem dość tej harówy za psi grosz, postanowiłem zaryzykować. Ludzie kombinowali, na byle czym budowali fortuny, a ja nie byłem pazerny, chciałem normalnie żyć i przy okazji się zabawić, wyrwać z domu, gdzie w kółko fochy, problemy i awantury. Wymyśliłem plan, przyznaję, dość wredny i nieodpowiedzialny, nie liczyłem się w nim z żoną i córką, ale nie żałuję. Potrzebowałem stroju Freddiego, żeby go zrealizować. Biały podkoszulek bez rękawów i dżinsy to za mało. Na szczęście przypomniałem sobie o koleżance mojej matki, krawcowej. Rodzice dawno nie żyli. Mieli mniej lat niż ja teraz. Kto wie, czy nie ze zmęczenia tak wcześnie poszli do ziemi. Myślę, że umarli z ulgą. A może za mało ich znałem.

W każdym razie tak się szczęśliwie złożyło, że ta kobieta mieszkała tam, gdzie dawniej, i poznała mnie, kiedy się przedstawiłem. Skracała mi spodnie, jak byłem gówniarzem, a mojej matce szyła spódnice, sukienki, różne takie. Była już na emeryturze, chętnie się zgodziła zrobić strój Freddiego z tego teledysku, w którym śpiewa *pijorere*. Dałem jej na wzór zdjęcie z gazety, nie pamiętam tytułu. Agatka wycinała, z czego się dało, aktorów, piosenkarzy, sportowców i wklejała ich do zeszytu, ale Freddiego akurat zostawiła, może dlatego, że niedobrze wyszedł, z ramionami wiszącymi do kolan jak u małpy. Z tej krawcowej taki był numer, że za materiały brała, a za robociznę chciała dawać. Już kiedy pierwszy raz u niej byłem, nie wypuściła mnie, dopóki nie wypiłem z nią herbaty. Potem, jak mierzyłem spodnie, skarżyła się, że brakuje jej kogoś, z kim mogłaby porozmawiać, do kogo się przytulić, potrzymać za ręce, bo o niebo lepiej wtedy się pracuje, bez tego nic jej nie idzie, myli się w obliczeniach, krzywo tnie i zszywa, źle dobiera kolory, nie kończy tego, co zaczęła. Za następną wizytą nie czekałem, aż się herbata zaparzy, a ona zacznie swoje żale, ale z miejsca się za nią zabrałem. Miała szerokie biodra i solidną dupę, w sam raz do siedzenia całymi dniami przed maszyną. Jej płaskie cycki można było rozpoznać tylko dzięki ciemnym sutkom przypominającym nadgniłe truskawki. Do tego pękaty brzuch z zassanym pępkiem, zarośnięta pizda i cienkie nogi, wetknięte w kadłub jak dwie zapałki w kasztana. Wredna była i szyła po kawałku, musiałem często przychodzić na przymiarki. Dzięki Bogu, nie żałowała kapki czegoś mocniejszego. Nigdy nie starałem się jej dogodzić, nie miała o to pretensji, luster jej przecież nie brakowało, skupiałem się na tym, by utrzymać go sztywnego i wreszcie chlusnąć, i obetrzeć jednym ze ścinków, które poniewierały się na podłodze. Leżałem jak kłoda pięć minut w jej objęciach, czasami dłużej, jeśli się akurat rozpłakała, a potem wychodziłem i rzygałem za rogiem. Kiedy strój był gotowy, zanim go oddała, uwiesiła mi się na szyi i kazała obiecać, że jej nie zostawię samej i niebawem wrócę. Przytaknąłem. Nigdy więcej się nie zobaczyliśmy. Jeśli jeszcze żyje, jest grubo po osiemdziesiątce.

Cecylia nic nie podejrzewała, mimo moich późnych powrotów. Nie że taka głupia była, raczej tyle ją obchodziłem, teraz to wiem. Strój zawinąłem w papier i folię i schowałem w piwnicy. Równocześnie wypełniałem drugą część planu.

Przez trzy miesiące odkładałem sporo z każdej wypłaty i kłamałem w domu, że są w firmie problemy z wynagrodzeniami, dają część i każą czekać na resztę. Atmosfery to nie poprawiło, ale zawziąłem się i wytrzymałem. Tymczasem ćwiczyłem do upadłego kroki, ruchy, naśladowanie śpiewu i tak dalej. Nigdy mnie ani żona, ani córka nie przyłapały, jak słyszałem klucz w zamku, gasiłem telewizor i wideo, zakładałem okulary i udawałem, że coś robię, dlatego taki zmachany jestem. Aż wreszcie uzbierałem co nieco forsy, wróciłem któregoś popołudnia specjalnie wcześniej i powiedziałem, że przedsiębiorstwo padło, właściciel kamień w wodę, nie doczekamy się na wypłaty, to pewne, i posiedziałem kilka dni bezczynnie, po czym wymyśliłem, że kolega poznany przy wtryskarkach załatwił nam robotę w Zakopanem i okolicach przy remontach domów górali z Chicago, noclegi w hotelu robotniczym, pojutrze zaczynamy. Zabrałem kostium i naprawdę pojechałem do Zakopanego. Stawałem niemal codziennie na Krupówkach i przebrany za Freddiego puszczałem z kasprzaka, do którego nie nadążałem kupować baterii, jego piosenki i udawałem, że to ja je śpiewam. Jak dobry żebrak, kurwa albo złodziej uprawiałem swój fach nie u siebie, tylko w obcym mieście. Do domu wracałem raz w miesiącu na dwa, trzy dni, ale nie w sobotę i niedzielę, wówczas był największy ruch, a i to bez szału, nie ma porównania z tymi tłumami, co dzisiaj. Nasi turyści niewiele rzucali, więcej zagraniczni, oni też częściej rozpoznawali w czym rzecz. Na tych zasranych wtryskarkach lepiej wychodziłem. Ale nie skarżę się. Nigdy dotąd nie byłem tak bardzo samotny, głodny i szczęśliwy.

Spokojna głowa, proszę się nie bać, różne tam miałem przygody, nie będę o nich mówić, nie ma czasu, to nie ma, rozumiem, ja o wszystkim wiem, sobie nie potrzebuję opowiadać, pańska strata. Zmierzam do tego, że zszedłbym tam na dziady, gdyby nie to, że mnie pewnego dnia przyuważył jeden facet z żoną, był na urlopie w górach, i wciągnął do swojego biznesu. Oboje starsi ode mnie, też sobowtóry, nie takie dokładne, drugiego takiego jak ja ze świecą pan nie znajdzie. On Wojtyła, ona Alexis. On wiadomo, od kogo miał ksywkę, ona od tej z *Dynastii*. Pewnie się pan spodziewa, że zaraz opowiem, jaki to był z Wojtyły pijus i jebaka, bo to kupa śmiechu, że papież, a taki numer. Nic z tych rzeczy. Bardzo spokojni, porządni, oboje do rany przyłóż. Zebrali parę osób podobnych do gwiazd i jeździli z nimi na występy, bardzo obrotni, dlatego na brak zajęć nie narzekali. Nie mogli się nadziwić, że jesteśmy z Freddiem jak dwie krople wody, namówili mnie, żebym do nich dołączył. Z początku trudno było mi uwierzyć, bałem się, że to oszuści, ale zaryzykowałem. Ustaliliśmy, co i jak, że tego a tego dnia, tu i tam będą na mnie czekać i ruszamy w trasę, i pognałem do Krakowa. Bez obaw, nie opowiem wszystkich wyjazdów po kolei, za dużo ich było, nie spamiętałbym nawet, ale proszę mi pozwolić dojść do tego, co ważne, już naprawdę jesteśmy blisko końca.

Z początku jeździliśmy nyską, a że dobrze szło, Wojtyła kupił większego volkswagena. Nie oszczędzał na niczym, ani na jedzeniu dla nas, ani na kostiumach, które robił mu znajomy z teatru, no i płacił uczciwie. Jednym słowem, dobry był z niego szef. Wstydził się, że jest sobowtórem papieża, nie lubił się tym popisywać i nikt go przy wódce nie namawiał na przebieranki i błogosławieństwa. Za takie żarty można było u niego wylecieć na zbity pysk. Ale kiedy trzeba było, wkładał ten biały strój, czapeczkę i odstawiał habemusy. Skład miał w miarę stały, tyle że nie na każdy turnus mogli wszyscy jechać, praca, rodzina i te sprawy. Byłem ja, Wojtyła, Alexis, Schwarzenegger, Lenin, którego się pozbył, bo go przyłapał na grzebaniu w naszych bagażach, Villas i Rodowiczka, ten chudszy, co grał w *Gliniarzu i prokuratorze*, nigdy nie mogę zapamiętać jego nazwiska, a powinienem. O, właśnie, Joe Penny, dziękuję. Wojtyła starał się wyszukiwać i brać takich, którzy byli na topie. Kiedy ja dołączyłem, już się w to nie bawił, wiem tylko z opowieści, że wcześniej przerobił paru Hitlerów. Z każdym było coś nie tak, każdy za mało podobny, nie pomagała fryzura ani mundur. Hitler łatwo robił furorę, ale też za każdym razem przynosił pecha. Albo coś zginęło, albo ktoś się pochorował, odwołali gdzieś występ czy mniej zapłacili, niż było umówione. Alexis mówiła, że to przesądy, ale Wojtyła wiedział swoje i zrezygnował z Hitlerów. Obstawialiśmy, co się dało, od wesel, gdzie śpiewaliśmy z playbacku, przez spotkania biznesmenów, rocznice, uroczystości i festyny w miasteczkach i na wsiach, aż po prywatne zamówienia, niekiedy u grubych szych, Wojtyła wszędzie miał dojścia, a czego nie załatwił prywatnie, to dopiął swego jako papież. Ponieważ widziałem, że się to dobrze kręci, na pieniądze nie mogłem narzekać, przestałem Cecylii opowiadać bajki o kolejnych fuchach, na które niby jeżdżę, i pewnego razu przyznałem się, że jestem sobowtórem Freddiego Mercury'ego, przebrałem się i pokazałem. Nie spodziewałem się wielkiej radości, musiałaby nie być sobą, ale że chociaż zrozumie, a ona popatrzyła na mnie, jakbym jej rodziców skarpetką zabił, stwierdziła, że jestem psychiczny, i zabroniła mówić córce, czym się zajmuję. Od tego czasu spałem w przedpokoju na rozkładanym łóżku, jak akurat nie byłem z Wojtyłą w trasie. Dom oczywiście dalej utrzymywałem, to jej nie przeszkadzało.

Nie chwalę się, ale w tej grupie byłem prawdziwą gwiazdą. Nikt nie był aż tak podobny do swojego oryginału jak ja. W kioskach pojawiło się „Bravo", Agatka to zbierała, więc podczytywałem, sam pilnowałem, czy już jest nowy numer w kiosku, i zaraz jej przynosiłem. Zmartwiło mnie, jak się dowiedziałem, że Freddie to tak naprawdę pedi, wie pan, o co chodzi, po pierwsze bałem się, że mogą się ze mnie koledzy i koleżanki śmiać, a po drugie, że skoro jestem sobowtórem, to może we wszystkim, a nie jedynie w wyglądzie. Chodziło takie powiedzenie dla śmiechu, bo nikt tego nie brał na poważnie: żeby życie miało smaczek, raz dziewczynka, raz chłopaczek. To nie ma nic do rzeczy, ale Freddie umarł wkrótce po tym, jak przeczytałem o jego zboczeniach. Ogłosili to w radiu i telewizji. Byliśmy akurat na występach w Berlinie, tak, za granicę też jeździliśmy. Dziwnie się poczułem, nie przepadałem za nim, to prawda, traktowałem go trochę jak narzędzie do wykonywania zawodu, a mimo to poszedłem tego wieczoru do knajpy wypić za niego. W okularach i cywilnym ubraniu, nie miałem ochoty na zaczepki. I teraz uwaga, bo panu jednemu to opowiadam, nikt więcej tej historii nie zna, słyszałem, jak ktoś kiedyś mówił, że w sztuce tylko prawda jest ciekawa, no to będzie teraz dużo prawdy. Zasiedziałem się, wie pan, jak to jest, od kieliszka do kieliszka. Znalazł mnie tam taki chłopaczek, nasz tłumacz podczas pobytu, pół Polak, pół Niemiec, z dwadzieścia lat, daleka rodzina Wojtyły, i zabrał z powrotem na kwaterę. Po drodze kupiliśmy jeszcze sznapsa i usiedliśmy nad tą rzeką, aż kurwa, nigdy nie pamiętam, jak się ona nazywa, i go wypiliśmy. Coś musiałem mówić o Freddiem, bo ten chłopaczek, wyleciało mi imię z głowy, wygłupiał się, śpiewał jego piosenki i gadał coś do mnie i się śmiał, tańczył i szprechał mi tam coś do ucha. Gadaj po polsku, gówniarzu, kazałem, a on dalej po swojemu, myślałem, że to pijackie pieprzenie, zdrzemnąłem się. Jak się obudziłem, leżałem na plecach, ze spodniami opuszczonymi do kostek, a ten gnojek głową w górę i w dół, w górę i w dół. Sam już nie wiem, czy ze złości, że się odważył, czy że właśnie mu odwagi brakło i w ostatniej chwili się zawahał i na sekundę wypuścił mojego kutasa z ust, no bo się opierałem, odpychałem go, żeby nie pomyślał, i spuściłem się ot tak, z rozpędu, przyjemność z tego żadna, ale już się nie dało zatrzymać. Rzuciłem się na niego i rozkwasiłem mu mordę, i wróciłem sam, a jego zostawiłem. Nikomu się nie poskarżył, a kiedy wyjeżdżaliśmy do Polski, przyszedł nam pomachać na pożegnanie, strasznie posiniaczony. Zaraz po powrocie zaprosiłem Alexis, Wojtyłę i całą resztę do siebie, bez okazji i bez zapowiedzi, wpadliśmy po prostu z żarciem i wódką, rozsiedliśmy się i Cecylia ani słowa nie pisnęła. Zaskoczyła mnie, jak już goście poszli, wcale nie była obrażona, przeciwnie, chwaliła, że sympatyczni, dobrze się jej z nimi rozmawiało, i Wojtyła z Alexis, i Joe Penny, a nawet Rodowicz i Villas, chociaż tych dwóch ostatnich nie znosiła. Tej nocy wróciłem też do spania w łóżku. I myślałem, że to mój triumf, a na własną zgubę to zrobiłem, zaraz do tego dojdę.

W gorącej wodzie pan jest kąpany. Proszę wytrzymać minutę, kończę przecież. Będę wdzięczny, jak pan więcej nie przerwie. Całą garść tabletek musiałem łyknąć przed przyjściem tutaj. Dostałem gorączki, z nerwów albo nie z nerwów, i nie mogłem jej zbić. Po twarzy tak bardzo nie widać, ale zbladłem i sflaczałem. Ciało mam wręcz białe, z czarnymi włosami, żebra mi wystają, i jedynie ten ciemniejszy od reszty, pomarszczony fiut i wór wydają się ciężkie, i ciągną mnie w dół. Tam się wygoliłem na zero. Wcześniej przypominał wisielca, któremu nogi dyndają spod gałęzi i liści, od pasa w dół, teraz widać go całego, tyle mnie zostało. I nie dość, że taki krótki jestem, to jeszcze się garbię. No, niech pan popatrzy. Spokojnie, same spodnie ściągam, mam pod spodem majtki. Widzi pan kikuty? Czerwone, a tu sine. Idzie to powoli coraz wyżej. Dostałem skierowanie na oddział. Zaraz, zdejmę jeszcze siatki. Zawijam nimi gnaty, bo inaczej zalatuje. Co pan taki delikatny? Nie znam się, ale według mnie reżyser powinien być jak skała, na nim wszystko stoi. Czuje pan ten zapaszek? Nic to, tak jak mówiłem, więcej nie pozwolę. Stopy dałem odrąbać, wyżej też, powiedziałem sobie, że i tak nigdy nie lubiłem klęczeć, uznali, że trzeba, nie kłóciłem się. Teraz dość. Nie ustąpię ani o centymetr, nie oddam nawet chrząstki. Bóg nie może się zdecydować, co ze mną zrobić, i dlatego zabiera mnie po kawałku, jak ta ciota, co nie wiedziała, czy mnie trzymać, czy wypuścić z ust.

Zatrzymałem się na śmierci Freddiego. Taka moda na niego zapanowała, że przez dwa lata mieliśmy pełne ręce roboty. Musiał Wojtyła czasami odmawiać, nie wyrobilibyśmy ze wszystkimi zaproszeniami. To znaczy on nigdy nie odmawiał, mówił, że szkoda zrażać klientów na przyszłość, więc rzucał im zaporowe ceny, a i tak często je łapali, i nie było wyjścia, musieliśmy jechać. I nagle się skończyło. Dosłownie w jednym momencie. Byliśmy przed samą granicą, na początku długiej trasy, tym razem na Słowację, Rumunię i Węgry. Wojtyła prowadził, jak zawsze. Do dziś nie wiem, co się stało, czy przysnął za kierownicą, czy co. W jednej chwili rozmawialiśmy, żartowaliśmy, a w drugiej ocknąłem się w rozbitym wozie i nikt mi nie odpowiadał ani się nie ruszał. Szczerze mówiąc, i mnie już trudno tu wysiedzieć, a mówić o tym też niełatwo. Gdybym miał teraz decydować, nie wiem, czy bym przyszedł do pana. Poszliśmy na czołowe z tirem. Wojtyła wyszedł z tego w bardzo ciężkim stanie, ja z paroma siniakami, a cała reszta nogami do przodu. Kiedy policja, pogotowie i straż skończyli swoją robotę, zostawili mnie na środku drogi. Do Krakowa wróciłem autostopem, do domu tramwajem. Nic przy sobie nie miałem. Nie wiem, co się stało z moimi dokumentami i kluczami, puste kieszenie. Zapukałem do drzwi, otworzyła mi Cecylia, zdziwiła się, co tak wcześnie, i stała w progu, jakby nie chciała mnie wpuścić, wszedłem do środka i w pokoju zobaczyłem, że na rozbabranym łóżku siedzi Joe Penny, z moim ręcznikiem wokół bioder, i zaczesuje do tyłu świeżo umyte włosy.

Mogłem mieć bab na pęczki, kiedy jeździliśmy z Wojtyłą. Same mi się pchały w ramiona, starsze od Cecylii i młodsze od Agatki, a zawsze odmawiałem, bo rodzina, wiadomo. Nie urządziłem awantury, nie pobiłem się z tym lowelasem, spakowałem ubrania, magnetowid wziąłem pod pachę i wyniosłem się w cholerę. Kilka miesięcy siedziałem u siostry, potem wynająłem kawalerkę. Cecylia się połapała, co narobiła, i chciała zwalić winę na Agatkę, że niby ona sobie przygruchała Penny'ego. Nie ze mną te numery, Brunner, powiedziałem, i to były ostatnie słowa, jakie ode mnie usłyszała. Agatka wyszła zresztą wkrótce za mąż, urodziła córeczkę, rzadko się widujemy, nie mamy z sobą dobrego kontaktu. A Cecylia została sama z dzieciakiem, którego zrobił jej ten fagas. Przez parę dobrych lat jeszcze pracowałem jako Freddie Mercury, już sam, nie w grupie. Od Wojtyły, jak wyszedł ze szpitala, dostałem sporo kontaktów, polecił mnie różnym osobom. Namawiałem go długo, ale stracił do tego zawodu serce. Wpadałem do niego na wódkę, szkoda mi było człowieka, tak się kochali z Alexis, został bez nikogo, dzieci nie mieli. Coraz trudniej się z nim gadało, rozpił się i zdziadział, w kółko pieprzył o domu spokojnej starości dla emerytowanych sobowtórów na Florydzie, na który ponoć oszczędzał z żoną. Z takimi szczegółami opowiadał, jakby już tam był się rozejrzeć, na przykład o tym, że ulubioną zabawą jest tam zgadywanie, kto był czyim sobowtórem, i że większość staruszków na drugi dzień i tak zapomina, więc mogą się w ten sposób bawić do usranej śmierci. A potem zapadł się pod ziemię. Nikt nie wiedział, co się z nim stało. Latka leciały i coraz mniej zleceń dostawałem. Raz, że Freddie przestał być tak popularny, dwa, że ja się postarzałem. Ludzie porównywali mnie przecież nie do tego trupa z ostatniego teledysku, który się trzymał jedynie dzięki makijażowi, tylko do faceta w sile wieku i w pełnym zdrowiu. No i przyszedł czas, że poszukałem innej pracy. Na składzie węgla, gdzie lałem wodę, żeby zwiększyć jego wagę, przy produkcji zniczy, jako stróż na budowie, mógłbym tak długo. Musiałem się przenieść do innego mieszkania, tego, w którym jestem teraz. Śmiać mi się chce, kiedy sobie przypomnę, jak narzekałem, że sufit jest tam tak nisko, że mogę go dotknąć całą powierzchnią dłoni.

Będzie pan tak dobry i poda mi protezy? Boję się, że na pysk spadnę, jak sam po nie sięgnę. Tak, przeszło. Nie, nie trzeba, przypnę bez pomocy. Mam to wypraktykowane. O, i hop, jestem na nogach, łatwe, też by sobie pan poradził, oczywiście nie życzę. Zeszyt zostawiam. Reklamówkę też. Zrobi pan, co uzna, może wyrzucić do kosza. Prawdę mówiąc, nie zależy mi już na spektaklu, i proszę mnie nie poprawiać. Ja mam swoje nazwy, pan swoje. Nic od pana nie chcę, życzę powodzenia. Słowny ze mnie chłopak, co nie. Wygadałem się, a reszta jest mi obojętna. Proszę nic nie mówić. Jeszcze jedno na koniec. Przypomniało mi się, jak to leciało po polsku. Ta węgierska pieśń. Pożegnamy się nią. Wiosną wiatr wzburza wodę, mój kwiatku, mój kwiatku. Każdy ptak wybiera towarzysza, mój kwiatku, mój kwiatku. Ja kogo mam wybrać, mój kwiatku, mój kwiatku. Ty mnie, ja ciebie, mój kwiatku, mój kwiatku.

Stiszowity

Będziemy żreć piach, ptaszyno. Coraz więcej go i więcej. Skąd się go tyle bierze, no powiedz, to nie chwast, żeby sam z siebie rósł. Już nic innego przez okno nie widać, tylko piach. Nie da się ani zjeść, ani napić, żeby nie zgrzytał między zębami, a wypluć go trudno, jak komuś niewiele śliny zostało. Młodzi mogą pluć, ile chcą, ptaszyno, ja muszę cały piach przełykać, a i tak go nie ubywa. Tobie potrzebny, nie roztarłabyś bez niego jedzenia, łykanie kawałkami źle robi na kiszki, wiem po sobie, ale powiedz, co będziesz jeść, jak w Stiszowitach nie zostanie nic oprócz piachu. Tak mi się zdaje, że to będzie koniec, ptaszyno.

Codziennie niby zbiera się na burzę i codziennie ani kropli deszczu. Cały czerwiec suchy. Jak się nie ochłodzi, będzie po mnie. Powachlowałabyś mnie swoimi skrzydłami, ale i tobie gorąco, rozumiem. Nie wiem, jak się Tomkowi chce i skąd ma siłę, żeby jeździć rowerem przez te piachy. Zawzięty jest, ptaszyno. Te dwie dziewczyny, które przyjechały dzisiaj do Stiszowit, Tomek zobaczył niedaleko przystanku, przy mostku. Wysiadły za wcześnie, tak je, widać, wysadził kierowca, szły z dołu, od Niemojów, a gdzie tam jeszcze do Stiszowit. W ogóle niepodobne te Niemoje, więcej w nich bagien niż piasku, byłoby ci tam lepiej. Tomek nie zatrzymał się, kiedy zobaczył dziewczyny na dole. Wracał z Przylesia z zakupami, ta droga skręca w prawo i pod górę, nie mógł zwolnić, za stromo, już by nie ruszył, autobusy czasami nie mogą uciągnąć, co dopiero człowiek. Dlatego kierowcy stają wcześniej, w Niemojach, albo dalej, w Gurkach, tak twierdzi Tomek, dużo się zmieniło, odkąd nie wychodzę, wszystko można mi wmówić. Jedno, co wiem na pewno, to że nigdy tyle piachu tu nie było, on wszystko inne zżera.

Obserwował potem dziewczyny przez okno w kuchni, na ile pozwoliły mu krzewy w ogrodzie. Schował się w domu, zanim weszły pod górę, jedna z kasztanowymi włosami, w czarnej długiej sukience, druga w szerokich spodniach, z włosami jak piasek, obie gdzieś w jego wieku. Przeszły, zniknęły, zaraz były z powrotem, zapukały. Otworzyła Helena, matka Tomka, ona z nimi rozmawiała. Te panny miały nocleg u gospodarza w Stiszowitach już opłacony, ale nie mogły domu znaleźć. A jaki to numer, zapytała Helena. Trzydzieści siedem. Takiego numeru, mówi, od dawna nie ma, osiem domów jest w Stiszowitach, dwa zamieszkane, w trzecim jeden taki na wakacje przyjeżdża. Trzydzieści siedem to może te kamienie niedaleko domu Edka, powiedziała, a miała na myśli ten dom, ptaszyno, tutaj. Tych kilka kamieni albo zardzewiały pręt wystający z piasku, blisko pomnika pod lasem, dodała. Tomek słyszał, że coś uderzyło o ziemię, pewnie dziewczyny zrzuciły plecaki. To co robimy, mówi jedna. U mnie, na to Helena, noclegów nie ma, w tym drugim domu dawniej przyjmowali gości, ale teraz już nie, tam taka stara, schorowana babka z synem mieszka. Czyli ja i Edek, ptaszyno.

To nie koniec, czekaj, ptaszyno, co się zrywasz w taki upał. Całe piętro jest wolne, zmieściłyby się, powiedział

Tomek do matki. Akurat potrzebne nam jakieś przybłędy, żeby nas okradły albo gardła poderżnęły w nocy, dziękuję za taki interes, obejdę się. Tomek wypakował zakupy. Jedna woda nie wystarczy, mówiłam, żebyś dwie wziął. Jakbyś nie jadła tyle orzechów solonych, to nie chciałoby ci się pić. Ani jednego jeszcze dzisiaj nie schrupałam. Bo Helena, ptaszyno, je orzechy garściami, we wszystkich kieszeniach ma po trochę, w szklankach, miskach, gdzie się da, też bym zjadła, ale nie mogę, raz, że mi wchodzą okruchy pod protezę, dwa, że twarde, dziąsła bym poraniła, a jeszcze z solą, już tak się kiedyś załatwiłam. Pojadę jeszcze raz, mówi Tomek. Nigdzie teraz nie jedź, czekaj, aż pójdą, jeszcze cię zaczepią, nie ma sensu po jedną butelkę jechać, więcej wody wypocisz, niż przywieziesz, pranie mi pomóż porozwieszać. I tak pojechał. Wstąpił do mnie, nie miał po drodze, mieszkamy na dwóch krańcach Stiszowit, do Przylesia, gdzie robi zakupy, bliżej ma od siebie, ale wpadł i opowiedział o tym, co się stało. Stąd wiem i tobie powtarzam, chyba że Helena zmieniła zdanie i kazała Tomkowi znaleźć dziewczyny, żeby przenocowały w szopie, a on tylko udawał, że ich szuka, bo się wstydził.

Wciągasz te robaki jak makaron, gdzie ci się to mieści, ptaszyno, chyba umówiłaś się z Tomkiem, odwiedzacie mnie na przemian, niedawno był, przywiózł mi zupę i kawałek chudego mięsa, nic innego już nie jem, inaczej mi się kiszki zatykają. Można o Helenie dużo powiedzieć, ale obiady robi pierwsza klasa, ja już nie ugotuję, a Edek, szkoda gadać, najgorsze, że on wszystko z łaską człowiekowi podaje, wolę zapłacić i zjeść bez niczego, majstrować tylko lubi, skłamałabym, że nie, o co poprosiłam, zawsze wszystko naprawił, radio, słuchawki, kabel, długopis, jak się rozleciał, różaniec nawlekł, zapięcie do łańcuszka, a jak wołałam, zostaw, Edziu, kiedy długo to trwało, nie ma sensu, żebyś się z tym bawił, wściekał się, za jakiś czas przynosił zrobione jak nowe, lepiej nawet niż nowe, mocniejsze. Odszedł ode mnie apetyt ostatnio, dzióbnę tyle co wróbelek, jedynie zupę całą wypiję, resztę chowam i czekam, aż przylecisz. Jem, póki sama mogę utrzymać łyżkę, karmić się nie dam, a już mi coraz gorzej, naklnę się więcej, niż pojem, łyżka mi wyleci albo się obleję, albo mi spadnie coś na bluzkę, nie zauważę i siedzę jak świnia. Z łóżka na krzesło, z krzesła na łóżko, Edek też młody nie jest, denerwuje się, że musi mi pomóc, jak mnie siły opuszczą, nie wesprę się, to mnie dźwignie, posadzi na krześle z kółkami i dopcha do okna, potem idzie w kibinimatry, do wieczora go nie ma, a ty siedź, stary trupie. Zresztą, czy jest, czy go nie ma, żadna różnica, mało co się odzywa, ptaszyno, mruk taki, powiedz, na kogo się podał. Na telewizję nie mogę patrzeć, dawniej lubiłam, skłamałabym, że nie, teraz oczy mnie pieką, łzawią, ściemnił Edek obraz, to znowu nic nie widzę. Krople nie pomagają, gdzie na takie stare ślepia, a do tego on nie potrafi ich dać, więcej mi się leje po policzkach i ubraniu, niż do oczu wpada, dlatego nie oglądam, i tak mało co jest ciekawego. W radiu na zmianę grają i gadają nie wiadomo o czym, w nocy jedynie coś jest, wspominki sprzed lat i piosenki takie, co jeszcze znałam, jak byłam dzieckiem, mam słuchawki, to zakładam, słucham i zasypiam, budzę się i tak wkoło, w dzień nic.

Trzeci miesiąc nic innego do ludzi nie mówię, tylko nie ma jajek, nie ma jajek. Wiesz coś o tym, ptaszyno, ze swoim kra-kra. Od tego ataku nic z siebie nie mogę wydobyć, jedynie w kółko nie ma jajek, nie ma jajek. Jak mi się to stało, pomyślałam, oho, zaraz umrę, wszyscy na mnie krzyżyk postawili, ludziom często się przed śmiercią króliki pieprzą w głowie, ale wtedy ty przyleciałaś, siadłaś na parapecie i przekrzywiłaś główkę, chciałam ci się poskarżyć i poskarżyłam, zupełnie normalnie, jakby nic się nie stało. Do ciebie tak mogę, jak te jąkały, co kiedy śpiewają, to czysto, bez zacinania się, a jak mówią, to nikt nie ma nerwów, żeby słuchać tego ni to gadania, ni to popierdywania. Podtykał mi nieraz Edek kartkę i długopis, ale gdzie bym mogła utrzymać długopis w tych powykręcanych paluchach i pisać wyraźnie, a nie jak kura pazurem. Przyzwyczaiłam się, nie narzekam, co miałam ludziom powiedzieć, widocznie już powiedziałam, musiał Pan Bóg uznać, że nie potrzebuję więcej mówić. Gdyby mi przeszło, może by Tomek pomyślał, e tam, stara jeszcze pociągnie, nie będę codziennie przyjeżdżać, odwiedzę ją za tydzień, nie chce mi się dymać przez te piachy. Jeszcze bym Edkowi odebrała nadzieję, że wkrótce kipnę, przestraszyłby się, że wracam do zdrowia, i nie wiadomo, jak długo pociągnę, może by mi w łeb dał z tej złości, nieraz na mnie głos podniósł, dlaczego nie miałby mnie trzepnąć tak, żebym spadła z obrotowego krzesła jak z karuzeli. Powiedziałby, że mnie znalazł na podłodze, co by mu zrobili. Stara była, chciała sięgnąć po ciastka na stole, zawsze była na nie chytra, przepadlista, przechyliła się za bardzo i spadła. Wiadomo, że z upadku i z zapalenia płuc w tym wieku nikt się nie podnosi. Bo tak prawdę mówiąc, jak umrę, to Edek zostanie sam.

Stare baby muszą ponarzekać, ptaszyno, jak któraś nie narzeka, to już zimna. Słuchaj, co się okazało. Wczoraj wieczorem Tomek spotkał jeszcze raz dziewczyny. Czułam, że nie poszły ze Stiszowit, gdzie miały się podziać. Przez Niemoje i Gurki nic nie jeździ wieczorem, do Przylesia daleko, o stacji kolejowej nie ma co marzyć. Kiedy Tomek wracał ode mnie do domu, minął go Włodek w tym gruchocie z kołami od dżipa, podobno sam przerobił, ale coś mi się nie widzi. Dziewczyny były w środku, Włodek przejechał i nie zatrzymał się. Co on robi, ptaszyno, w Stiszowitach w czerwcu, zawsze przyjeżdżał w pierwszym, drugim tygodniu lipca. Ledwo Tomek wrócił do domu, Włodek przyszedł się przywitać. Trochę posiwiał, a wcale nie taki stary. Helena nie zapytała, co go ściągnęło do Stiszowit już w czerwcu, powiedziała, że wcześnie w tym roku przyjechał, a on przytaknął. Chyba masz gości, Włodziu, coś mi Tomek mówił, spróbowała z innej strony. No tak, mam gości. Helena pewnie myślała, że to koniec, ale Włodek dokuśtykał do krzesła, jedną nogę ma krótszą, usiadł i stukał palcami w buta na koturnie. Mam gości, mówi, zupełnie przypadkowych, dwie dziewczyny. Opłaciły w Stiszowitach noclegi, pod trzydziestym siódmym, a na miejscu się dowiedziały, że ktoś je w konia zrobił, bo trzydziestego siódmego w Stiszowitach nie ma. Miały być dwa kroki do jeziora, a wiesz, ile stąd trzeba jechać, telefon tego niby-właściciela nie odpowiadał, myślały, że to brak zasięgu, miał czekać na przystanku, nie czekał. Zatrzymały mnie na drodze do Niemojów, powiedziały, co i jak, to im zaproponowałem nocleg, po kosztach, kichnął, przepraszam, powiedział, otworzył puszkę piwa i wziął łyk. Szklankę, zapytała Helena. Nie trzeba. Raczej nie we wszystko uwierzyła, co Włodek mówił, tyle nazmyślał przez lata. Może pomyślała, że zaraz Włodek powie o rodzinie i o synu, którego nigdy nikt nie widział, zawsze siedzi w pokoju i słucha muzyki tak głośno, że aż u niej słychać. Szczęśliwie się stało, Włodek wytarł usta, że przyjechałem wczoraj w nocy, z synem, i wszystko przygotowałem, spodziewam się wkrótce rodzinki, ale póki co mogą u mnie siedzieć, pokażę im Stiszowity, zapoznam z Tomkiem. Akurat Tomka obchodzą przyjezdne nie wiadomo skąd, zawołała Helena, on ma swoje zajęcia, uważaj, Włodziu, żebyś się kiedyś bez głowy nie obudził, nie wiesz, co to za dziewuchy. Co nie wiem, rówieśniczki Tomka, studentki. Idziesz już w tym roku na studia, co nie, dosyć się wysiedziałeś. Jest tu co robić, niech się Włodek nie boi, w każdym razie spokojnie, bezpiecznie, nie to co w mieście, gdzie najwięcej złego właśnie młodym się przytrafia, gdzie młodzi częściej niż starzy umierają, na studia pójdzie, jak się zdecyduje, co chce studiować, na razie jeszcze nie wie. Teraz chyba Włodek nie uwierzył, od dawna było wiadomo, że jej syn ma jeden kierunek upatrzony, ale się nie odezwał, Tomek też nie. I zaraz poszedł. Słuchasz, ptaszyno, czy nie słuchasz. No, to słuchaj, nie wierć się.

Wieczorem Tomek chciał poczytać, coś tam o tych horyzontach i dziurach, mówił mi, nic z tego ani nie zrozumiałam, ani nie zapamiętałam. Ledwo zaczął, dwie, trzy strony, matka zawołała go z łazienki, takiego ma pecha, zawsze woła go po dwóch, trzech stronach. Stanął pod drzwiami i zapytał, czego chce. Żebyś mi plecy umył, nie sięgnę. No to umył. Teraz weź rękawicę, tę ostrą, i podrap mnie, mocno, nic się nie bój, od potu i komarów plecy tak mnie swędzą, że ci mówię. Drapał jej kościste plecy, ptaszyno, aż się zaczerwieniły. Jak mu się znudziło i ręka osłabła, zwolnił ruchy, wtedy powiedziała, że wystarczy, niech idzie. Tak szybko, na pewno nie chcesz więcej, zapytał. Wytrzyj mi plecy, a ja się z przodu umyję, zamknij drzwi. Na drugi dzień rano po śniadaniu Tomek pojechał na zakupy, długo nie wracał, bo przyjechał do mnie i opowiedział, jak szukał dziewczyn, o wizycie Włodka i resztę. Po drodze minął Edka, jechał w stronę Gurek, wiadomo było, że zaraz nie wróci, mieliśmy czas. Chyba że coś pomieszałam, ptaszyno, a matka wcale nie zawołała Tomka, tylko on sam do niej zapukał, długo jej nie słyszał.

Jak mi jeszcze raz się zesrasz na parapet, to ci łeb urwę. Tego nie da się doszorować, Edek klnie, że okruchy sypię i ptaki zwabiam, a wcale nie jest tak, że ty przylatujesz, bo cię karmię, tylko karmię cię, bo przylatujesz. Tomek wpadł z obiadem i poleciał. Będzie ognisko, ale gdzie, kiedy, zabij mnie, nie wiem, za szybko mówił. Włodek przyszedł do niego pożyczyć rowery, dla dziewczyn, powiedział. Nie wiadomo, czy same gdzieś trafią, tu się drogi rozwidlają jak gałęzie, cały dzień można jeździć i do jeziora nie dojechać, poza tym co to za jezioro, kamieniem dorzucisz na drugi brzeg, komarów tyle, że nie da się siedzieć, miałabyś co jeść, ptaszyno. Niech jadą, chociaż w tym upale łatwo dostać udaru, o ile w ogóle ujadą w piachu, nieprzyzwyczajone są, pełno bąków, żadnej przyjemności. Ciekawe, jak długo wytrzymają, odechce im się wreszcie piachu, będą sobie pluć w brody, że tu przyjechały, tak jak chłopcy pluli, że wrócili do Stiszowit.

Bo dawno temu, ptaszyno, skoro nie mam ci co powiedzieć, posłuchaj tego, żebyś nie odleciała z niczym, dawno temu chodzili chłopcy ze Stiszowit po lesie z takim jednym, starszym, który ich namówił. Coś tam strzelali, ale więcej do saren i zajęcy niż do ludzi. Po wojnie zostali w lesie jeszcze rok czy dwa, nie pamiętam, mówił im, że nie ma po co wychodzić, zaraz zacznie się nowa wojna, siedział całymi dniami na pieńku i patrzył, czy już lecą bombowce. Zamiast wojny była amnestia, chłopcy chcieli wyjść, obiecywali, że jak trzecia wojna wybuchnie, zaraz wrócą. Nic nie odpowiedział, któregoś ranka strzelił sobie w łeb. Wiem to od Witka, ptaszyno, on miał z nimi kontakt. W Gurkach była komisja, która się zajmowała takimi, co już nie chcieli siedzieć w lesie, Witek się z nią porozumiał, że tego a tego dnia tacy a tacy chłopcy wyjdą z lasu, przejdą przez Stiszowity do Gurek. Dobrze, czekamy, odpowiedzieli. Czekali, tyle że nie w Gurkach, ale tu, w Stiszowitach. Rozkazywał taki w swetrze i marynarce, cała reszta była okutana w płaszcze i kurtki, z grubymi czapami na głowach. Nie dyskutowali, od razu zapakowali chłopców na gaza czy zisa, a ci nie mogli nic zrobić, byli bez broni, z papierami i dowódcą wrzucili ją pewnie do bagna, ziemia była za twarda od mrozu, żeby w niej kopać, a blisko Niemojów jest bagno, głębokie i zawsze ciepłe. Mróz był sakramencki, ludzie kłapali szczękami, nikt nic nie powiedział, mamrotali coś, ale kto by zrozumiał. Czarne i bure ptaki leżały w śniegu, chcesz, to wierz, nie, to nie, ptaszyno, ale pod koniec lutego ptaki zamarzały w locie. No więc zapakowali chłopców i pojechali, dopiero wtedy kobiety rzuciły się za samochodem, a z nimi dzieci. Te z płaczem, te ze śmiechem. Ciężarówka brnęła w śniegu, co rusz przystawała, z rury leciał jej dym, siny jak nalot na śliwkach, niby odjeżdżali, ale nie znikali za pagórkiem, nie mógł się ten gaz czy zis na niego wspiąć, kobiety dobiegały do samochodu, ledwo łapały oddech, mróz musiał szczypać w płuca, zatrzymywały się, wtedy samochód kawałek podjeżdżał, to one w bieg, a chłopcy wycierali gile rękawami i patrzyli. Mężczyźni nawet kroku nie zrobili, wydawało się, że wmarzli w ziemię, zresztą ilu ich tam było. W końcu gaz czy zis dojechał do szczytu, z góry się stoczył, wszedł w zakręt i tyle chłopców widzieli. Kobiety wracały zdyszane, dzieci trzymały przy sobie, a jak się któreś wyrywało, dostawało w dupę, za grubo były ubrane, żeby poczuć, śnieg tylko się z nich sypał jak kurz.

Nie kracz, obudzisz Edka, wrócił w nocy, byłby mnie wybił ze snu, bo się tłukł, dobrze, że i tak nie spałam. Charczał jak prosiak, bałam się, że się zadławi, usiadłam na łóżku i wołałam, Edziu, Edziu, tak w głowie słyszałam, a wychodziło ze mnie, nie ma jajek, nie ma jajek. Dopiero po chwili zaczął tak wzdychać, jakby mu ktoś na brzuchu klęknął, przestraszyło mnie to wzdychanie, położyłam się prędko, przykryłam i modliłam, żeby zaraz zasnąć, i dospałam już do samego rana. Tomek niedawno poszedł, ptaszyno, może się minęliście, zależy, z której strony przylatujesz, nigdy nie mogę wypatrzeć. Trudno oddech złapać, ani grama wiatru, cała mokra jestem, więcej powietrza tyłem niż przodem mi wychodzi, a i tam się zatyka. Długo Tomek siedział, cicho mówił, ale słuch mam jeszcze nie najgorszy. Opowiadał szybko, nie zastanowił się, czy rozumiem, czy nie, zawsze mówił powoli, stara babka to głupia, trzeba jej wytłumaczyć, a teraz nakładł mi tyle do głowy, że nie wiem.

Za domem Heleny i Tomka jest zejście do Tufki, takiej rzeki, wcale nie wąskiej, dość głębokiej, na brzegu miejsca nie brakuje. Włodek ma tak samo, jego dom stoi obok, ale dopiero przyjechał, jeszcze nie kosił, poprosił Tomka, żeby u niego zrobić ognisko, było gdzie usiąść, matka pilnowała, by to jakoś wyglądało, a już do kwiatów, do roślin w ogóle nikt nie ma lepszej ręki, jej w piachu takie rzeczy rosną, jakie gdzie indziej w najlepszej ziemi się nie przyjmą, przeleć się tam, ptaszyno, zobaczysz. Tomek zastrugał kijki na kiełbasy, ułożył pniaki, nie radził sobie z rozpaleniem ognia, zwijał kule z gazet, układał drobne, suche gałązki, i nic. Na chwilę się to zapalało, ale ogień nie łapał grubszych kawałków drewna, zostawał żar. Rzucił to i zszedł do piwnicy obok domu, takiej wykopanej w ziemi, ptaszyno, do której wchodziło się małymi jak dla karzełka drzwiami, w środku też trzeba było zgiąć się wpół albo paść na kolana, śmierdziało grzybem i nie wiadomo skąd koprem, nic nie widział po przejściu z jasnego w ciemne, wymacał duży blaszany kanister, ciężki jak cholera, raz czy dwa zaobserwował, jak ojciec polewał z niego deski, liście albo węgiel, wtedy od razu się zapalały, dotaszczył go za dom, ale tam już ogień pięknie hulał.

Przyszli pod wieczór. Włodek przodem, za nim dziewczyny, chwilę później Edek. Co się okazało. Ta z kasztanowymi włosami to Klara, znów była w czarnej sukience, prostej, długiej niemal do ziemi, ale z odsłoniętymi ramionami, druga to Olga. Dziewczyny przyniosły wódkę domowej roboty. Dwie białe, na spirytusie i słodkiej śmietance, z cytryną i cukrem, gęste, trzeba było je roztrzepać, żeby dało się lać. Dwie czarne, ze spirytusu, palonego cukru i portera. Włodek napił się jednej i drugiej, biała za słodka, skrzywił się, wolał czarną. Tomkowi bardziej smakowała biała, ale pił raz jedną, raz drugą, bo białą wybrały dziewczyny. Edek skosztował najpierw białej, moczył usteczka w kieliszku jak wróbelek w kałuży, zawsze układa wargi w taką cipeczkę, o, tak, popatrz. Nie wszystko Tomek mi powtórzył, ptaszyno, o czym mówili, rozmów się nie pamięta na drugi dzień, same się przypominają za tydzień, miesiąc albo pięćdziesiąt lat, ale ile z tego naprawdę przypomniane, a ile wymyślone, tego się nie wie. Siedzieli, kiełbaski smażyli, jak to na ognisku, już coraz bardziej im się języki rozplątywały albo plątały. Mama nie przyjdzie, zapytał Włodek Tomka. Nie, źle się czuje. To się Klara nią zajmie, medycynę studiuje, będzie trychologiem. Neurologiem, poprawiła Klara. Czyli będziesz lekarzem, powiedział Edek. Raczej zajmę się badaniami. Czego. Relacji między bólem a mózgiem. Ja ci coś powiem o bólu, wstał na to Włodek, rozpiął koszulę, podszedł do ognia. Uważaj, Włodziu, Edek chwycił go za koszulę, spalisz się. Zostaw. Ta blizna, od szyi do brzucha, widzicie, to z wojska, spadochron się nie otworzył, jak powinien, i kiedy spadłem, wbiła mi się w mostek betonowa zbrojona płyta, zrzygałem się z bólu, czterech żołnierzy musiało mnie ściągać, tak się nadziałem. Dzięki Bogu żyjesz, powiedział Edek. Cicho. Żyję, bo dałem znak flarą, zanim straciłem przytomność. Włodek wycelował palcem w niebo, wszyscy zadarli głowy, bach!, bach! A co ci się stało w nogę, pyta Olga. Co tam noga, Włodek siadł i pogrzebał kijem w ognisku, iskry poszły w górę, noga to chuj.

Spadochron, akurat, pamiętam Włodka jako malucha, ptaszyno, ledwo chodziło chucherko. Nie dość, że jedną nóżkę miało krótszą, to i serce do niczego, rodzice nie bronili mu biegać, myśleli, że i tak umrze, niech się wybawi, mówiła jego matka. Kiedy Włodziu słabł, ojciec, bardzo elegancki pan, nosił go na barana. Przyjeżdżali co roku na wakacje. Za którymś razem się nie pojawili, myśleliśmy, że umarło dzieciątko, ale wrócili na wiosnę. Co się okazało. Załatwili Włodziowi operację i leczenie za granicą, w Ameryce albo Australii, ile to musiało kosztować. I stąd ma bliznę, gdzie by taką kalekę do wojska wzięli.

Ktoś zapytał Włodka, czy jego syn przyjdzie. Skąd, słyszysz, jak muzyka dudni z jego pokoju, jego się nie wyciągnie z domu, choćby się paliło, ta czarna też słaba, smaczna, ale słaba. A ty, Edek zwrócił się do Olgi, co studiujesz. Olga zaśmiała się, raz to, raz tamto, teraz nic, robię instalację dla galerii, historię Polski pokazaną w stu kadrach z gier na pegazusa. Edek i Włodek pokiwali głowami, że niby wiedzą, o co chodzi, ale zrozumieli z tego tyle, co ja, ptaszyno, w tym jesteśmy jednakowo mądrzy. Gdzie tu jest kibelek, zapytała Olga. Tomek zaprowadził ją do domu, pokazał łazienkę i wszedł do pokoju matki. Spała, była odkryta, obraz z telewizora rzucał na nią trochę pulsującego światła, koszula podwinęła się jej do bioder, nogi miała zaplątane w prześcieradło, Tomek przykrył ją kołdrą, zaraz ją zepchnęła na podłogę, nie dziwię się, gdzie pod kołdrą spać w taki upał, zgasił telewizor. Było już ciemno, ćmy tłukły się o klosz lampy nad drzwiami.

Nasz Tomcio, usłyszał Włodka, kiedy wracał do ogniska, Olga zeszła wcześniej sama, chce studiować fizykę. Astrofizykę, poprawił Tomek i usiadł na pniaczku. Niedobrze usiadł, ptaszyno, od początku niedobrze. Trzeba było koło dziewczyny, tej czy tej, a nie między chłopami, mógłby którejś usłużyć, podać coś, im też byłoby przyjemniej obok młodego. Zdawałeś teraz maturę, zapytała Klara. Skąd, dwa lata temu, na to Włodek. Trzy. Jeszcze lepiej. To po pół kieliszeczka za maturę, odezwał się Edek. Trudno się dostać, zapytała Klara i zebrała na palec resztki białej wódki z kieliszka, Edek chciał jej nalać, odmówiła. Nie podchodziłem jeszcze do egzaminów, muszę się przygotować. Spróbuj, co ci szkodzi. To samo mówię, krzyknął Włodek. Co cię interesuje w astrofizyce, zapytała Klara. Nie wiem. Musisz wiedzieć. Tomek klęknął przy ogniu, patykiem popchnął ziemniaki, poczuł żar na twarzy, musiał się odsunąć, ptaszyno, teraz dopiero, chyba od gorąca, alkohol zadziałał. A moja matka nic innego nie mówi, tylko nie ma jajek, nie ma jajek, odezwał się Edek. Dlaczego. Nie wiem, pomieszało się jej w głowie na starość, był lekarz, ale co miał w domu zrobić, na badanie mówił, że lepiej nie brać, nie męczyć drogą, zresztą do szpitala wjeżdża się górą, a wyjeżdża piwnicą. Co mówi, powtórz. Nie ma jajek, nie ma jajek. A są, kurwa, te jajka, czy rzeczywiście nie ma, zarechotał Włodek, Olga z nim. Przerąbane takie życie, nalejcie mi pół, zaraz idę, powiedział Edek.

Tomek długo klęczał przy ogniu, bał się, że kiedy spróbuje wstać, straci równowagę i upadnie, podniósł się, jak już nie mógł wytrzymać żaru na twarzy. Ciemna wódka to czarna dziura, a jasna biały karzeł, powiedział, ale nikt się nie roześmiał, może za cicho. Zaproponował, żeby zmieszali wódki, będzie szeridan, to się spodobało. Pyszna, jak kawowa, spróbujcie, zawołała Klara. Włodek się skrzywił. Smaczne, ale całkiem słabe, jak kawa rozpuszczalna, nic nie czuć. Nie trzeba pić tak, żeby się upić, powiedziała Klara. Chcesz być lekarzem, nachylił się do niej Włodek. Nie, chcę prowadzić badania. O mózgu, dodał Edek. Włodek machnął ręką. Powiem ci, że jak ojca wzięli na oddział ontologiczny, po tygodniu już go nie było. Ontologia to jest wykańczalnia ludzi.

Tomek nie zauważył, kiedy Klara znalazła się obok niego, może na chwilę zamknął oczy, a jak otworzył, już była. Pytała go o toaletę, nim zareagował, Olga złapała Klarę za rękę i poszły. Którą byś ruchał, Tomciu, blondynkę czy kasztanka, Włodek klepnął go w plecy. Trzeba się spieszyć, do którejś ma dojechać fagas. Tomek nie odpowiedział, zapiął polar, od rzeki, teraz zupełnie czarnej, ciągnął chłód. Wydawało mu się, że długo dziewczyny nie wracały. Świetliki, zawołała Klara, schodząc z Olgą. Odwrócili się i patrzyli, przerzucając z dłoni do dłoni gorące ziemniaki. Muzyka z domu Włodka zmieniła się, w kółko było słychać pół jakiegoś słowa, nie pamiętam jakiego, może nawet Tomek nie mówił, i jeden dźwięk. Coś się zacięło, powiedział Edek. Nie, on takiej muzyki słucha. Jedli ziemniaki, nic nie mówili, nagle Włodek wstał, czas na mnie, powiedział. I poszedł w dół, do rzeki. Tomek złapał go dopiero na pomoście i wyprowadził na górę. Włodek zdjął buty i poszedł przed siebie, kiwał się jak pajac z odpustu. Możemy jutro przyjść nad rzekę, zapytała Klara. Jasne. To dobranoc. Poszły. Tomek chciał powiedzieć, że w astrofizyce najbardziej interesuje go horyzont zdarzeń, ale już nie widział dziewczyn, słyszał ich śmiech. Muzyka w domu Włodka zgasła, za chwilę światło. Chyba że coś pomieszałam, ptaszyno, ale zabij mnie, nie wiem co, bo taki mam mętlik, jakbym sama tam była i białego karła przepijała czarną dziurą albo białą dziurę zapychała czarnym karłem.

Wynudziłam się wczoraj, Tomek nie zajrzał, nie wiem, czy ty byłaś, ptaszyno, przespałam dzień przy oknie, budziłam się, jak uderzałam głową w szybę, wydawało mi się, że to ty stukasz dziobem, obiad od Heleny przyniósł Edek, mówił, że Włodek zapowiedział się z wizytą u mnie, ale on zawsze się zapowiadał, a nigdy nie przychodził, słowni to byli jego rodzice, nie on. Przyjeżdżali do mnie, lata temu, na odpoczynek, tydzień, dwa, miesiąc, spodobało im się tutaj, kupili domek po Franku, to już u mnie nie siedzieli, nie myśl, ptaszyno, że na tym ucierpiałam, polubili mnie, przysyłali mi gości, i to nie chamów, ludzi na poziomie, swoich znajomych, a tamci znów swoich, tak to szło. Pewnie, różni się trafili, ale ogólnie byłam zadowolona. Całą górę przeznaczyłam dla gości. Roboty dużo, trzeba było i oprać, i ugotować, za to wesoło, wieczorem nieraz wszyscy siadaliśmy, i czy nalewka jakaś, czy karty, albo się po prostu rozmawiało, całkiem inne życie było, i tego piasku jakby mniej. Edziowi w wakacje się nie nudziło, bo przeważnie z dziećmi byli. W jesieni czy w zimie czasem się przykrzyłam, i to tak, że się płakać chciało, ale nie zawsze, zdarzali się i tacy, co poza sezonem przyjeżdżali, chcieli w spokoju pracować, książki pisali, przysyłali mi je potem, albo i nie, zależy, czy się im udało, czy pamiętali. Odmawiać nie odmawiałam, chociaż to już nie było takie dobre, stukali wieczorami i po nocach na maszynach, a wiadomo, wcześnie ciemno, to i wcześnie idzie się spać, zwłaszcza jak nie ma z kim porozmawiać, bo każde sobą się zajmuje. Jeden chciał mnie uczyć na maszynie, żebym mu przepisywała teksty, powiedziałam, że już za stara jestem, a gdzie tam stara wtedy byłam, żebym dziś miała tyle, co wtedy, nic więcej by mi nie trzeba było, dałabym sobie ze wszystkim radę i nikogo nie potrzebowała. Popatrzyłam na maszynę do pisania i zapytałam go, kto był taki mądry, że litery na niej pomieszał, jakby wrzucił je do worka, potrząsnął i wysypał. Gdyby szły po kolei, jak w alfabecie, nie byłoby trudno coś napisać, nie trzeba by sobie po nocach głowy łamać i chodzić od ściany do ściany, żeby jedno słowo złożyć. Tak jak na przykład nigdy nie miałam problemu, żeby list napisać albo Edkowi zadanie z polskiego, to bardzo lubiłam, on zupełnie nie potrafił, nie powinnam była go wyręczać, ale przyjemnie było mi usiąść przy stole, tu gdzie teraz, przy oknie, i napisać to wypracowanie w zeszycie, od razu na czysto, nie potrzebowałam na brudno próbować, ale dlaczego, ano dlatego, że w głowie miałam litery poukładane, wiedziałam, po którą sięgnąć, a nie jak na tych maszynach, gdzie zupełnie w tym sensu nie ma, do rąk są przystosowane, ale do rąk to mają być łopata, szklanka, nóż, nie litery, od nich jest głowa, tak że jak pisałam, zdarzyło mi się, pewnie, że zrobiłam kleksa, chociaż pismo miałam piękne, ptaszyno, wołałam wtedy Edzia, żeby szybko piasku przyniósł, i osuszałam nim atrament.

Pierwsze, co Tomek zrobił dzisiaj, jak przyszedł, to wytarł mi gąbką nogę, od łydki aż za kolano, z tyłu. Musiałam popuścić, sama nie wiem kiedy, i przyschło. Miałaś plamę z jedzenia albo picia, powiedział. Akurat, dobrze mu się zakręciło w nosie, też poczułam, jak gówno przyschnie, lepiej nie ruszać. Nie mogę się schylić przez tę francowatą przepuklinę. Raz na tydzień Edek przyprowadzi Helenę, żeby mnie obmyła, to co się dziwić. Nie mam pretensji, ani mi to siostra, ani córka, na nią trafiło, nikogo innego blisko nie ma, kto by pomógł, może się brzydzi, wcale się nie dziwię, ale mężczyzna w ogóle się do tego nie nadaje. Niedługo już, ptaszyno, tydzień, dwa, miesiąc, wyciągnę nogi, to odpoczną, wiem, że taki stary trup jest uciążliwy dla ludzi.

Słuchaj, póki pamiętam. Na drugi dzień po ognisku Tomek wstał wcześnie. Matka tłukła się od rana, najpierw odkurzała, potem prała. Po co już wstałeś, nie jesteś mi potrzebny, powiedziała, kiedy wszedł do kuchni. Masz, wypij, podała mu herbatę z cytryną. Za gorąco na herbatę. Przyda ci się po takiej popijawie. Jakiej popijawie, niewyspany jestem. Nie robiłbyś ze mnie wariatki. Daj mi spokój. Od razu widziałam, co to za towarzystwo, Włodek też jest dobry, ale że Edek w czymś takim bierze udział. W czym, zwykłe ognisko. Nic już nie mów, nic już nie mów, będziesz rzygać. Zwariowałaś, po czym. Blady jesteś, będziesz rzygać, kto wie, co wyście tam pili, te dziewuszyska już od rana moczą dupska w wodzie, ani nie zapytały, ani nic, weszły jak na plażę w kurorcie. Mnie pytały wczoraj, czy mogą przyjść. Tomek wyjrzał przez okno. Klara i Olga siedziały na pomoście, Klara opierała się na łokciach, głowę mocno przechyliła do tyłu, żeby twarz i szyję mieć w słońcu, znów w czarnej sukience, Olga w stroju kąpielowym, zgarbiona. U Włodka nie ma gdzie siedzieć, wszystko zarośnięte, powiedział Tomek. Co mnie to obchodzi, naspraszał wczasowiczów, to niech im zapewni warunki, może jeszcze na obiad tu przyjdą, zobaczysz, zaraz się zrzygasz.

Przed domem Tomek przewiesił pranie, zasłonił bieliznę swoją i matki podkoszulkami. Kiedy schodził na dół, usłyszał huk jak wystrzał z pistoletu na korki, Olga wskoczyła do wody, płynęła w stronę domu Włodka, młóciła ramionami jak maszyna. Przywitał się z Klarą. Co to za owady, przesunęła się na brzeg pomostu i nachyliła nad wodą. Które. Te, pokazała, stoją na wodzie pod prąd, widzisz, a jak wskoczą na liścia, to już się nie ruszają. Nartniki, narciarze, różnie na nie mówią. Chyba wioślarze, patrz. Wioślarzy mamy prawdziwych, płyną często w kajakach Tufką, ale na nich mówimy szlezwiki, Włodek tak wymyślił, bo to zwykle Niemcy. Olga podpłynęła do pomostu. I jak, zapytała Klara. Woda ciepła, ale zielsko przeszkadza. To rdestnica, powiedział Tomek. Zaplątują mi się w nią nogi i ręce, jak ty tu pływasz. Nie pływam tu, odpowiedział Tomek, nie dodał, że nie potrafi, ja też całe życie przeżyłam i się nie nauczyłam, ptaszyno. Mógłbyś to ściąć, uśmiechnęła się Olga, wyszła na pomost i położyła na ręczniku, ściągała listki, które się jej przykleiły do ramion i nóg. Tomek wrócił do domu. No i co, Helena stanęła przed nim, mówiłam, że będziesz rzygać, nie uciekaj nad wodę, rzygaj w domu, wpadniesz i się utopisz, tyle nawojujesz.

Dziewczyny było słychać do obiadu, później ucichło. Tomek wyjrzał przez okno, pomost był pusty, Tufką płynęli turyści w kajakach. Ostatniemu wiosło zaplątało się w rdestnicę, reszta zniknęła za domem Włodka. Szarpał ten gość wiosłem, nie mógł zapanować nad kajakiem, obracało nim raz w lewo, raz w prawo. Rdestnicy było za dużo, ale Tomek nigdy jej nie ścinał. Dawniej, jak był dzieckiem, robił to jego ojciec. Wchodził do wody w slipach i podkoszulku, żeby pleców nie spalić słońcem, a Tomek kucał na pomoście i patrzył, jak podkoszulek ojca nasiąka aż do samej góry, mimo że wodę miał tylko do piersi. Obok leżała kosa, podawał ją ojcu, kiedy ten był już w wodzie. Weź ją dalej ode mnie, krzyczał, bo Tomek huśtał nią nad jego głową. Potem szedł i ciął pod wodą, długo nic się nie działo, dopiero po chwili wypływały na wierzch żółte i brązowe łodygi z liśćmi i sterczącymi pałkami, sunęły w dół rzeki, jedne zatrzymywały się na brzegu, inne uderzały w pomost albo zaplątywały się w gęste kolonie nieściętej rdestnicy. Wracał z rękami oblepionymi strzępami łodyg i liśćmi, Tomek ściągał je z niego i wrzucał do wody, były śliskie i śmierdziały zgnilizną. Ojciec zawieszał kosę na drzewie, żeby wyschła, i wskakiwał do wody, wtedy było słychać ten huk jak z pistoletu na korki. *Hilfe, hilfe*, krzyczał mężczyzna w kajaku, Tomek nie reagował, nie pierwszy raz tak się działo, zaraz popłynie, myślał, rdestnica zawsze trzymała jakiś czas, a potem wypuszczała.

Ktoś zapukał, Tomek otworzył, Klara prosiła, żeby wytłumaczył jej, jak dojechać do sklepu w Przylesiu. Olgę złapał skurcz, Włodek jeszcze do siebie nie doszedł, nie tyle ma kaca, ile się dziwi, że taką słabą wódką się upił. W soboty sklep jest już zamknięty o tej godzinie, powiedział Tomek. To nie kupię już nigdzie piwa, na to Klara. Jest jeszcze jeden, przy jeziorze, ale to dużo dalej. Gdzie. To skomplikowane, nie wytłumaczę tak. Pokażesz mi drogę, kawałek, potem zapytam kogoś. Dobra. Wrócił do domu. Potrzebujesz coś ze sklepu, zapytał Helenę, muszę zaprowadzić tę dziewczynę, nie wie, jak dojechać. Włodek nie może ich zabrać samochodem. Nie, chcesz coś. Nie, nic nie trzeba. *Hilfe!* Kto się tak drze. Wyjrzyj przez okno. O ja cię kręcę, ale się Helmut męczy, kup lody. Nie dowiozę, za daleko. To orzechy mi weź, patrz, co za niezguła, zaraz fajtnie razem z kajakiem, żeby nam się tu nie utopił, przebrałbyś się, masz podkoszulki wyprasowane, spodnie, co to za kawaler taki obdarty, będzie się wstydzić dziewczyna z tobą jechać, powiedziała Helena i odwróciła się z powrotem do okna, wybuchła śmiechem, chciała coś powiedzieć, ale się zakrztusiła, nie czekał, aż złapie normalny oddech, może się wreszcie nauczy nie napychać całej gęby orzechami.

Klara jechała górską damką, Tomek rozklekotanym savoyem z dużą srebrną lampą z przodu. Pędzili schyleni nad kierownicami, żeby nie obsiadały ich bąki. Muchy tłukły ich w twarze i ręce, nie dało się rozmawiać, nałykaliby się robactwa. Trochę przez las, potem pustą drogą, czyli przez piach, w połowie minęli krowy, stały z boku, pod drzewem. Tomek obejrzał się na Klarę, uśmiechnęła się, jadę, jadę, powiedziała. Przyspieszył, tutaj od much było czarno. Wyjechali na asfaltową drogę, żaby uciekały im spod kół, martwe leżały wyschnięte, zwinięte jak liście, niecała godzina i byli na miejscu, trzy, cztery razy minął ich samochód, podobało się Klarze, że tak pusto. Jezioro mieli z prawej. Dzieci biegały wokół stołów przed sklepem połączonym z barem. Klara usiadła i zdjęła sandały. Farbują mi, powiedziała, kiedy Tomek zobaczył jej czarne pięty. Wykręciła stopę i potarła ją poślinioną dłonią, dał jej chusteczki. Chwilę rozmawiali, nie pamiętam dobrze o czym, w każdym razie Klara mieszka w Krakowie, ale nie stamtąd jest. Tomek Kraków widział raz w życiu, był dzieckiem, kiedy pojechał tam z ojcem, nie wie po co, chyba do lekarza, z całego Krakowa, ptaszyno, zapamiętał długie czekanie w samochodzie na czerwonym świetle, pewnie wzięli taksówkę. Deszcz bębnił w dach, wycieraczki skrzypiały, leżał z głową na kolanach ojca, było mu niedobrze od ciepłego powietrza, które dmuchało prosto w twarz z czarnej kratki nad samochodowym radiem.

Kupili osiem żubrów w puszce, zapięli je przy bagażnikach i jazda z powrotem. Upał był potworny. Asfaltem jechało się znośnie, po obu stronach drzewa, ale wpadli znowu w piachy, pod górę, z góry, zadyszeli się jak ja, kiedy do łazienki idę. Nic, że jechali szybko, bąki się uwzięły, jakby pierwszy raz widziały ludzi, ile to krwi, oganiali się, jak mogli, ty byś całe to paskudztwo wyłowiła. Klara klęła, mało brakowało jej do płaczu, Tomek tracił równowagę od machania rękami, nie wiedział, czy minęli już krowy, czy nie, z górki przyspieszył, nie sposób było się zatrzymać, zjadłyby ich te owady, nie czuł nóg, nie widział na oczy, coś stuknęło, nie zwolnił, Klara zawołała, odwrócił głowę. Bagażnik pusty. Zahamował ostro i zeskoczył z roweru. Puszki leżały w piachu, wszystkie uszkodzone, z jednej, przekłutej kamykiem jak igłą, tryskało wąską strużką piwo. Otworzył ją i podał Klarze. Sprawdził drugą, pękniętą w połowie, coś zostało. Grube krople błyszczały na piachu jak miód, nie wsiąkały. Z Tomka lała się woda. Stali i pili resztki piwa ciepłego od słońca, po kolei z każdej rozwalonej puszki, zatykając palcami dziury, szybko, żeby się nie zmarnowało. Muchy się schowały, wiatr ustał, drzewa i krzaki ani drgnęły, słońce grzało, cicho jak makiem zasiał.

Tak było.

Dzień dobry, moja ptaszyno, jak się dzisiaj mamy. Edek chyba nad wodę pojechał. Czekam, kiedy wróci, dzisiaj od tego upału nogi mam spuchnięte jak banie i zimno mi w nie, na górze się duszę, a u dołu marznę. Potrzebuję iść do łazienki, ale nawet jak dojdę powoli, boję się, że nie wrócę, nie dźwignę się sama. Tomka nie było, może w ogóle nie przyjedzie, zawsze był przed tobą, myślałam, że może on by mi pomógł i dojść, i wrócić. Wypatruję burzy, wróciłoby mi trochę sił, gdyby się zmieniło powietrze. Nie skończyłam kiedyś ci mówić o chłopcach, spanie mnie złamało, teraz dopowiem, tobie może obojętne, o czym słuchasz.

Tego wieczora, jak zabrali chłopców, była śnieżyca. Witek zapukał do mnie, kiedy już całkiem sino się zrobiło nad Stiszowitami. Usiadłam przy stole, jeszcze nie było mi widać brzucha. Witek słyszał od kogoś o chłopcach. Pójdziesz tam jutro, zapytałam. Z Franiem pojadę. Może lepiej nie idź. Usmażyłam jajecznicę z cebulą i zmieszałam wrzątek z wódką i miodem. Boję się, powiedziałam. Nie ma czego. Zjadł i zasnął z głową na stole, umordowany był, chodził po wsiach, tu chory albo pogrzeb, tam chrzest czy spowiedź, brakowało księży, a jak byli, to za starzy, żeby mieć na wszystko siły, albo leniwi. Bałam się, że Witek znowu się rozchoruje na płuca, dopiero go z tego wyciągnęłam, prażyłam mu siemię i wpychałam w niego jak w gęś, aż mu świeczki w oczach stawały. Chciałam, żeby się położył w łóżku, wygodnie, ale zawsze był zły, jak się go wyrywało ze snu.

Na drugi dzień poszli ludzie ze Stiszowit do Gurek. Co się okazało. Chłopców tam nie było i nie wiadomo, dokąd ich zabrali. Nachodzili się po urzędach, nikt nie chciał nic powiedzieć. Witek też wszędzie się wcisnął i prosił choćby o słowo, aż mu mówili, że ksiądz to więcej powinien klęczeć, niż chodzić, bo inaczej też posiedzi. Uparł się, chociaż prosiłam, Wiciu, zostaw, nic nie zrobisz, może rzeczywiście trzeba czekać. O dziecku nie mówiłam, czekałam na spokojniejszy czas, dość miał na głowie. Nie odpuścił, więcej, zaczął już nie cicho, tylko jawnie się o chłopców dopytywać i upominać. Na którąś niedzielę zaplanował mszę w intencji szczęśliwego powrotu chłopców i to też rozgłosił, ptaszyno, gdzie się dało. Ale jak przyjechaliśmy pod kościół w Gurkach, to był pusty, a po Witku ani śladu. Na drugi czy trzeci dzień dopiero nowy ksiądz powiedział, że ksiądz Witold, tak go nazywał, chociaż on nie był żaden Witold, tylko Wiktor, udał się na misję do Australii, a że to sprawa była pilna, zaraz musiał wyjeżdżać i nie miał czasu się pożegnać z parafianami, jednak wszystkich błogosławił i prosił, aby zostali z Bogiem. Zaraz mnie ludzie pytali, czy to prawda, wiedzieli, co między mną a Witkiem było, dość u mnie się nasiedział, wcale się z tym nie kryłam. Owszem, powiedziałam im, ptaszyno, to prawda. Musiał wyjechać, teraz albo nigdy, dla chłopców zrobił, ile mógł, reszta nie w jego rękach, prosił, żebyście zostali z Bogiem, cokolwiek się wydarzy, a jak dotrze na miejsce, okrętem tam płynie, to potrwa, zaraz przez zaufanego człowieka kilka słów prześle. Niektórzy uwierzyli, inni nie. Dobrze wiedziałam, że taka teraz misja Witka, żeby pod piachem leżeć, a z Australią tyle to ma wspólnego, że może dziurę w głowie ma tam, gdzie ona na globusie leży. Wróciłam do domu sama na piechotę. Siemię rzuciłam ptakom na ziemię, śnieg już tajał, cała chmara się rzuciła, widać głodne były po zimie.

Mówiłam do ciebie, ptaszyno, i mówiłam, o chłopcach, którzy zniknęli, o Witku, o wszystkim, dopiero po czasie spojrzałam na parapet i ciebie tam nie było, kto wie, jak długo gadałam sama do siebie, trzeba było zwrócić moją uwagę, że ci się znudziło, może wszystko wiesz, bo sama widziałaś i lepiej pamiętasz ode mnie, wy, ptaszyny, żyjecie dłużej niż ludzie, a pamięć macie jak nikt inny. Myślałam, że Tomek nie przyjeżdża, bo Klarę coraz to nowymi drogami oprowadza, ale wyszło na to, że nie. Co się okazało. Tomek chciał zaproponować Klarze przejażdżkę, dłuższą niż do sklepu po piwo, lepszą drogą, za Przylesie, potem lasem, przez który biegną tory, nie wiem, czy jeszcze używane, i dalej, aż do mokradeł, gdzie zbierają się czaple. Poszedł do Włodka, nikt mu nie otworzył, obszedł dom, zaglądał w okna od strony Tufki, gdzie jest najwięcej cienia, dużo drzew rośnie przy brzegu, były dwa, okna, nie drzewa, uchylone, ale za wysoko, żeby mógł coś zobaczyć, zawołał, nic. Wcale nie było pewne, że wszyscy razem gdzieś pojechali, garaż był zamknięty, tam mogły być rowery Tomka i samochód Włodka, jeśli nie, to może Włodek pojechał sam albo tylko dziewczyny, reszta spała w domu, w taki upał każdego złamie sen, kto wie. Wsiadł na rower i pojeździł w okolicy, aż się zmęczył, na jednej górce, z której dobrze widać Stiszowity, zsiadł, ściągnął podkoszulek i położył się na brzuchu, na ciepłym piasku. Miał ochotę zdjąć też buty, skarpetki i spodenki, powiedział mi to, ptaszyno, ale wstydził się, że ktoś, Włodek, Edek, Klara, Olga, nie wiadomo, tak go zobaczy, chociaż nie był przy samej drodze, widzieć go mogły wyłącznie ptaki, kto wie, czy i nie ty, ptaszyno. Miał zamiar poleżeć niedługo, czuł słońce na plecach, no i tak się stało, że zasnął. Obudziła go spiekota, zerwał się z gorącego piasku, chyba nie spał dłużej niż godzinę. Włożył podkoszulek na rozpalone plecy i wrócił przed dom Włodka, dalej nikt nie otwierał, poszedł na tył, do cienia, bolała go głowa, teraz okna były zamknięte. Wszedł na zbutwiałe deski ułożone pod ścianą, to nie wystarczyło, złapał parapet i podciągnął się, krew napłynęła mu do głowy. W środku było dość ciemno, niewiele widział, ktoś się ruszał, pszczoły albo osy latały obok Tomka, przestraszył się i puścił parapet, deski stuknęły, pod dachem musiało być gniazdo. Złapał oddech i podciągnął się jeszcze raz, dudniło mu w głowie od bólu, przez okno zobaczył kark i gołe plecy mężczyzny, bez głowy, tak ją schylał, a niżej tyłek poruszający się miarowo w przód i tył, nóg już prawie wcale, musiała tam leżeć jakaś dziewczyna, kto inny, dwie nogi oplatały biodra mężczyzny, ocierały się o jego plecy i pośladki, podeszwy stóp były ubrudzone albo tak się Tomkowi wydawało, ledwo się trzymał parapetu, głowa mu pękała, to mógł być cień, mroczki przed oczami, wytrzymałby, ale usłyszał głos, zdawało się, że przy samym uchu, zląkł się i puścił, opadł na deski, a z nich na trawę. *Guten Tag, Junge, guten Tag, Junge*, wołali turyści w kajakach, podnosili puszki piwa, kłaniali się i uśmiechali. Trzeci raz już nie miał siły się podciągnąć.

Chyba że coś poprzekręcałam, ptaszyno, i Tomek położył się na piasku całkiem bez ubrania dopiero wtedy, jak zobaczył, co się dzieje w domu Włodka.

Teraz da się co nieco oddychać, inne powietrze. Straszna była burza, ptaszyno, myślałam, że po tobie, bałam się, ale siedziałam przy oknie, tak biły te pioruny, wiatr zginał drzewa do ziemi, piach się podnosił wysoko, wszystko zasłaniał, nad czubkami drzew duży ptak machał skrzydłami, wiatr wiał w przeciwną stronę, niż on chciał lecieć, wisiał jak latawiec, podrywało go do góry, to znów opadał, wreszcie rzuciło nim w tył i tyle go widziałam. Od początku mi się za duży wydawał jak na ciebie, bardziej bocian albo czapla, nie kruk, ale myślałam sobie, stara babo, oczy masz już do niczego, może się pomyliłaś, i tak naprawdę to była twoja ptaszyna, już do ciebie nie przyleci, nie ma szans, żeby taką wichurę przeżyła, do siebie samej będziesz paplać, dlatego kamień z serca mi spadł, że cię zobaczyłam.

Wcześniej, nim się to rozpętało, siedziałam przy oknie i nic nie zapowiadało burzy, naraz spadł deszcz, i to grube, porządne krople, piach od nich ciemniał, jakby to żywica kapała, otworzyłam okno na oścież, łapałam powietrze haustami, aż mi się w głowie zakręciło i dostałam spazmów, Edek zatrzasnął okno i poszedł do swojego pokoju, nie zdążyłam poprosić, żeby gromnicę zapalił, ale co bym powiedziała, że nie ma jajek, nic więcej, a on by się nie domyślił. Czekałam, kiedy piorun przez komin pójdzie i nas spali. Jak tak siedziałam, to mi się zaczęły różne rzeczy przypominać, nie da się myśleć o samym strachu, co z tego, skoro za każdym razem, jak sobie coś przypomnę, doklejone jest do tego coś, czego nie pamiętam, więc to robota głupiego, bo sobie przypominam, że nie pamiętam. Nie ma jajek, powiedziałam kiedyś do tego w marynarce, co zabrał chłopców ze Stiszowit. To było kilka dobrych lat po wszystkim, dokładnie nie policzę. Coś do mnie powiedział i czekał w drzwiach, ani w środku, ani na zewnątrz, nie pamiętam, czy przyszedł po jajka, czy w innej sprawie, czy rzeczywiście wtedy nie miałam jajek, nigdy dotąd nie brakowało, czy leżały w koszu obok stołu, i on je widział, a ja skłamałam albo przejęzyczyłam się, zabij mnie, ptaszyno, nie wiem. On też musiał zapomnieć, że ja to ja, dlatego przyszedł pytać o te jajka, albo nie, wiedział, kto jestem, i przyszedł wcale nie w sprawie jajek, tylko ja go tak potraktowałam i powiedziałam, że nie ma. Nie tak dawno umarł, chociaż wtedy, zaraz po tym, jak zwinął chłopców, odgrażali się ludzie, zwłaszcza po pijaku, że długo nie pożyje, że go ktoś znajdzie z siekierką w plecach czy na gałęzi, ale skąd, gdzie by mu krzywdę zrobili, dużo potrafił załatwić, czego brakowało w Gurkach, zaraz zorganizował. To jest najgorsze, ptaszyno, że wszystko się rozchodzi, nie ma nic takiego, czego by człowiek nie odpuścił dla świętego spokoju.

Z kominem to w ogóle było tak, że jak dym z niego szedł, ludzie się do mnie zlatywali. Niedługo po tym, jak skłamałam, że Witek rzeczywiście pojechał do Australii i że na pewno się odezwie, przychodzili i pytali, czy są jakieś wieści. Najpierw mówiłam, że nie, ale dość miałam tego ciągłego pytania, widziałam też, że potrzebują kilku słów. Owszem, odpowiadałam i masowałam się po brzuchu, na dniach się spodziewałam porodu, zjawiliście się w dobrym momencie, miałam przejść po domach i powiedzieć, że Witek dobił do brzegu cały i zdrowy, bardzo mu służy tamtejszy klimat, jakby mu dziesięć lat ubyło, niestety piachu tam jeszcze więcej niż w Stiszowitach, ale inny, twardszy, bardziej czerwony. Kangura widział? Widział, dlaczego miał nie widzieć. Pokaż list, prosili ludzie. O nie, list poszedł w komin. Witek kazał, posłał go przez zaufanych ludzi, nie pytajcie, przez ile rąk on się przewinął, gdyby wpadł w niepowołane, krzywda by się komuś stała i koniec wieści.

Od tej pory, co zobaczyli dym w kominie, a często grzałam na kuchni wodę, potrzebowałam dla małego Edka, przybiegali i pytali, co nowego, mówiłam, że Witek przesyła najlepsze pozdrowienia, pyta o ich zdrowie, sam czuje się dobrze, pracy ma dużo, ale co wieczór za nich się modli. Prosi, żeby w zgodzie żyli i ufali Bogu, cokolwiek się stanie. Czego mu brakuje, przyniesiemy, może dałoby się posłać. Nic nie trzeba, tam cały rok ciepło, tubylcy bardzo go kochają i wszystko, czego potrzebuje, i jeszcze więcej, znoszą mu w darach. I nawet ci, co najpierw nie wierzyli w Australię, też zaczęli przychodzić, siadali tu, na podłodze, dla wszystkich krzeseł nie starczyło, uciszali jeden drugiego i słuchali, jak im opowiadam, co spotyka Witka dobrego, a co złego, czym się martwi, czym cieszy, kogo poznał, kto umarł. Długo to trwało, ptaszyno, owszem, ale wreszcie pozapominali, jedni co innego mieli na głowach, drudzy wyjechali, dorośli, pomarli, jak mi się przykrzyło albo tęskniłam za Witkiem, wrzucałam gałązki do pieca i wypatrywałam przez okno, czy nie idą, ale już nikomu nic ten dym nie mówił, chyba tyle, że marznę. Zimno rzeczywiście częściej mnie łapało, dlatego lubiłam iść położyć się na piasku, zdejmowałam ubranie i wyciągałam się na plecach czy na brzuchu, ciepło szło od spodu, grzało w piersi, nogi, wszędzie, jakbym się napiła herbaty z wódką. Gdzieś pod spodem może Witek był albo któryś chłopiec, kilka kości, piasek oddawał ciepło, jak się wygrzałam, to całą jesień i zimę nie zmarzłam, nie chorowałam ani nic. Wystarczało mi tego ciepła, co z piasku wyciągnęłam. Ludzie myślą, że od słońca idzie gorąc, a ja ci mówię, ptaszyno, że od piachu, i to on ogrzewa powietrze.

Raz dzieci miały napisać wypracowanie o miejscu, gdzie żyją. Może być bajka, zapytałam Edzia. Może. Chodził markotny, jęczał, że nic nie wymyśli, nie mogłam tego wytrzymać, napisałam za niego. Zaczęłam jakoś tak. Dawno, dawno temu spadł z nieba wielki i gorący kamień i uderzył prosto w Stiszowity, które nie miały wtedy jeszcze nazwy, nikt oprócz lisów, saren i czapli tu nie żył. Kamień był rozżarzony do białości, ziemia zajęła się od niego ogniem, który zatrzymał się dopiero na bagnach, tam gdzie teraz Niemoje. Wszystkie trawy, drzewa i zwierzęta spaliły się na popiół, a woda w rzece wygotowała się razem z rybami. Kamienie pękały jak żarówki, dopiero gdy spadł deszcz z chmury po wygotowanej rzece, ziemia zgasła, pękła i rozsypała się w piach, i do dzisiaj stygnie. I tak Stiszowity to kółko z piasku, owinięte rzeką, ściśnięte lasem jak obręczą, z bagnami na granicach, za którymi są miasta, a za miastami nie wiadomo co, bo już one ledwo się w tej bajce mieszczą. Głęboko pod piachem leżą do dzisiaj okruchy tego kamienia, przesuwają się o ziarnko piasku w ciągu roku, przyciągają jedne do drugich, i kiedy się wszystkie znajdą i połączą z powrotem w jeden kamień, wybuchnie nowy pożar. Nic dobrego, ptaszyno, Edziu za to nie dostał, przyznał się, że ja to napisałam, wezwali mnie na rozmowę do szkoły, doszukiwali się nie wiadomo czego. Może i tak jest, uwierzyłam w to kiedyś, że wymyśliłam to miejsce, ptaszyno, a że coraz słabszą mam pamięć, coraz mniej się mogę skupić, to piasku przybywa, czymś trzeba zapełnić puste miejsca. Kółko piachu, rzeka cienka jak włos, las, bagna i miasta, co majaczą daleko jak góry i łatwo je pomylić z chmurami, raz są, raz ich nie ma, nic więcej, bo ile zmieszczę w głowie, to i tak dużo, wszystko, co dalej, to już dla mnie Australia.

Dwa, trzy dni Tomka nie było, ptaszyno, martwiłam się, obraził się czy co, nie miał przecież powodu. Za to przyszła Helena, pomogła mi się umyć, posadziła mnie na krześle, nogi włożyła do miednicy z wodą i mydłem, ledwo mi się zmieściły, i wyszła przed dom zapalić papierosa, widziałam ją przez okno, później poobcinała mi paznokcie, rozmokły, to się dobrze cięło, wyrównała i uczesała włosy, w szczotce chyba połowa kudłów została. Niewiele mówiła, tyle co odwróć się, schyl się albo wyprostuj, podnieś nogę, opuść ramię. Posadziła mnie z powrotem na krześle i poszła. Co się jeszcze mogło stać, że Tomek nie przychodził, głowiłam się, ptaszyno. Zawstydził się, że za dużo mi powiedział o tym, co widział przez okno domu Włodka, myślałam. Okazało się, że przesiedział całe dwa dni w domu, mimo że ktoś do niego pukał, Klara albo Olga, nie pamiętam, do czegoś był im potrzebny, może żeby drogę pokazać. Dowiedziałam się tego od Tomka, jak przyszedł wreszcie.

W ten dzień Edek zostawił mi na stole wędzoną makrelę, nie ruszyłam jej. Zdrzemnęłam się na stołku przy oknie, obudził mnie Tomek, mówił babciu, babciu i głaskał po twarzy, udawałam, że dalej śpię, tak mi było dobrze, żeby taka śmierć była, a kiedy otworzyłam oczy, zapytał, dlaczego nie zjadłam makreli. Pokazałam mu powykręcane dłonie. Przyniósł z kuchni widelec i talerz, wyciągał mięso i oczyszczał z ości, dobrze patrzył, żeby żadna nie została, ani jedna mi się nie trafiła. Muszę dotykać palcami, ale ręce mam czyste, mówił, a ja stukałam się po głowie, co by mi to miało przeszkadzać. Zjadłam ze smakiem, dobrze słona była, nie bardzo sucha, ale też nie za tłusta, sporo mięsa, no i miękka, nie musiałam gryźć, rozpływała się w ustach. Tomkowi podsuwałam większe kawałki, z początku nie chciał, w końcu dał się namówić, sama bym nie zjadła tyle.

Potem wytarł i swoje, i moje ręce w chusteczki i opowiedział, co się działo.

Żałował, że uciekł spod domu Włodka, zamiast poczekać w pobliżu. Gdyby ktoś wyszedł, wiedziałby, kto na pewno był w domu, a gdyby ktoś wszedł, wiedziałby, kogo na pewno nie było, ale na to wpadł dopiero wieczorem u siebie w pokoju, jak już zażył apap i przeszedł mu ból głowy. Poza tym, myślał, niepotrzebnie w ogóle tam szedł, gdyby tego nie zrobił, nie miałby czego żałować, nikt nie otwierał na jego pukanie, trzeba było zająć się swoimi sprawami albo samemu jechać na bagna. Ani to jego znajomi, ani nikt, zwykli przyjezdni. Na drugi dzień po południu, bo do południa czytał i kazał matce mówić, że go nie ma, gdyby ktoś pytał, ale nikt nie pytał, pojechał do Przylesia na zakupy. Wracał szybko, już w drodze do sklepu widział, że zbierały się chmury, a kiedy wyszedł z zakupami, zobaczył daleko, za Gurkami, błyskawice. Ściemniło się w jednej chwili, wiatr zerwał się taki, że zatrzymywał Tomka, łatwiej było jechać rowerem przez piachy i w upale niż pod wiatr. Lunęło, ja w tym czasie, ptaszyno, siedziałam przy oknie i patrzyłam na te krople deszczu spadające na piasek. Tomek pedałował jak wariat, pioruny biły zupełnie blisko, a wydawało mu się, że jedzie wolno jak we śnie, ogłuszany raz za razem hukiem. Po prawej, pod sczerniałym drzewem, leżały krowy, poprzewracane jak figurki z jajka niespodzianki, daleko po lewej dwoje ludzi biegło raz w stronę domu, raz w stronę krów, jakby ktoś film przewijał to do przodu, to do tyłu. Przed sobą zobaczył Klarę, poznał ją od razu po czarnej sukience, prowadziła rower, potykała się co krok, upadła, podniosła się, kiedy Tomek był już tuż za nią i zeskoczył w piach, krzyknęła zaskoczona, bo ją złapał za ramię. Byli przemoczeni, trudno było oddychać w takiej ulewie, Klara zanosiła się, nie wiedział, jak ją uspokoić, sam był wystraszony, chciała wsiadać na rower, zatrzymał ją, jedyna droga prowadziła przez las, w któreś drzewo może strzelić piorun, krzyczał, ptaszyno, nie słuchała, wybrała się na przejażdżkę, zawróciła, gdy zaczęło padać, chciała być jak najszybciej w domu. Trzasnęło niedaleko, Tomek kucnął w miejscu, gdzie droga się obniżała, nie dotykał piętami ziemi, powiedział mi, ptaszyno, że to zmniejsza ryzyko trafienia, wcześniej wysypał rzeczy z plecaka, dał go Klarze i kazał jej na nim kucnąć tak samo, daleko od siebie, niedobrze być obok podczas burzy, piorun może porazić dwie osoby. Klara nie usłuchała, kucnęła tuż przy Tomku, złapała go za ramię, chciała się wtulić, żeby schować głowę, Tomek odszedł od niej, krzyczał, żeby została tam, gdzie jest, a ona, że się boi, podbiegła, znów się przesunął, plecakiem przykryła głowę, machnął ręką, żeby ją odpędzić, nie zareagowała, popchnął ją lekko, myślał, że tak zrozumie, o co mu chodzi, wywróciła się, co robisz, co robisz, zawołała, wstała i poszła przed siebie, w las, Tomek przyłożył dłonie do uszu, gdy znów strzeliło, i się rozpłakał.

Burza wnet przeszła, przejaśniło się, nierówna droga pełna była kałuż, zapakował rozrzucone zakupy do plecaka, nie mógł zdecydować, którym rowerem jechać, wsiadł na savoya, chciał dać go Klarze, a samemu pójść na nogach albo wrócić po drugi rower, ale już jej nie dogonił. Raz coś mu się wydawało, ale to była tylko czapla, zrywała się akurat do lotu, zjechał w dół, zniknęła mu z oczu. Jak mi to mówił, przyszło mi do głowy, że nie pamiętam, co się stało z jego ojcem, całą noc o tym myślałam, zapytać nie mam już jak, i nie przypomniałam sobie, czy rozchorował się i umarł, czy wyjechał któregoś dnia do Australii, załóżmy, i miał ich ściągnąć za sobą, jak tylko się urządzi, ale widać nie urządził się jeszcze, czy w Gurkach z jakąś inną mieszka, to raczej nie, Edek by wspominał, że go spotkał, i on czasami by się w Stiszowitach zjawił albo Tomek do niego pojechał, czy mu się stopa zaplątała w rdestnicę i nawet nie zdążył krzyknąć, a Tomek nic nigdy nie mówi o tym, co jest z ojcem, że go nie ma. Chyba że coś pomyliłam, ptaszyno, i te pioruny wcale nie biły blisko, a krowy, z rozhuśtanymi u szyi dzwonkami, biegły do obory popędzane przez mężczyznę i ujadającego psa.

Tak sobie myślę, ptaszyno, że tutejsza to ty nie jesteś. Skrzydła masz czarne, owszem, ale jak się przyjrzeć pod światło, coś w nich się mieni dziwnymi barwami, za chwilę mętnieje, a kiedy wejdziesz w cień, wcale cię nie widać, i dziób masz bardziej zakrzywiony niż nasze ptaszyny, w sam raz do wyszarpywania mięsa. Kto wie, czy cię ktoś, ale kto, nie posłał z kilkoma słowami do mnie, a ty nic nie mówisz. Nie szkodzi, wszystko wiem, powinnaś była przylecieć, zastukać do okna i odezwać się po ludzku, wstawaj, stara, umyj gębę, ubieraj się, idziemy, zasiedziałaś się na obrotowym krześle, dopiero teraz zobaczysz, w jakie obroty pójdziesz. Pakuj się, bierz, co tam masz do zabrania, i tak cię Pan Bóg długo trzymał, zapomniał o tobie, wydaje ci się, że akurat o tobie lubi myśleć, powiedz wreszcie, stara, tak jest, umarłam, trzeba iść. Chciałabyś wiedzieć, jak się potoczy życie Tomcia, taka żeś ciekawa. Swoje zdążyłaś mu opowiedzieć, gęba ci się nie zamykała, a całe jego już nie dla ciebie, cieszy się na pewno, że ci się na mowę rzuciło, w kółko to samo paplałaś, jakbyś żyła rok, dwa, a nie tyle, że sama już nie zliczę. Myślałaś, że do końca świata będziesz siedzieć z nosem przylepionym do szyby, niedoczekanie twoje. Nic nie ma na zawsze, szyba też się kiedyś rozsypie w piach, Edek umrze, Tomek i Helena, i te dziewuchy, co przyjechały, ani ząb po nich nie zostanie,

Włodek razem z synem, czy ten syn jest, czy go nie ma, nieważne, bo i tak więcej jest takich ludzi, co ich wcale nie ma, niż takich, co są, i twoja dupa się zużyje od siedzenia, zamierzałaś Pana Boga przeżyć, to się pomyliłaś, na niego też przyjdzie czas, ale nie myśl, że ty tego doczekasz. Tak czy nie tak miałaś zakrakać, ptaszyno, ale serce masz za dobre, boisz się przykrość sprawić starej babie, która sobie upatrzyła ciebie na ofiarę i gada ci, co jej ślina na język przyniesie, bo się jej nudzi, a może czekasz, aż przestanę mówić, wtedy dopiero cię usłyszę. Nic nie mów, nie trzeba, kto się dowie, że nie wykrakałaś tego, co miałaś przykazane, trzymaj się mnie, to ci się krzywda nie stanie, zawsze się dla ciebie znajdzie plaster słoniny czy ziarnko, ty wszystko zjesz, z tobą nie ma problemu.

No, ale słuchaj, co się stało. Przy śniadaniu Helena powiedziała Tomkowi, że dziewczyny przyszły się pożegnać, ale spał, to go nie budziła. Wyjeżdżały, Włodek musiał wracać do domu, jakieś sprawy rodzinne, zabierał dziewczyny na dworzec kolejowy, czekał w samochodzie. Miały tu zostać, aż ktoś do nich dojedzie, powiedział Tomek. No, miały, ale ten chłopak, na którego czekały, coś wynalazł, nie bardzo daleko, proponował im Włodek, żeby siedziały same w jego domu, a potem nam oddały klucze, ale podziękowały. Gdzie teraz będą. Mówiła mi ta jedna, ale nie pamiętam, Włodek pewnie wie. Kiedy wraca. No, mówił, że za tydzień, dwa będzie z powrotem, chyba że nie załatwi spraw po swojej myśli, to już nie w tym sezonie, za rok. Tyle, nic więcej, zapytał. Nic, co więcej, spieszyły się, Włodek trąbił. I nic Klara nie mówiła, niczego nie zostawiła. Nie, niby co.

Po obiedzie, kiedy Helena drzemała, Tomek poszedł do szopy po kosę, później za dom, rozebrał się do majtek, jedynie butów nie ściągnął, opuścił nogi z pomostu do rzeki, wytłukł nartniki, które go obsiadły, ostrożnie zanurzył się prawie do pasa, Tufka była chłodna, dalej od brzegu, gdzie jest trochę słońca, na pewno cieplejsza, ale trzymał się jedną ręką pomostu, kręciło mu się w głowie od patrzenia w nurt, drugą złapał kosę i podniósł ją powoli, stał tak, nie mógł się zdecydować, żeby puścić pomost, odliczał do dziesięciu, na głos, kiedy doszedł do sześć, siedem, zobaczył z prawej żółte kajaki, wiedział, że już nic nie skosi, nawet kiedy przepłyną, chciał wyjść z wody, ale bał się ruszyć, stał z jedną dłonią zaciśniętą na pomoście, o który opierał się plecami, a z drugą na stylisku uniesionej kosy, turyści przepływali tuż przed nim, młócili wiosłami tak, że aż ochlapywali Tomka, mrużył oczy, coś do niego szwargotali, nie rozumiał, udawali, że się boją kosy, schylali głowy i śmiali się, jeden zrobił mu zdjęcie. Chyba że nie, ptaszyno.

Oczko w głowie

To był parszywy dzień. Dawno nie byłem tak zdenerwowany. Wewnętrznie, bo ja się zewnętrznie nie denerwuję. Mówią wszyscy: taki spokojny. Tak, spokojny. Cichy. Grzeczny. Mówią. Sąsiedzi i inni. Tego dnia, parszywego, trudno było mi się odnaleźć, tyle się działo. Wewnętrznie i zewnętrznie. I pomiędzy. Ale w porównaniu z matką i tak byłem spokojny. Ona zupełnie straciła głowę.

Zaczęło się zwyczajnie. Cicho, spokojnie. Zewnętrznie i wewnętrznie. Niedziela jak każda inna. Dzień między sobotą a poniedziałkiem. Spałem. Kiedy się obudziłem, poczułem intensywny zapach. Matka postawiła rosół. Na pewno. Niedziela, rosół. Nikt nie potrafił ugotować tak dobrego rosołu jak moja mama. Lubiłem rosół w niedzielę, tak, biały obrus, sztućce, talerze, mama, spokój. Ale tym razem poczułem, że gęsty, lepki zapach rosołu wpełza do mojego pokoju jak wąż. I zaczyna mnie dusić. Niedobrze mi się zrobiło, niedobrze, ale byłem spokojny. Zewnętrznie. Wstałem z łóżka, włożyłem pantofle, przeszedłem cicho obok kuchni, stojąca przy kuchence matka nie zauważyła mnie, zabrałem z przedpokoju klucze i wyszedłem w samej piżamie z mieszkania. Grzecznie. Cichutko.

Kiedy wróciłem z piwnicy, mama siekała na drewnianej desce natkę pietruszki. Wyczuła moją obecność, odwróciła się z uśmiechem i już chciała powiedzieć dzień dobry, bo mama zawsze mi mówiła dzień dobry rano, a dobranoc wieczorem. Zawsze. Teraz też mama chciała powiedzieć dzień dobry, bo było rano, ale chwyciłem ją za włosy, krzyknęła zdziwiona, przycisnąłem jej głowę do deski, a drugą ręką wziąłem zamach i trzymaną w niej siekierą odrąbałem mamie głowę. Dzień dobry, mamo. Musiałem trzy razy uderzyć. Taki kark miała moja mama. Kadłub osunął się na podłogę. Głowa na desce. Rany boskie, dalej bulgocze. Przecież już odrąbane. Tak się przestraszyłem. A to tylko rosół. Wyłączyłem gaz. Zebrałem z wywaru brązową pianę, zawsze mnie obrzydzała, i usiadłem przy stole, żeby odpocząć. Głowę, swoją, oparłem na dłoni. Spojrzałem w oczy matki. Były zamglone i małe. Dobrze. To znaczy, że się nie bała. Strach ma wielkie oczy.

Do południa ścierałem krew ze ścian, podłogi, mebli i garnków. I to w niedzielę. Zostały plamy na suficie, ale nie chciałem schodzić drugi raz do piwnicy, żeby przynieść drabinę. Ledwo udało mi się znaleźć siekierę. Tak tam ciemno. Żarówki ciągle kradną. Na szafkę albo stołek wolałem nie wchodzić. Bałem się, że spadnę i złamię nogę. Umyłem twarz i zmieniłem ubranie. Miałem plan. Kadłub w dywan, a głowę do wora. Wór do jeziora. Tak to sobie tłumaczyłem, wewnętrznie, na spokojnie, żeby błędu nie popełnić. Głowa, wór, jezioro. A jeśli wypłynie na wierzch? Boja. Będzie się kołysać. Kołysanie usypia, więc mama oczu nie otworzy. Będzie spać. Zgłodniałem. Zapaliłem gaz pod rosołem. Wkrótce zaczął pachnieć i bulgotać.

Siedziałem w pokoju i jadłem rosół z chlebem. Wolę z makaronem, ale nie potrafię go ugotować tak jak mama.

Usłyszałem pukanie do drzwi. Odłożyłem łyżkę. Ucieszyłem się, że mogę przestać jeść rosół z chlebem. Pukanie się powtórzyło. Poczułem strach. Jednak wolałbym jeść rosół. W ciszy. To policja, pomyślałem, wydział do spraw matkobójców. Nie, policja chyba by krzyczała. Otworzyłem. Sąsiad. Uśmiechnąłem się do niego, a ponieważ nigdy, jak sądzę, zewnętrznie nie okazuję zdenerwowania, uwierzył w uśmiech. Zapytał, czy coś mi się stało, bo mam krew na włosach. Na swoich?, zapytałem. A on, mój sąsiad, odpowiedział: pewnie, że na swoich, niby na czyich? Mógłby się zdziwić. Powiedziałem sąsiadowi, że mam całą głowę w domu, to znaczy cały dom na głowie, i że na kawę go nie zaproszę dzisiaj, bo niedziela, więc z matką będę ten dzień święcić. A on, mój sąsiad, że nie, że tylko chciał zapytać, czy może zajrzeć do programu telewizyjnego, bo żona nie kupiła w piątek, a kioski zamknięte. Kazałem mu zaczekać, pobiegłem po program. Może go pan sobie zatrzymać, powiedziałem sąsiadowi, nic się nie należy, do widzenia. Sąsiad poszedł. Zamknąłem drzwi, ale zaraz je otworzyłem i pobiegłem za sąsiadem po schodach. Dogoniłem go tuż przed drzwiami jego mieszkania, złapałem za koszulę, potrząsam nim i mówię, że ta krew, wie pan, na włosach, to dlatego, że rybę patroszyłem, łeb jej urąbałem, a jeszcze żyła, i jak trysnęło, to mówię panu. Cały sufit w kuchni obryzgany! To co, pyta sąsiad, w zlewie pan rybę trzymałeś, tak się męczyło stworzenie? Rybę to się je na Wigilię, a nie teraz. Trzeba było ją w łazience ubić, tłuczkiem w głowę najpierw albo za ogon chwycić, o tak, sąsiad moją dłoń odsunął, podwinął rękawy i zaczął owłosionymi łapami pokazywać, jak się po ludzku rybę zabija. I o brzeg wanny, raz, drugi, mówił i potrząsał ręką, aż przestanie się trzepotać. Tak, tak, przytakiwałem, tak zrobię następnym razem, obiecuję, ale niech pan pamięta, że to ryba była. Wygładziłem sąsiadowi koszulę, żeby nie pomyślał o mnie źle, i wróciłem do mieszkania.

Poszedłbym jeszcze tego samego dnia nad jezioro i wrzucił głowę do wody, ale się bałem. Ściemniało się już powoli. O tej godzinie już pewnie się czaili w szuwarach jacyś złodzieje, zboczeńcy i bandyci. A może nawet źli ludzie. Niby z mamą pod pachą raźniej, ale teraz to już mama za mnie głowy nie nadstawi, myślałem. Zresztą byłem tak zmęczony i senny, że wróciłem do łóżka, zostawiając głowę, mamy, nie swoją, na stole w kuchni.

Obudziłem się. Przykryłem głowę poduszką. Jeszcze chwilę. Poczułem zapach rosołu, cudowny, i że ktoś potrząsa moim ramieniem. Potem stuknięcie. Szklanka z moim ulubionym sokiem pomarańczowym stała na szafce obok łóżka. Mignęła mi przed oczami ręka matki. Poczułem jej dłoń na mojej głowie. Dobrze. Nigdy więcej piwa przed snem. Po alkoholu zawsze mam koszmary. Dzięki Bogu. Bez przesady, przecież własnej matce nie odrąbałbym głowy. Cudzej też nie. Pomogę dzisiaj mamie. Odkurzę albo coś. I zostanę w domu. Napijemy się kawy, zjemy kilka ciasteczek, a potem zbierzemy ze stołu okruszki i rzucimy je ptakom. Mama wyszła z pokoju. Słyszałem jej kroki. Zasypiałem i budziłem się jeszcze kilka razy. Wstałem, umyłem się, ubrałem i wszedłem do kuchni. Mama właśnie odcedzała makaron. Blade nitki zwisały nad zlewem. Mama sprawnie przerzuciła porcję makaronu na talerz, jeden, potem drugi. Umyła sitko i zawiesiła je niedaleko zlewu. Wzięła chochlę, wlała rosół do mojego talerza i do swojego. Wrzuciła mi kawałek marchewki, którą tak lubię. Zaniosła oba talerze do swojego pokoju i wróciła do kuchni po maggi i łyżki. Zgasiła światło i poszła do pokoju. Ja za nią.

Usiedliśmy przy stole. Rosół wyglądał i pachniał wspaniale. Mama siedziała naprzeciwko mnie. Uniosła łyżkę z porcją rosołu i zastygła bez ruchu, jakby zapomniała, po co to zrobiła. Mama nie miała głowy.

I co ja teraz zrobię? Siedzę w łazience na brzegu wanny. Mama puka do drzwi. Dlaczego żyje? A może nie żyje, zależy, co uznać za matkę – głowę czy kadłub z sercem? Wiadomo, serce matki najważniejsze. Serca nigdy matka dla dziecka nie straci. Głowę tak. Chyba wiem, gdzie popełniłem błąd. Głowę trzeba było usunąć jak najszybciej. A ja z tym zwlekałem w obawie przed złymi ludźmi. Trzeba je rozdzielić. Może wtedy umrze. Kadłub, bo głowa nie daje znaku życia. Blednie tylko. Zdjąłem dzisiaj z policzka matki kilka listków pietruszki. Wrzuciłem je do rosołu. Mama puka coraz głośniej. Krzyczę na nią, żeby poczekała, i dopiero po chwili uświadamiam sobie, że i tak mnie nie słyszy. Ale podziwiam ją, że tak sprawnie porusza się po mieszkaniu, mimo że nie widzi. To jednak rasowa kura domowa. Czy ona w ogóle zauważyła, że nie ma głowy? Jak? Przecież tu nie może być mowy o zauważeniu czegokolwiek, o uświadomieniu również, nawet o zorientowaniu się. Co najwyżej wymacała nieobecność głowy. Pozbędę się łba i wtedy, z Bożą pomocą, kadłub się przewróci. Tu na pewno działają nieodkryte jeszcze przez medycynę połączenia między mózgiem a resztą ciała. Wychodzę z łazienki, mama przepycha się, wchodzi szybko do środka, opuszcza spódnicę, majtki i szuka sedesu. Pomagam jej. Jeszcze tego brakowało, żebym łazienkę sprzątał. O nie, mamo, podetrzyj się sama. Korona ci z głowy nie spadnie.

Idę brzegiem jeziora. Trzymam głowę mamy w grubym, czarnym worku na śmieci ze ściągaczem. Takie mama najbardziej lubiła. Staram się swobodnie machać obciążonym kamieniami i głową workiem, żeby wyglądać na zwykłego człowieka, który chce wyrzucić śmieci nad jeziorem. Nie boję się ani trochę. Samo południe. Poniedziałek. Nikogo nie ma w pobliżu. Bandyci, złodzieje i zboczeńcy są w szkole. Porządny zamach, wór leci w górę, opada, uderza w taflę wody i tonie. To wszystko. Żadnych dreszczy. Kaczki się przestraszyły. Brzuch mnie swędzi, to się drapię. Czas wracać. Trzeba mamę zawinąć w dywan i wynieść. Może tutaj. Wieczorem.

Wchodzę do mieszkania. W kuchni i przedpokoju pusto. W pokoju mama leży bez ruchu na sofie. Topielec z odrąbaną głową. Trzeba będzie meble odstawić, żeby dywan zwinąć. Ale najpierw matkę przeniosę. Chwytam ją za dłonie i chcę zabrać z łóżka, a ona siada i przytula się do mnie.

Tak mija dzień za dniem. Zdarzają się ku mojemu zaskoczeniu, wewnętrznemu i zewnętrznemu, momenty zabawne i rozczulające – na przykład gdy włącza suszarkę w łazience i kieruje ją w stronę, gdzie znajdowałaby się jej głowa, gdyby ją miała. Bielizna i ręczniki poruszają się od podmuchu ciepłego powietrza. Patrzę na nią, zafascynowany, aż się odwraca do mnie. Wtedy – mógłbym przysiąc – przez moment widzę jej uśmiech. Za to czuję smutek, gdy mama siada w pokoju przed lustrem. Szczotką trzymaną w prawej dłoni wykonuje ruchy jak podczas czesania. Wydaje mi się, że dostrzegam kształt jej głowy, wyznaczany ruchem dłoni, a nawet słyszę, jak szczotka przedziera się przez gęste włosy. Kiedy kończy czesanie powietrza, zaczyna wyciągać ze szczotki pasma włosów. Jestem przekonany, że widzę, jak odkłada rude nici na blat, ale boję się podejść i sprawdzić, czy są tam naprawdę, wyczesane z nieobecności.

Zaciągam ciężkie, czerwone story, mimo że dni są gorące. Nie mogę pozwolić, żeby ktoś zauważył mamę. Lubiła stawać w otwartym oknie i obserwować ludzi z trzeciego piętra. Nie będzie już jej przeszkadzać hałas za oknem i na klatce schodowej. Znowu idą te dziwki, co się do nich każdego wieczoru takie byki schodzą, mówiła zawsze, widząc dziewczyny, które mieszkają obok nas. A niech się bawią, co ci szkodzi? Przecież to zwykłe studentki, odpowiadałem, modląc się jednocześnie w duchu, żeby jednak były, jak mówiła mama, dziwkami, i to dziwkami do potęgi, niezaspokojonymi i pragnącymi nowych przeżyć. Często wynosiłem śmieci, gdy zauważyłem, że zbliżają się wieczorem do bloku. Wcześniej się przebierałem. Miałem przygotowaną na takie okazje błękitną koszulę z delikatnego materiału. Urwałem w niej dwa ostatnie guziki, żebym ich nigdy, przez zdenerwowanie i podniecenie, nie zapiął. Skrapiałem się perfumami i wychodziłem. Liczyłem, że podpite studentki zwrócą na mnie uwagę, że ich prawdziwa natura osiągnie szczyt właśnie wtedy, gdy będą mnie mijać. Nie mogłem jednak się powstrzymać, kiedy zbliżałem się do dziewczyn, żeby nie poprawiać mankietów albo nie pociągać nosem. Zdarzało się też, że worek się rozrywał. Klękałem wtedy i zbierałem śmieci, a studentki mijały mnie ze śmiechem.

Po powrocie odpowiadałem mamie, zdziwionej, że o tej porze śmieci wyrzucam, że śmierdziały, i wracałem do swojego pokoju, słysząc jeszcze, jak mama mówi, ale węch delikatny, bedzie, właśnie tak, żeby mnie bardziej zdenerwować, bedzie z ciebie stary kawaler. Tak mówiła, a obrażała się na mnie za każdym razem, gdy wychodziłem z domu, żeby pospacerować, uważała, że ją opuszczam, dokładnie tego zwrotu używała, opuszczasz mnie, i pytała, kiedy się wyprowadzę do tej kobiety, choć żadnej kobiety nie było. A gdy była zła, pytała, kiedy się wyniosę do tej dziwy (ach, gdyby to mogło być prawdą), z którą się ciągle, tak mówiła, podnosząc głos, co mnie bardzo irytowało, ciągle szlajam.

To już tydzień. Mama nie może zażyć lekarstw. Zawsze pilnowała godzin, niedawno udało jej się uregulować trawienie i opanować drżenie rąk. Teraz te starania wzięły w łeb. Myślałem o wbiciu noża w jej serce. Nie potrafię. Zresztą nic to pewnie nie da. Ona się ciągle rusza. Chodzi. Nawet w nocy. Przecież jej nie porąbię. Nic żeby mnie to obrzydzało. Boję się, że kawałki nóg i rąk będą pełzać po mieszkaniu, dłonie wejdą mi do łóżka w nocy, żeby mnie głaskać po policzku albo puszczą gaz w kuchni i wypierdolą w powietrze pół bloku. W gruncie rzeczy mama zawsze była trochę niezrównoważona.

Przeliczam pieniądze. Matka wie, że był listonosz. Tak działa zegar biologiczny. Wyciąga do mnie dłoń. Odtrącam ją. Teraz to ja trzymam kasę, podejmuję decyzje, ustalam zasady, teraz ja jestem głową rodziny. Listonosz zwykle przychodzi koło południa, ale już rano zamknąłem mamę w łazience. Na wszelki wypadek. Drzwi zastawiłem szafką. Mama nie jadła i nie piła od ponad tygodnia, więc osłabła, nie była w stanie odsunąć przeszkody. Ale tłukła się co jakiś czas, odpoczywała i znów waliła pięściami w drzwi. Czekałem. Kiedy usłyszałem dzwonek do drzwi, wiedziałem, że to listonosz. Chciał, żebym zawołał matkę albo zaprowadził go do niej. Powiedziałem, że jest chora i że ja odbiorę. Chyba nie uwierzył. Powiedziałem więc listonoszowi, że to choroba skóry, bardzo zakaźna, a ja nie zachorowałem wyłącznie dlatego, że dostaję specjalne serum, użyłem tego słowa, serum, z premedytacją, bo wiedziałem, że listonosza to słowo przerazi i sprawi, że zacznie mnie on traktować z szacunkiem należnym człowiekowi, który dostaje serum od rządu albo nawet Unii Europejskiej, bo on, listonosz, nigdy serum nie dostał i może nigdy nie dostanie, nawet jeśli jego matka będzie miała ciężką chorobę skóry, bardzo zakaźną. Wtedy mama zaczęła bić w drzwi. Listonosz spytał, co to za hałas, to powiedziałem, że w tej chorobie występują ataki padaczki i żeby dał te pieniądze, bo jak nie przyniosę zaraz matce lekarstwa, to umrze. Listonosz pocierał banknoty palcami tak mocno, aż się przestraszyłem, że zera zetrze i ze stówek zostaną dychy, więc dodałem: szkoda byłoby tych pięciu złotych, które zawsze mama panu zostawia. Teraz chowam pieniądze do kieszeni. Mama przestała o nie walczyć. Trzyma się za brzuch. Zmieniła się. Schudła, skóra jej się pomarszczyła, coraz gorzej chodzi, chwieje się, traci równowagę i wpada na meble i ściany. Na pewno jest odwodniona i bardzo głodna. Wygląda na smutną. Układa ręce w geście, który jeszcze niedawno oznaczałby chowanie twarzy w dłoniach. Czekam z niepokojem, aż usłyszę łkanie mamy, ale jej ciało tylko się trzęsie. Kładę się. Przez całą noc słyszę kroki matki. Rosół skisnął i śmierdzi, a ja nie mam siły wstać.

To już dwa tygodnie. Mama schudła chyba dwadzieścia kilogramów, zszarzała. Choć coraz słabsza, codziennie robi mi śniadanie. Nie zawsze żyliśmy w zgodzie. Bywały też trudniejsze dni. Nie podoba się, to won! Nie będę się z tobą pierdolić, krzyczała, na co ja ze spokojem, który doprowadzał ją do furii, co sprawiało mi radość, odpowiadałem, ależ mamo, to znakomicie, bo ja też się z tobą nie chcę pierdolić. Sąsiadom zaniepokojonym jej nieobecnością powtarzam to, co mówiłem listonoszowi. Oferują pomoc, tak ją lubią. Nie zostawią jej w potrzebie. Podziwiają mnie za poświęcenie.

Każda matka chciałaby mieć takiego syna. Jedna kobieta powiedziała, że nie chowam głowy w piasek. Na co rzuciłem, że wolę głowę zanurzyć w jeziorze. Zachichotała, tak trzymać, nie tracić humoru.

Kiedy już zupełnie zwątpiłem, przyszło olśnienie. Nie wiem, skąd się wzięło. Z wewnątrz czy z zewnątrz? Teraz rozumiem, że ta cała ruchliwość i żywotność to sztuczny zamęt. Dotyczy to nie tylko mamy, ale też mnie. Właściwie niewiele się różnimy. Ty robisz to, co do tej pory, mamo, i ja też się nie zmieniłem. Śniadania, rosoły, ciche dni, śmieci, onanizmy, teleturnieje. Chodzisz jak zawsze, mówię do mamy, a może do siebie samego. Wiem już, że mama osiągnęła coś niezwykłego i że tak naprawdę żyje gdzie indziej. I że nie od niej prawdziwej, czyli innej niż ta w domu, chciałem się uwolnić, skoro tak za nią tęsknię. Woła mnie jak syrena.

Wycieńczenie nie pokona kadłuba, który nazywam mamą. Boję się pomyśleć, jak będzie wyglądać za miesiąc. Teraz siedzi przy stole i próbuje dokończyć haft według wydrukowanego na tkaninie wzoru: baletnicę tańczącą na jeziorze podczas pełni. Odbieram jej igłę i mulinę. Zachęcam, żeby wstała. Trzymam ją za dłoń. Jestem wzruszony. Wewnętrznie i zewnętrznie. Wiem już, jak to skończyć. Ustawiam na środku pokoju masywny stołek, przynoszę czarny worek. Potem daję mamie siekierę, zaciskam jej palce na trzonku. Widzę, że się ugina pod ciężarem siekiery, chce mi ją oddać, ale nie ustępuję. Klękam przed mamą, kładę głowę, swoją, na siedzeniu krzesła. Mama stoi bez ruchu, ciągnę ją za ubranie, podnoszę jej ręce i znów przyciskam policzek do krzesła. Uderz mamo, zaraz noc, pójdziemy nad jezioro. Nie przestraszymy się złych ludzi. Mamusiu kochana, bij, tak proszę, licząc, że mimo braku uszu wyczuje matczynym sercem pragnienie dziecka. Wydaje mi się, że uniosła siekierę, więc wołam znowu, żeby ją zachęcić, uderz, mamo, uderz, i czuję dłoń na moim karku, przesuwa ją od lewej do prawej strony, jakby rysowała linię, zabiera dłoń, ostrze znika, zamykam oczy, poradzimy sobie, powietrze się rozstępuje, co dwie głowy, to nie jedna.

Pierwszy list do Franciszka

Samanta, z woli Bożej służebnica Jezusa Chrystusa, do biskupa Rzymu, zwierzchnika Kościoła powszechnego, Franciszka.

W pierwszych słowach mego listu ostrzegam, że listów pisać nie potrafię, dlatego jeśli używam złych słów, nie takich, jakimi się powinno odzywać do papieża, z góry przepraszam, ale tu nie o słowa chodzi, tylko o ludzi, Kubę i Kowboja, moich braci w Chrystusie. Siedzą teraz za wzgórzami, za lasami, jeszcze w Polsce, chociaż blisko granicy ze Słowacją, i nie wiedzą, czy ich porzuciłam, czy co, może dziki albo wilki mnie zjadły, nic nie wiedzą, a noce coraz zimniejsze, lato się kończy i zapasy też, szlag by trafił cały ten Beskid, zgubiłam buty w błocie, jak tu szłam, od rana cały dzień, i chowam brudne, gołe nogi pod stolikiem z ceratą, przy którym piszę ten list. Spieszę się, zaraz pocztę zamkną, a chcę wracać do Kuby i Kowboja. Ta poczta to w jednej budzie ze spożywczym, parawanem przedzielone, słychać z drugiej strony, jak faceci otwierają i piją piwa, pewnie mają papierosy, może by poczęstowali, ale potem bym się ich nie pozbyła, a muszę opowiedzieć, zanim pocztę zamkną. Wasza Świątobliwość jest dla Kuby i Kowboja ostatnią deską ratunku, dla siebie nic nie chcę, za nimi się jedynie wstawiam, przekona się Wasza Świątobliwość, jak mój list przeczyta do końca, namawiam do tego, przysięgam, że wszystko, co tu piszę, to święta prawda.

No więc jest tak, że Kuba bardzo chciał zostać księdzem i dwa lata próbował, ale wszędzie go spławiali, bo jest karzełkiem, takim serio, urósł na metr dwadzieścia trzy i ani milimetra więcej. Klepki żadnej mu nie brakuje, łeb jak sklep, i to dosłownie, dziwne, że się trzyma na tych koślawych nóżkach. Źle mu się nie żyło, w Krakowie, z ustawionymi rodzicami, tata inżynier, mama profesorka od gwiazd, normalni, żadne kurduple, ale się uparł, że ma powołanie, ponoć trzy noce z rzędu ktoś go budził, wołał po imieniu: Jakubie, Jakubie, i za trzecim razem Kuba powiedział, że słucha, i mu wtedy Pan Bóg powiedział: Oto Ja uczynię dla ciebie taką drabinę, że gdy na nią wejdziesz i zawołasz moje imię, wszyscy je usłyszą i zadzwoni im ono w obydwu uszach. Tak mi na początku opowiadał, później wyszło, że to nie takie proste, dojdę do tego. No i chodził Kuba po seminariach, całował te sygnety, schylać wcale się nie musiał, a najwięcej pocałował klamek. Najgorsi byli jezuici, mówili, że nic nie szkodzi, że jest karzełkiem, i tak może naśladować Chrystusa jako kapłan, i bardzo ich to cieszy, że pragnie iść tą drogą, ale na razie niech spróbuje nie u nich, tylko w innym zakonie albo seminarium. Wściekł się Kuba, że skoro go nie chcą nigdzie, to niech go całują w dupę, znaczy się to moje słowa, że weźmie plecak z paroma rzeczami i sam będzie chodzić i opowiadać ludziom o Panu Jezusie i żeby się kochali, nocować w stodołach, jak się poszczęści, to w domach, jeść, co mu dadzą, a opisze to w zeszycie, w twardej oprawie, że zabić można, z palmą na okładce, podczytywałam, jak spał, bo za dnia pilnuje i nie pozwala, i kiedy uzbiera się tego z całego roku, wyśle papieżowi, czyli Waszej Świątobliwości, bo to już za tej kadencji było, wyśle z prośbą o pomoc, dobrze to wymyślił, kto lepiej zrozumie jedną kalekę niż druga kaleka, bez płuca Wasza Świątobliwość zaszła tak wysoko, to i na krótkich nogach się da. Niestety nie minęły jeszcze dwa miesiące, a dłużej czekać się nie da, ale nie mogę od końca opowiadać, tylko po kolei.

Z początku mu nie szło. Próbował w Bieczu, miał tam metę w starym domu po babci, która umarła, zanim on się urodził. Sterczał całymi dniami, jak nie powiem kto na weselu, z Biblią pod pachą w rynku, gdzie co chwilę zatrzymywały się busy, i do nikogo nie wydusił ani słowa, a wieczorami płakał w poduszkę na babcinym łóżku. Wyczytałam to w jego zeszyciku, mało o sobie mówi. Zabrał się stamtąd w cholerę i chciał chodzić po wsiach. Po drodze, w Gorlicach, ostatnim mieście, gdzie mógł kupić potrzebne na drogę rzeczy, Pan Bóg rzucił mu pod nogi Kowboja. Ten ledwo do dwóch policzy, i jeszcze musi sobie pomagać palcami. Moja babcia mówiła na takich: chodź do domu nie pójdę. Dwa metry, ze sto dwadzieścia kilo i szeroka gęba. Ciągle pilnuje, czy koszulę ma dobrze upchniętą w dżinsach, a dżinsy podciąga tak wysoko, że mu się w materiale cały interes odbija jak ręce gwiazd w asfalcie. Kuba wpadł na niego na ulicy, pobitego i głodnego, i zabrał ze sobą, co miał zrobić, nic z niego nie wydusił, czy ma dom, rodzinę, ile lat, jak na imię, duży w kółko tylko powtarzał: jestem kowboj, dasz kapelusz, jestem kowboj. Kuba obiecał, że znajdzie dla niego kapelusz pod warunkiem, że on weźmie udział w trudach i przeciwnościach losu jako dobry kowboj Jezusa Chrystusa. Zapisał sobie w zeszyciku pierwszego nawróconego, ale w nocy Kowboj go obudził i zapytał, kto to jest Jezus Chrystus. To mu Kuba powiedział, że szeryf. Spali pod gołym niebem, bo kierowca ich wywalił z busa po tym, jak się Kowboj zrzygał.

A rano poszli w świat, czyli w trawy, błoto i piach, byle dalej od tego syfu, gdzie karłem można w cyrku strzelać z armaty, upchnąć go w torcie na wieczór kawalerski albo postawić bez gaci przed kamerą, ale nie wolno zrobić z niego księdza.

Błąkali się po drogach i dróżkach, od kapliczki do kapliczki, przy każdej Kuba odmawiał modlitwy, a jak widział, że Kowboj z nudów dłubie w nosie albo grzebie w majtkach, to mu kazał nazbierać kwiatów dla Matki Boskiej. Jedzenie kupowali w wiejskich sklepikach, wody nosili jedną butelkę, trzymali się blisko rzek, żeby zawsze mieć co pić i gdzie się umyć. Mały miał trochę zapasowych ubrań, ale duży chodził ciągle w tym samym i jak zaczął zalatywać, Kuba pokazał mu, jak prać ciuchy w rękach szarym mydłem, szybko się nauczył, tarł tak, że trzeba było mu przerywać, inaczej by nic zostało ze skarpetek i majtek, potem ubierał mokre i na nim schły. Kilka razy zlał ich deszcz, ale Pan Bóg czuwał i burze trzymał daleko. Spali w polach, pod drzewami i na tych wysokich z drewna dla myśliwych, co się wychodzi do nich po drabinie, nie pamiętam, jak się to nazywa. Miały być stodoły albo i domy, ale Kuba nie potrafił zagadywać, głupio mu było, że wstydził się przed ludźmi Kowboja, i myślał, że na pewno nikt ich za próg nie wpuści. Jedyne, co robił w tych wsiach, co po nich łazili, to pozdrawiał spotkanych po drodze. Niech będzie pochwalony Jezus Chrystus. Na wieki wieków amen, odpowiadali albo i nie, wtedy krzyczał to za nimi Kowboj, raz, drugi, trzeci, jakby ich wyzywał.

Czasami Kuba specjalnie omijał wsie, prowadził przez pola i lasy, nie patrzył na mapę, wolał nie widzieć nikogo, skoro dalej nie miał pomysłu, co mówić. Jak się robiło za gęsto, puszczał przodem Kowboja, a on ciął patykiem na lewo i prawo, oczyszczał drogę z chaszczy albo pokrzyw, a jak trzeba było przejść przez rzekę, rzucał kamienie, aż zrobił z nich most na drugą stronę, szybciej czas uciekał, bliżej do nocy. Wcale daleko nie zaszli, raz, że Kuba na swoich nogach do maratonu się nie nadawał, dwa, że się kręcili w kółko, kilka razy wchodzili do tych samych wsi, wszystkie do siebie podobne, parę domów przy drodze, pozamykane cerkwie, psy na łańcuchach. Kuba dokładnie zapisywał, gdzie, którędy i kiedy szli, ale to za bardzo poplątane i nie pamiętam dokładnie, nazwy sobie daruję, nie będzie przecież Wasza Świątobliwość robić pielgrzymki palcem po mapie, a nawet gdybym potrafiła rozpisać krok po kroku całą trasę, nie zrobiłabym tego, strzeżonego Pan Bóg strzeże, i jakby ten list zamiast dojść do Watykanu wpadł w czyjeś ręce, łatwiej byłoby nas znaleźć, a nie po to się zaszyliśmy na tym odludziu. Kubie zresztą wcale nie zależało, żeby dojść jak najdalej, tylko żeby coś się wreszcie zaczęło dziać, bo jak na razie nie działo się nic i całe to łażenie robiło się nudne, przyznał się do tego w swoim zeszyciku, z tego, co się pokapowałam, bardzo lubi siebie oskarżać, znam ten typ, i zgrzytał zębami, nie mógł spać, i modlił się o jakiś znak, a Pan Bóg chyba trochę mu pomógł, nie za dużo i nie za mało, tak jak ojciec lekko popycha dziecko, które siedzi z wyprostowanymi nogami na sankach i chce zjechać z górki, a czy się po drodze nie wywróci i jak daleko dojedzie, to już jego problem. Jeśli chce mieć frajdę jeszcze raz, samo musi wyciągnąć sanki pod górę. Przynajmniej mój tata tak robił, a ja nigdy nie miałam dość.

Zrobiłam sobie przerwę, bo mnie złapał skurcz w nodze, musiałam to rozchodzić, a przy okazji zastanowić się, co dalej, łatwiej byłoby mi w cztery oczy, wolę mówić. Mruczę sobie pod nosem to, co zapisuję, inaczej w ogóle nie dałabym rady. Bez zeszytu Kuby też nie. Tam podpatrzyłam Waszą Świątobliwość i stamtąd wzięłam słowa na początek mojego listu, tyle że siebie wstawiłam, bo było: Jakub, z woli Bożej sługa Jezusa Chrystusa i tak dalej. Sama bym w życiu nie wymyśliła takich cudów. O początku w skrócie opowiedziałam, więcej chyba nie ma co, najważniejsze rzeczy działy się potem, i o nich teraz będzie. Miesiąc tak zleciał Kubie i Kowbojowi. I jak ich pierwszy raz zobaczyłam, byli brudni, opaleni i zarośnięci. Karłom też rosną wąsy i brody, wtedy pewnie bardziej przypominają krasnoludy, jeśli nie są chude jak Kuba, a on jest tyci-tyci paluszek Boży. Spotkałam ich we wsi nad jeziorem, gdzie jest nawet rondo i bankomat, ale najpierw powiem, skąd oni się tam znaleźli i co robili, a potem o sobie. Gdzieś po drodze zobaczyli plakat, że w tej a tej wsi odbędzie się w niedzielę festyn, czyli muzyka, kiełbaski i pijane rodziny, i jak Kuba to przeczytał Kowbojowi, ten bardzo chciał iść, mówił, że na pewno będzie rodeo, podskakiwał z radości, chodziło mu o taką niby-karuzelę, plastikowego byka na sprężynie, na którego się wchodzi i trzeba się na nim jak najdłużej utrzymać, bo ten byk się rzuca jak opętany przez diabła. Na miejscu się okazało, że jest tylko dmuchany zamek, w którym skaczą dzieci, i Kowboj mało się nie rozpłakał. Kuba na pocieszenie znalazł na stoisku z duperelami rewolwer na strzały z gumowymi przyssawkami, ale Kowboj go nie chciał, bo nie był prawdziwy. Zabrali się stamtąd i poszliby znów przed siebie, gdyby Kuba nie zobaczył, że na przystanek wjeżdża autobus z tablicą za szybą, że do Krakowa. I sobie powiedział, a potem zapisał w zeszycie, że albo coś w tej chwili zrobi, albo może wsiadać i wracać do domu, po drodze wyrzucić Kowboja i zapomnieć o sprawie. Stanął blisko wejścia na plac, gdzie się odbywał festyn, Kowbojowi kazał usiąść trochę dalej w trawie, i najpierw pozdrawiał ludzi, tak jak to robił wcześniej, niech będzie pochwalony Jezus Chrystus. Mało kto mu odpowiadał, pewnie go zagłuszało disco polo z głośników, głos ma przecież cienki. Denerwował się, że go mijają jak śmierdzące gówno i nic, mówił głośniej i szybciej, ciągle to samo, zaczął skracać, niech będzie pochwalony, niech będzie Jezus Chrystus, niech Jezus Chrystus, rozpłakał się i wołał w kółko Jezus Chrystus, nagle zakręciło mu się w głowie, poczuł, że się unosi do nieba, zamknął oczy i nie przestawał przyzywać Jezusa, a jak je otworzył, zobaczył pod sobą, z bardzo wysoka, ludzi stojących w kółku i z zadartymi głowami, wpatrzonych w niego i robiących zdjęcia telefonami, i dopiero w tej chwili zajarzył, że to Kowboj trzyma go w wyciągniętych w górę ramionach, zamknął się, wziął głęboki wdech, a kiedy wypuścił powietrze, słowa same z niego wyszły, jakby nie on je mówił, może dlatego nic z nich nie zapamiętał, i w zeszycie zostawił pustą kartkę.

Nie byłam przy tym od początku. Akurat tamtędy przechodziłam, wracałam do domku nad jeziorem, gdzie mieliśmy nocleg, i się zatrzymałam, jak zobaczyłam zbiegowisko i Kubę, myślałam przez moment, że to dziecko, a potem, że lalka, tak dziwnie podrygiwał, aż usłyszałam, jak skrzeczy, i zatrzymałam się posłuchać, to było coś w ten deseń: Myślisz, że Jezus o tym nie wie? On się dowiedział na długo przed tobą. O, tak, Jezus wie wszystko. Kto jutro wygra mecz, a kto za dwa lata będzie prezydentem. Zna numery, które padną w lotku, nie tylko dzisiaj, on zna wyniki wszystkich losowań do końca świata. I wiesz, co by zrobił, gdybyś go poprosił, żeby ci je podał? Umarłby ze śmiechu! Chcesz znowu zabić Jezusa, idź wypełnij kupon i módl się do niego o szóstkę. Jedyną szóstką, na jakiej powinno ci zależeć, jest on. Tak, bracie i siostro! Nie musisz myśleć, jakie liczby skreślić, ani strzelać na chybił trafił, możesz wygrać tu i teraz, wystarczy, że powiesz: Jezu, przyjdź do mnie. Nie będziesz czekał ani chwili, Jezus to taksówka, która jest zawsze wolna dla ciebie.

Powtarzaj sobie co rano po przebudzeniu: Jestem ważny dla Jezusa. Jestem ważna dla Jezusa. Niech twoją odpowiedzią na wszystko będzie Jezus, jak w grze w pomidora. Okradli cię? Jezus zajmie puste miejsce po telewizorze. Straciłeś nogę? Jezus będzie twoją protezą. Umarło ci dziecko? Oddaj pusty pokój Jezusowi! W kółko i jeszcze raz, i dalej, po cichu albo na głos, powtarzaj jego imię, aż straci sens, a wtedy zamiast słów usłyszysz Jego kroki.

Pewnie niektórzy myśleli, że to bełkot, ja też chwilami, ale tak jak inni nie mogłam się oderwać, słuchałam tego i zanosiło się, że nigdy się to nie skończy, a tu nagle Kuba obejrzał się za siebie, na jezioro, machnął ręką i zawołał, żeby szedł za nim każdy, kto chce zmyć z siebie grzechy, aby nie odstraszyć ich smrodem Jezusa. Kowboj opuścił Kubę na swoje barki, tak jak dziecko, które rodzic niesie na barana, i popędził pierwszy, a za nim trochę ludzi, nawet nie połowa. Ja trzymałam się z tyłu. Kowboj wszedł do wody prawie po pas, a Kuba krzyknął, że czeka na pierwszego chętnego. Nikt się nie ruszył, jedni patrzyli, inni gadali albo dalej robili zdjęcia, palili papierosy, śmiali się, paru chłopców rzuciło się do jeziora, popychali się i chlapali na siebie i na nich. Kuba patrzył po zebranych i się nie odzywał, Kowboj kręcił się w kółko i śmiał, dzieciaki skakały dookoła niego jak Indianie przed oskalpowaniem bladej twarzy. Pomyślałam, nie ma opcji, albo Bóg istnieje, albo tych dwóch zwiało z wariatkowa po promieniu księżyca jak po drabinie. W krzakach dookoła poniewierały się śmieci, turyści przepływali rowerkami wodnymi, a z drugiego brzegu unosił się dym znad grilla, słońce dobrze grzało, położyłam torebkę na kamienistej plaży, zsunęłam buty, weszłam do wody, stanęłam przed nimi i powiedziałam, że ja chcę. Kuba kazał mi zacisnąć palcami nos, a Kowboj złapał mnie i chlust pod wodę, schylił się przy tym i widziałam, jak razem z nim schylił się Kuba, który trzymał się jego głowy, przez chwilę było ciemno i cicho, i nagle znów stałam przed nimi, wycierałam oczy i Kuba zapytał, jak mam na imię, a ja, że Samanta, i jeszcze, czym się zajmuję, to odpowiedziałam, że jestem kurwą, bo to prawda. A on na to, czy wezmę udział w trudach i przeciwnościach losu jako dobra kurwa Jezusa Chrystusa.

Nie muszę Waszej Świątobliwości mówić, że do nich dołączyłam, to wiadomo. Wzięłam z plaży buty i torebkę, a całą resztę, którą miałam w agroturystyce, gdzie przyjechałam na wczasy z fagasem, zostawiłam, i poszłam. Odtąd piszę na podstawie własnych oczu i uszu, nie zaglądałam dalej do zeszytu Kuby, nie chciałam o sobie czytać. Tej nocy spaliśmy w takiej wsi, co to niby jest na końcu świata, ale sporo w niej stoi domów wyjętych prosto z amerykańskich filmów, właściciele nie mają kiedy w nich odpoczywać, poobklejali je ostrzeżeniami, że ochrona i monitoring, jak lodówki magnesami, i pojechali z powrotem do Warszawy albo za granicę. Dopadła nas ulewa i schowaliśmy się w jednym niedokończonym, takim, że szare ściany i nic więcej, nawet bez okien i drzwi, działka nieogrodzona, dookoła nikogo, kto by mógł nas wygonić. Nie rozmawialiśmy, bo Kuba opowiedział mi trochę o sobie po drodze, nie będę się powtarzać, i że dotąd źle się toczyło, ale dzisiaj Bóg go natchnął, czuł to, i teraz ruszy lawina, nakręcił się i poszedł na strych się pomodlić, słyszeliśmy tuptanie jego małych nóżek, a ja zostałam sama z Kowbojem. Wstydził się mnie i odwracał twarz, ile razy na niego spojrzałam, a przyglądałam się z ciekawości, ile ma lat, trudno powiedzieć, może dwadzieścia, może czterdzieści, w końcu zaczął pod nosem mruczeć, do czego może się przydać kapelusz, że do odpędzania much, jako poduszka, do gaszenia ognia, do wystawiania zza rogu zamiast głowy, i teraz to on zerkał na mnie, i tak gadał, dopóki nie położyliśmy się spać, noc była duszna, pomimo deszczu, i dzięki Bogu, bo zmarzlibyśmy na tym gołym betonie jak psy, ubrań Kuby nie wystarczyło na podkładkę, a co dopiero do przykrycia.

Nie chciałam pisać o sobie, przecież dla siebie o nic nie proszę, ale żeby nie było między nami nieporozumień, bo pewnie nie wystarcza Waszej Świątobliwości, że jedynie rzuciłam, kim jestem, informuję, że to, co zrobiłam, to nie była ucieczka, nie miałam długów, nikt mnie nie bił ani nie chciałam zrezygnować. I to jest najlepszy dowód, jak bardzo Kuba się nadaje na księdza, bo do dzisiaj nie potrafię wytłumaczyć, czemu zostawiłam wszystko i za nim poszłam, ale wiem, że już nie zawrócę. Zawód swój wykonywałam uczciwie, zawsze się starałam, by klienci wychodzili ode mnie zadowoleni, nie oszukiwałam ich, nie wystawiałam i nie okradałam. Dbałam o higienę i zdrowie i wymagałam tego samego, na dziwactwa się nie zgadzałam, nie obsługiwałam pijanych i naćpanych. Moja noga nigdy nie stanęła w burdelu ani pod latarnią czy przy drodze. Pracowałam na własny rachunek w wynajętej kawalerce, a ogłaszałam się w internecie. Namawiać nie będę, ale przysięgam, że na garsoniera.com nie znalazłaby Wasza Świątobliwość ani jednej złej opinii o mnie. Mieszkałam gdzie indziej, bo sobie od początku ustaliłam, że nie będę się puszczać tam, gdzie jem i śpię. A czemu się za to wzięłam, naprawdę nie wiem. Można powiedzieć, że tak jak Kuba miałam do tych spraw powołanie. Nie z biedy ani przez złamane serce i inne wymówki. To nie jest historia z gazety. Pewnego dnia postanowiłam, że właśnie to będę robić, bo bardzo chcę, i koniec. Samanta to nie jest moje prawdziwe imię, ale poprzedniego nie zdradzę, już do niego nie wrócę, skoro zaczęłam nowe życie, muszę znaleźć sobie inne. Wiem, że to jest trochę głupie, ale musiałam szukać między takimi, co się liczą w branży. To łączy mnie i resztę dziwek z Waszą Świątobliwością. Papież tak samo wybiera sobie imię z jakiejś puli, kiedy zaczyna swoją pracę, i większość tych imion się powtarza, i też są takie, że obciach dać tak dziecku. I tak nieźle trafiłam, bo czytałam w internecie, że Samancie odpowiadają zawody, w których może wykazać się zdolnościami artystycznymi, wymagające ruchu i częstych zmian, a także kontaktu z ludźmi. Ale najważniejsze, że tak miała na imię bohaterka mojego ulubionego serialu o czarownicy, który oglądałam godzinami, bo udawałam, że uczę się z niego słówek do egzaminu. Jechałam na samych trójach, może byłam wtedy za głupia na studiowanie i powinnam zrobić sobie przerwę po maturze, a może to po prostu nie było dla mnie, w domu i w szkole zawsze mi mówili, że mam talent do języków, to poszłam na anglistykę, a nic mnie to nie obchodziło, wolałam swoją pracę w sklepie z butami, mniej się tam męczyłam i nudziłam niż na zajęciach i dobrze mi szło, jeszcze kilka miesięcy i dostałabym awans.

Co dwie głowy, to nie jedna, ale dopiero trzy to jest coś, jak prawdziwa rodzina. Nie chwalę się, mówię, jak jest, dużo lepiej im się wiodło, od kiedy zaczęliśmy chodzić razem. Kuba dostał skrzydeł po tym festynie i jeziorze, każdego po drodze zaczepiał i nie odpuszczał, dopóki się nie dowiedział, jak tam jego sprawy z Panem Bogiem i czemu nie lepiej, albo dopóki ktoś nie uciekł czy nie przegonił nas, z pluciem i wyzwiskami, że jesteśmy pojebani, że gówno nas to obchodzi i tak dalej. Tych ostatnich było chyba więcej, nie dziwię się, też bym się takiej trójcy jak my nie miała ochoty spowiadać, gdyby mi stanęła na drodze. Zdarzało się i tak, że jak ktoś się dowiedział, po co łazimy, zaprosił nas na obiad, zjedliśmy pomidorową czy rosół, a nie ciągle to suche i suche, a potem jeszcze dołożył jedzenia na drogę, zrobił kawę do termosu, w zamian Kuba się pomodlił w domu, nad chorym albo dzieckiem, pobłogosławił ściany, gospodarstwo, porozmawiał z kimś albo tylko wysłuchał, bo czasami potrzebowali się ludzie wyżalić czy opowiedzieć o swoim życiu. Mało w tych wsiach mieli rozrywek, więc byliśmy dla nich prawie jak obwoźny cyrk, trzy klauny Pana Boga. Dostawaliśmy też ubrania, głównie po zmarłych, najbardziej przydały się Kowbojowi, chociaż trudno było dobrać mu rozmiar i nie lubił zakładać cudzych, obrażał się na nas, jak musiał chodzić w bluzie z kapturem, aż jego kowbojska koszula w kratę wyschnie po przepraniu. Pieniędzy nie braliśmy, mimo że było trochę okazji, jedynie to, co mogliśmy zjeść, wypić i jakoś użyć. Nie wiem, czy wszyscy dawali od serca, czy byli tacy, co ze strachu, że jak nie dadzą teraz, to wrócimy w nocy i sami weźmiemy, a ich zostawimy z poderżniętymi gardłami i nic im psy nie pomogą, bo je trzymają na łańcuchach.

Codziennie rano albo wieczorem, różnie to wypadało, Kuba coś nam mówił o Panu Bogu. Czytał z Biblii kilka zdań, nie więcej, i raz tłumaczył, innym razem chciał o tym rozmawiać, a czasami się nie odzywał. Wybierał trudne fragmenty, było o czym myśleć. Nie wszystko rozumiałam i nie ze wszystkim się zgadzałam, ale kazał się nie przejmować. Z Kowbojem miał dodatkową robotę, bo on zupełnie nic z tego czytania nie łapał. No i dlatego Kuba opowiadał mu o Panu Jezusie, że to jest taki szeryf, który kiedyś przyjdzie do nas, czyli na Dziki Zachód, i zrobi porządek. Najpierw ruszy do kryjówek koniokradów, do więzień i saloonów, bo tam najwięcej ma do zrobienia, a dopiero później do sklepików, warsztatów i na farmy, gdzie ludzie uczciwie żyją i pracują. I cały myk jest w tym, że trzeba naszemu szeryfowi przygotować jak najwięcej takich farm, zanim przyjdzie. To prawda, że przez to zobaczymy go jako ostatni, ale im więcej zrobimy, tym mniej zostanie dla niego i szybciej dojdzie na spotkanie z nami. Czy będzie miał kapelusz, ostrogi i na jakim koniu wjedzie, tego nie wiadomo, ale na pewno będzie miał przypiętą gwiazdę, jak prawdziwy szeryf, i żaden nóż ani kula tej gwiazdy nie przebiją, a ta gwiazda będzie świecić w ciemności i w dzień, bo jest jaśniejsza niż słońce na niebie, bo ta gwiazda to Słońce prawdziwe. Kowboj się cieszył i często prosił przed snem, żeby mu Kuba opowiedział jakieś przygody szeryfa, kazał sobie w kółko powtarzać to samo, i pytał, czy jak już będzie prawdziwym kowbojem, z kapeluszem, i sprawdzi się, to będzie mógł zostać szeryfem. Na co Kuba stukał go palcem w klatę i odpowiadał, że kto oglądał westerny, ten dobrze wie, że w każdym kowboju jest ukryty szeryf, wystarczy, że dostanie gwiazdę. Przyznam się Waszej Świątobliwości, że wolałam słuchać o przygodach szeryfa niż czytania Biblii, ale wstydziłam się, odchodziłam na bok, nie za daleko, i udawałam, że mnie to nie obchodzi. Często zasypiali objęci, ale bez żadnego gejostwa, Kowboj ściskał Kubę jak swoją maskotkę, a ja leżałam sama, nie skarżę się, było dobrze. I w jednej chwili się posypało.

To było tak. Szliśmy polami, raz na jakiś czas trafił się dom, ale raczej dalej niż bliżej, i przy jednym było ogrodzenie z belek, z dużymi odstępami między jedną a drugą, a w środku chodziły i skubały trawę duże kucyki, a może niskie, otyłe konie, nie znam się. Jak je Kowboj zobaczył, to stanął z otwartą gębą i w ogóle nas nie słuchał. Nagle wypruł do przodu. To my za nim. Wspiął się i spadł na drugą stronę ogrodzenia, pozbierał się i zaczął gonić spłoszone kucyki. Baliśmy się wejść za nim, zrobił się niezły kocioł. No więc staliśmy i wołaliśmy go, a on złapał jednego za grzywę, pewnie chciał na niego wskoczyć, nie umiał przecież, kucyk próbował się wyrwać, Kowboj go przytrzymał i powalił na ziemię, może coś mu złamał, bo się zwierzę nie podnosiło, rzucało tylko głową i parskało, a on się przestraszył, głaskał je i próbował postawić na nogi. Powstrzymałam Kubę, który chciał się do niego dostać, bałam się, że go stratują, i sama wskoczyłam do środka, zobaczyłam, że z drugiej strony ogrodzenia, od domu, biegnie i drze się siwy facet, coś strzeliło, uderzył Kowboja w plecy batem, nie potrafię tego dobrze opowiedzieć, wszystko naraz się działo, dostał parę razy po grzbiecie, darłam się, że to niechcący i żeby go zostawił, a ten z mordą i takimi wyzwiskami, że połowy nie znałam, zamachnął się też na mnie, ale za daleko byłam. Wtedy Kowboj przewrócił dziada, złapał za głowę i tłukł nią o ziemię, wskoczyłam mu na plecy, piszczałam, szarpałam za uszy, aż mi się udało go oderwać. Zobaczyłam, że od domu jeszcze ktoś leci, chwyciłam Kowboja za rękę i pociągnęłam za sobą. Bierz Kubę na barana, kazałam, a on posłuchał, krzyknęłam, że spierdalamy tam, pokazałam ręką na las, i tyle nas widzieli.

Nie wiem, ile to trwało. Kiedy się zatrzymaliśmy, Kowboj dyszał, jakby umierał na zapalenie płuc. Kuba oczywiście chciał wracać, sprawdzić, co z tym Indianą Jonesem, przeprosić i tak dalej. Nie znał ludzi ani życia. Z godzinę mu tłukłam, że facetowi nic się nie stało, Kowboj trochę nim potrząsnął i tyle, a on w kółko pytał, czy na pewno, kuce mu zasłaniały i mało zauważył. Przekonałam go, że trzeba się zająć Kowbojem, biedak miał poharatane plecy, musiało go boleć jak cholera, ale się nie skarżył. Wiem, Wasza Świątobliwość, nie powinnam kłamać, biorę to na siebie, niech Kuba ma czyste sumienie jako przyszły ksiądz, nie mam pojęcia, co się stało z tamtym gościem, za to wyobrażam sobie, co by było z Kowbojem, gdybyśmy go tam zostawili albo pozwolili zabrać policji. Nie musiałam przynajmniej namawiać Kuby do tego, żebyśmy zaszyli się gdzieś i odpoczęli, przestali łazić po wsiach i mówić o Bogu, a już na pewno nie w tych okolicach, sam to zaproponował innymi słowami. Od tego czasu nie zbliżyliśmy się do żadnych zabudowań. Błąkaliśmy się kilka dni, nikogo nie spotkaliśmy, jedliśmy niewiele, bo szybko ubywało, Kuba często szedł daleko do przodu albo zostawał z tyłu, a raz, jak trafiliśmy na nieczynne tory kolejowe i się ich trzymaliśmy, Kowboj zbierał maki, które między nimi rosły, i nagle Kuba na niego krzyknął, żeby przestał, to położył kwiaty na kamieniu. Wreszcie znaleźliśmy dobrą kryjówkę i jeszcze wczoraj byliśmy w niej razem. W środku wielkiego lasu, pod stromym wzgórzem, zobaczyliśmy coś zardzewiałego, częściowo zagrzebanego w ziemi i zarośniętego. Okazało się, że to kadłub samolotu. Nie na sto czy dwieście osób, raczej na kilkanaście. Dlaczego i jak długo tam leżał, nie mam pojęcia. Żadnych kości ani nic z tych rzeczy nie było. W środku z dziurawej podłogi wyrastała trawa i sterczały korzenie. Z całej konstrukcji zostały jeszcze boki i pół skrzydła, góry prawie nie było. Nad potokiem nazbieraliśmy łopianu i zrobiliśmy z niego dach. Spaliśmy na resztkach zgniłych foteli. Raz jak spadł mały deszcz i krople biły w te grube, szorstkie liście, przedrzemaliśmy cały dzień.

Kuba głównie się modlił, my niewiele mieliśmy do roboty. Dużo pisał w swoim zeszycie, a ja czytałam, kiedy odchodził, ale tak jak mówiłam, tylko do momentu, jak się poznaliśmy. Kowboja stawiałam na czatach, cieszył się, że ma zajęcie. Kuba mało się odzywał, zwłaszcza do niego, przestał mu opowiadać o przygodach szeryfa i spał sam. Któregoś wieczoru, jak Kowboj wyjątkowo marudził, że chce już stąd iść i znaleźć kapelusz, Kuba powiedział mu, że teraz nie jest żadnym kowbojem, tylko koniokradem. Obraził się i usiadł przed samolotem, i został tam do nocy. Nie mogłam zasnąć i wyszłam do niego. Błyskało się, ale tak daleko, że nic nie było słychać. Za każdym razem samemu sobie pokazywał błyskawicę palcem i mówił: o! Wejdź do środka, poprosiłam, a on pokręcił głową i wytarł rękawem oczy, wtedy zauważyłam, że płacze. Pogłaskałam go po głowie, pocałowałam w policzki i objęłam. Nie ruszaliśmy się, on powtarzał to swoje o!, i dalej wszystko ja zrobiłam, nie on, po prostu ja, już nie jako Samanta, to było co innego. To ja go popchnęłam na ziemię, rozpięłam koszulę i spodnie, położyłam jego ręce na swoich piersiach i biodrach, i to ja na nim usiadłam i poruszałam się, dopóki nie trysnął we mnie, długo to nie trwało, na pewno nigdy nie miał kobiety, na koniec go pocałowałam w usta i powiedziałam, że jest prawdziwym kowbojem. Piszę o tym Waszej Świątobliwości ze szczegółami nie dla efektu, ale po to, by Wasza Świątobliwość wiedziała, że to wyłącznie moja wina czy grzech, on niczego nie zaczął i się nie ruszył, chociaż nie ukrywam, że nie mam wyrzutów sumienia, bo kiedy o tym myślę, przypominam sobie jego spokojną twarz i uśmiech i wiem, że to było dobre.

Wiem też, że obudziliśmy Kubę, widziałam go w dziurze po oknie samolotu, kiedy się huśtałam na Kowboju, i dlatego chciałam z nim zaraz pogadać, bo lubię jasne sytuacje, ale unikał mnie cały dzień, co się zbliżyłam, to szedł prać ubrania albo udawał, że ma coś ważnego do zrobienia. W końcu odpuściłam i kiedy usiedliśmy razem do kolacji, podzieliliśmy się suchym chlebem i rozpuściliśmy wodą resztkę miodu w słoiku i go wypiliśmy, Kuba powiedział, że do żadnego z nas nie ma pretensji i nikogo o nic nie obwinia, jedynie siebie samego za swoją nieudolność i głupotę, i że powinniśmy odprowadzić Kowboja, znaleźć mu dobrą opiekę, a potem się rozejdziemy w swoje strony. On wróci tam, gdzie te kuce, dowie się, co i jak, naprawi szkody i krzywdy, weźmie winę na siebie. I do tego jęczał, że wcale nie ma powołania, że je sobie wmówił, bardzo chciał potwierdzenia i tak długo myślał o głosie Pana, który byłby dowodem, aż go zaczął słyszeć, kiedy zasypiał, ale od początku czuł, że to był bardziej wymysł niż prawda, bo na początku snu można słyszeć różne głosy, jest na to naukowa nazwa, i to wcale nie znaczy, że się jest wariatem albo że Bóg mówi do człowieka. Przyznał się też, że jako dzieciak miał mieć operację, która by mu dodała trochę centymetrów, gdyby się udała, ale w ostatniej chwili zrezygnował, bo się bał bólu, dlatego zostanie już na zawsze karłem. Nie mogłam dłużej słuchać tego biadolenia, i to na trzeźwo, kojarzyło mi się z tymi frajerami, co przychodzili do mnie się wypłakać po tym, jak ich obsłużyłam. Zerwałam się, złapałam kurdupla i potrząsnęłam nim tak, że mu się oczy wywróciły na drugą stronę, i zawołałam: skończ pierdolić, załóż gacie i weź, do kurwy nędzy, udział w trudach i przeciwnościach losu jako dobry karzeł Jezusa Chrystusa! Nie wiem, czy to pomogło, ale zamknął się i rozbeczał, a ja poszłam spać. Śniło mi się, że wysyłam list do papieża, czyli do Waszej Świątobliwości.

Piszę już na stojąco, zaraz zamykają, jednym kolanem klęczę na stołku, przepraszam za te bazgroły, ale martwię się i muszę szybko wracać, i mam nadzieję, że ich zastanę tam, gdzie zostawiłam. Wymknęłam się o świcie, obudziłam niechcący Kowboja, wybiegł za mną, powiedział, że też idzie, ale bałam się zostawiać Kubę samego, pomyślałby, że go rzeczywiście opuściliśmy. Obiecałam, że ani się obejrzy, a będę z powrotem. Nie wiem, czy powtórzył Kubie i czy on uwierzył, byłam już daleko, jak nadal słyszałam, że wyje jak

Indianin, przytykając i odsłaniając dłonią usta. Szłam przez las na wyczucie, trafiłam na cmentarz między drzewami i przypomniało mi się, że widziałam kiedyś nowiutki grobowiec zakonnic, trzy leżały obok siebie, Kuliga, Ambrozja i Floryda, a najpiękniejsza z nich wydała mi się Floryda, kojarzyła mi się ze słońcem, spokojem i podkoszulkiem z palmami, i jako pierwszej zdradzę Waszej Świątobliwości, że to będzie moje nowe imię. Nie znałam drogi, to pobłądziłam, inaczej szybciej bym tu dotarła. Za to w drugą stronę już będę wiedziała. Szkoda jedynie, że noc mnie złapie, nie wiem, czy gdzieś nie przekimam, jak się zgubię w ciemnościach, to ich za tydzień nie znajdę. Nie zatrzymywałam się przy nikim, sprawdziłam wcześniej na mapie Kuby, gdzie najbliżej jest poczta, nie próbowałam łapać stopa, z ludźmi nigdy nie wiadomo, a i tak mało samochodów mnie minęło, spięłam włosy i włożyłam paskudną spódnicę dla zmiany wyglądu. Uspokajałam Kubę, że nikt się nami nie interesuje i nie będzie ścigać za to, co zrobił Kowboj, ale samej mi się udzieliły jego strachy i wszędzie, gdzie stała jakaś tablica albo słup, sprawdzałam, czy nie wiszą tam plakaty z naszymi rysopisami, że jesteśmy poszukiwani, żywi albo martwi, i kto nas znajdzie, dostanie nagrodę.

I teraz bardzo proszę, niech Wasza Świątobliwość zadzwoni do Kuby i mu coś powie, nie wiem co, dzwoniła już przecież Wasza Świątobliwość do różnych ludzi, widziałam w telewizji, to na pewno coś mądrego wymyśli. A potem do jakiegoś seminarium i niech go przyjmą, szeryfa muszą posłuchać. Włożyłam inną nową kartę do swojego telefonu, noszę ją na wszelki wypadek, odkąd się wzięłam za ten zawód, nikt nie zna tego numeru, zapisałam go na osobnej kartce i wsunę do koperty, a komórkę podładowałam w sklepie, ile wytrzyma, to wytrzyma, nie będę się martwić na zapas, trzymam ją wyłączoną i umowa jest taka, że codziennie o siódmej wieczorem włączę ją na kwadrans i znajdę miejsce, gdzie jest dobry zasięg, i będę czekać, aż Wasza Świątobliwość zadzwoni, jak już załatwi sprawy dnia, a wtedy zawołam Kubę. O ile go zastanę przy samolocie. Jeśli nie, to wszystko na nic i lepiej by mi było dalej dawać dupy, ale wierzę, że jednak tam będzie, a wtedy, choćby mnie przepędził, postaram się trzymać go tak blisko, jak to możliwe, i kiedy Wasza Świątobliwość zadzwoni, zawołam Kubę i nie ma szans, żeby nie odpowiedział. Jak się uda i pójdzie do seminarium, wtedy się zupełnie rozstaniemy, ale póki jest, jak jest, trzeba się trzymać razem. Będę sobie musiała znaleźć zajęcie. Na pewno nie pójdę do zakonu, nie cierpię zakonnic, większość jest tępa, widać po twarzach, akurat do garnków i sprzątania, i nie mam zamiaru wyciągać innych dziewczyn z kurestwa, to nie dla mnie. Chociaż Wasza Świątobliwość mogłaby się nimi bardziej zainteresować, jeszcze z takim imieniem. Mężczyźni nazywają nas sukami, a traktują jak bydło, więc naszym patronem na pewno jest ten święty od zwierząt, też Franciszek. Na początek, tak mi się wydaje, usiądę byle gdzie i sobie popłaczę, bo chłopcy już beczeli, a ja nie. A potem się zobaczy. No i coś z Kowbojem trzeba wymyślić, Jezu, nie mam pojęcia co, polegam na Waszej Świątobliwości. Ja jedynie, idąc tu, ukradłam strachowi na wróble kowbojski kapelusz. Prawdziwy, ale to za mało.

Ujście

Tam, tam, Stanisław ciągnie mnie za ramię i pokazuje palcem na wprost, nadgarstek wystaje mu spod rękawa pikowanej kurtki, chwyta mocniej, gdy ślizga się na mokrej ziemi, widzisz, pyta, pewnie, że nie widzisz, też nic nie widziałem, mówi, a Rysiek widział, dlatego wszedł, potąd wszedł, patrz, przesuwa dłonią wzdłuż pasa, co ja mówię, poprawia się, wyżej, potąd, a ja stałem tu, gdzie teraz, mówi, i nic a nic nie widziałem, oczy nie te, za stare, do tego badyle i chaszcze po szyję, tnie dłonią, jakby groził śmiercią, Rysiek rozłożył ręce na boki, mówi, o tak, prawie dotykał nimi wody, i wołał tego psa, który niby na drugim brzegu był, sam już nie wiem, czy był, czy nie, może stąd wcale nie widać, a gdybym wszedł do wody za Ryśkiem, też bym zobaczył, wołałem, mówi, żeby uważał, Rysiek, nie pies, z wodą nie ma żartów, ale nie słuchał, a słyszał na pewno, darłem się porządnie, głos już miałem mocny, z oka go nie spuszczałem, jak on tego psa, co go niby widział, z tego brzegu darłem się ja do niego, z wody on darł się do psa po tamtej stronie, a psa wcale nie było słychać, mówi, i nagle nic, nawet się nie zakotłowało, jak Rysiek stał, tak w jednej chwili poszedł pod wodę, do tej pory go nie znaleźli, siedem lat, o ile dobrze liczę, i już go nie znajdą, popłynął w cholerę, szukaj trupa w morzu, bo w końcu pewnie do morza dopłynął, jeśli go coś nie zjadło po drodze, do oceanu nawet, albo i do tej swojej Florydy dobił, teraz brzegi są zupełnie inne, gołe, dopiero marzec się zaczął, łatwiej cokolwiek wypatrzeć, wtedy nie, mówi, wtedy było lato, chaszcze po szyję, o, potąd, pokazuje, są i tacy, co nie wierzą, że się utopił, gadają, że prysnął z forsą, zmienił nazwisko, nowych ludzi kiwa, inni, że ja go zabiłem i wrzuciłem do wody, dla pieniędzy albo z gorszych powodów, mówi, aż wstyd powiedzieć z jakich, no przyznaj się, Staszek, co tam między wami było, kto kogo, tak mnie zaczepiali, teraz już nie, kto pamięta, a co ja mogłem zrobić, wyciera rękawem ślinę z brody, przecież nie stałem nigdzie indziej, tylko tu, gdzie teraz, to ani go utopić nie mogłem, ani uratować, zupełnie jak ten pies.

Przez tory na dziko. Naprzeciwko rudera z cegły, grubas w kufajce, papieros. Bocznica, sznur wagonów z węglem i żużlem. Tak będzie bliżej, mówi Stanisław, inaczej musielibyśmy dookoła, stawia długie kroki, o biodro obija mu się parciana torba, wszystko pokażę i opowiem, mówi, odszukałeś mnie, żeby się dowiedzieć, co i jak było z Ryśkiem, więc słuchaj, nie obchodzi mnie, co napiszesz, nie mam potrzeby tego czytać, bo jeśli napiszesz wszystko tak, jak ci mówię, po co mam czytać, znam to przecież na pamięć, a jeśli coś zmienisz, nie będzie to już o mnie i Ryśku, nic z tym nie będę miał wspólnego, jak dotąd komu chciałem opowiedzieć, co było z Ryśkiem, zawsze mi przerywał i albo głupio pytał, albo wydawało mu się, że wie lepiej, o czym i jak mam opowiadać, i tak dobrze, że się tym zaciekawiłeś, mam do kogo się odezwać, bo tak na co dzień to jestem znudzony jak dziecko, które poszło na wagary i nie wie, co ze sobą zrobić, uprzedzam, że o jednych rzeczach będę mówić za dużo, o innych za mało, ale inaczej nie potrafię, z tego byłby niezły film, nic, tylko brać kamerę i kręcić, mnie by zagrał Kirk Douglas, jeśli jeszcze żyje, Ryśka to już większy problem, czterdzieści z hakiem miał, jak się poznaliśmy, a ja z nazwisk znam starszych raczej, młodych jedynie z widzenia, to najlepsza droga, najkrótsza, mówi, kiedy za torami przedzieramy się przez chaszcze, warto przyjść, jak wszystko kwitnie, teraz za wcześnie, przystaje i osłania dłonią oczy, gdy wychodzimy na asfalt, światło odbija się w kałużach na ściernisku, tu rośnie kukurydza, mówi, ale dopiero w lecie, a za wzgórzem jest rzeka, ta sama, do której Rysiek wszedł i z której nie wyszedł, to są jeszcze Krzesławice, znaczy się administracyjnie, chociaż już za torami, niby po tej stronie co Trypczynek, tak po prawdzie ani tu, ani tu, bo ci z Krzesławic mówią, że to za torami, a ci z Trypczynka, że przed torami.

Parterowy dom bez drzwi i okien. Po schodach na ganek i do środka. Szelest i trzepot. Spłoszone kruki i wrony wylatują na zewnątrz. Stęchlizna, puszki i rozbite butelki. Co krok chrzęst pod butem. Zdewastowane meble, brudne ściany, bazgroły sprayem. Gówniarze i menele, mówi Stanisław, kule, wózki i całą resztę po chorych i kalekach, które leżały pod ścianą na zewnątrz, w kilka dni rozkradli, myślałem, żeby podpalić, mówi, kiedy widziałem, że się tu menele urządzili, ale dziwnie czyjś dom z dymem puścić, niedobrze też, jak niszczeje, nikt się nie zainteresował, tu była kuchnia, obok łazienka, w prawo gabinet Ryśka, mówi, z fototapetą na całą ścianę, piękną, wodospad jak marzenie, ptaki, kwiaty, kolory, przyjemnie było popatrzeć, a w tej glinianej donicy, z której wystaje kikut, miał dużą roślinę, żywą, nazwy nie pamiętam, liście tak ostre, że można było się pociąć, naprzeciwko pokój Ryśka, tam nie wpuszczał, teraz trudno rozpoznać, jedna ruina i gnój, mówi Stanisław i wyciąga z torby termos, bez tego jestem trup, do niczego się nie nadaję, zawsze ze sobą biorę, choćby na spacer, do kapliczki w parku i z powrotem, podaje mi kubki i wlewa do nich kawę, po samym zapachu czuć, że to smoła, nic mi dotąd, mówi, ani z sercem, ani z ciśnieniem się nie działo, jedynie to gardło, ledwo grabarzowi uciekłem spod łopaty, ale nie od kawy, od pyłu,

dość się nawdychałem w tartaku, niby jako kierowca, nie przy obróbce, a jednak, głupi nie byłem, mógłbym pracować gdzie indziej, ale ojciec kamienicznik, tak go nazywali, to nie wszędzie miałem wstęp, macha ręką, nie ma co się użalać, często powtarzam, mówi, że wszystko da się przeżyć, i że wszystko się przeżyło, śmieje się, no, kawy muszę ze cztery wypić, dwie, trzy przed obiadem i jedną po, później już nie, mówi, w lecie też, parzę, studzę w garnku z zimną wodą i wkładam do lodówki, albo jak na deszcz idzie czy śnieg, wtedy jedną, dwie więcej niż zwykle, siedzę przy oknie, zapatrzę się, ręka sama mi chodzi po szklankę, kawa pobudza wszystko, tak że i nerki mi działają, bo się wszystko filtruje, jest ciągły przepływ, i flaki też w porządku, mówi, wiadomo, po kawie zawsze się zachce, i mózg pracuje, nie zapominam, gdzie mieszkam i jak się nazywam, no o tym nie mówię, ale to nic, macha ręką, w tym roku, jak doczekam, stuknie mi osiemdziesiątka, już dawno te sprawy wywietrzały z głowy, i co, smakuje czy nie, pyta, trzeba pić, póki gorąca, pewnie z mlekiem wolisz, ja nie uznaję żadnych dodatków, mówi, i bierze spory łyk, krztusi się, chcę go poklepać, macha ręką, że nie, łapie oddech, poszło nie w tę dziurkę, co trzeba, śmieje się, no, to jeśli o Ryśka się rozchodzi, mówi, koniec już opowiedziałem, teraz od początku, przejdźmy się, wrócimy inną drogą.

Widok ze wzgórza nad Krzesławicami. Fragment miasteczka, wieże dwóch kościołów, wysokie kominy, beżowe silosy w pobliżu odkrywkowej kopalni wapienia. Nieopodal nas słupy kratownicowe z liniami wysokiego napięcia, od nich to buczenie i ciarki po krzyżu. O, tak robił, Stanisław przeskakuje z nogi na nogę, ręce trzyma sztywno wyciągnięte, przesuwa nimi od góry do dołu przed moją twarzą i szyją, potrząsa, i znów, coraz szybciej, zdyszany, odsłania i zakrywa widok ze wzgórza, wreszcie zatrzymuje się i bije pięścią w pierś, poczekaj, mówi, oddech złapię, sapie jak pies po pokazie sztuczek, Rysiek też się zawsze zmachał, wcale nie udawał, że go to męczy, dość gruby był, mówi, brzuch razem z nim podskakiwał, potem nie, potem schudł, ściemniał, jakby na tę swoją Florydę tratwą dopłynął z Kuby, znów mógł wkładać stare koszule z palmami, mówi i zadziera głowę, patrzy w niebo, na szyi i brodzie ma resztki zarostu po niedokładnym goleniu, chce coś powiedzieć, otwiera usta, opada mu sztuczna szczęka, poprawia ją językiem, będzie śnieg dzisiaj, mówi, możesz nie wierzyć, myślisz, że już wiosna, ale będzie śnieg, drepcze pod drzewo, tam sika, woła przez ramię, po tej kawie mnie goni, nerki pracują, wraca z butami i nogawkami spryskanymi moczem, tu zawsze zbierałem gałęzie i chrust, mówi, kiedy jeszcze w kaflowym paliłem, teraz już mam przerobione na gaz, wygodniej, chociaż lubiłem palić, jak dobrze podłożyłem drewna i węgla, to aż biało było w środku, nie szło twarzy zbliżyć przy otwartych drzwiczkach, taki żar, a kafla byś nie dotknął, parzył jak żelazko, tyle że brudno wokół pieca, musiałem popiół wyciągać i wynosić, schodzić do piwnicy, ale co ja gadam o piecu, śmieje się, całą drogę się zbieram i nie mogę zebrać, w myślach powtarzam, co ci zaraz powiem, a mówię co innego, nie wiem czemu, koniec już opowiedziałem, od niego zacząłem, może głupio mi, jak już Ryśka nie ma, źle o nim się wyrażać, ale nie da się inaczej, robi przerwę na głęboki wdech i wydech,

trzeba to szczerze powiedzieć, że drugiego takiego skurwysyna jak on to ze świecą byś nie znalazł, rok tak skakał wokół mnie, jak ci pokazałem, a ja na operacje chodziłem, coraz to inną część mi wycinali, wiadomo, co się przyplątało, swoją drogą ci lekarze też skurwysyny, obiecywali, że będzie dobrze, a studentów uczyli na mnie, po którymś zabiegu straciłem głos, mówi, Rysiek pocieszał, że to nic, wyciągnie z tego, ale muszę częściej przychodzić, no i chodziłem, bo chodziłem, co miałem zrobić, jak już się zdecydowałem wtedy, co znalazłem jego ulotkę w przychodni, nie zastanawiałem się, powiedziałby ktoś, że głupi byłem, może i tak, ale gdybym zmądrzał w porę i przestał do niego chodzić, oddawać oszczędności, już bym z tą mądrością w ziemi leżał, a tak, głupi, bo głupi, dalej po niej chodzę, podobało mi się, mówi, że miał do mnie cierpliwość, szybko się nauczył czytać z ruchu warg, pytał o różne rzeczy, o sobie opowiadał, często zabawnie, głupi nie był, o ojcu, matce, ten dom po nich, ojciec najlepszy w Krzesławicach stolarz, tapicer, meble robił cudne, zmarł, jak Rysiek jeszcze był w technikum, wariat trochę, nie żeby bił, ale chciał być rzeźbiarzem i nic mu z tego nie wychodziło, matka kilka lat po nim, Rysiek wyjechał, miał trochę przygód, śmiał się, że jak zaczynał w tym fachu, to jeździł od miasteczka do miasteczka, śniadanie jadł po drodze, obiad, jeśli był czas, a kolację, jeśli był utarg, chciało się go słuchać, mimo że wszystko przez pół trzeba było dzielić, dużo zmyślał, mówi, o Florydzie tyle się nagadał, szajbę miał na tym punkcie, zostawałem zawsze po sesji, pośmialiśmy się, posiedzieliśmy, nudził się jak mops, poczekalnię miał pustą, trudno być bioenergoterapeutą we własnym mieście, tak Rysiek wzdychał, ile można nabierać ludzi, poznali, co jest wart, i jeszcze historia z Dorotą, o czym wtedy nic nie wiedziałem, któregoś razu przywiózł ją z sobą i żyli kilka lat na kocią łapę, a potem nagle zniknęła, wieczorem była, rano już nie, nic nie wzięła, mówi Stanisław,

niektórzy gadali, że ją zabił, w to nie wierzę, sami zresztą w to nie wierzyli, pletli ludzie, żeby pleść, w każdym razie omijali jego dom, też czasami miałem go dość, lubił się popisywać, jakie numery dawniej robił, wynajmował ludzi, żeby odrzucali kule i szli, takie tam różne, a kiedy się martwiłem, że terapia nie działa, coraz gorzej ze mną, znowu zabieg czy naświetlania, to on, nie wiem, czy nie na gazie, wołał, że nie z takimi chorobami dawał sobie radę, ja jestem, krzyczał, mówi Stanisław, niech sobie przypomnę, jak to było, ja jestem Ryszard Marian Kopeć, kanalarz energetyczny, akwizytor cudów, diler prany i eteru, okiem mrugał i ciach, sadzał mnie na leżankę, robił swoje czary-mary, śmiał się, że mnie do wszystkiego może się przyznać, nikomu nie powtórzę, chodziłem i już, jednak wolałbym, gdyby przez chwilę poudawał, że poważnie to traktuje, a on im dłużej mnie znał, tym mniej się krępował, ale i taka jest prawda, mówi Stanisław, że ci, którzy go omijali, którym się wydawało, że są tacy sprytni, bo nie dali się zwieść, nie zdawali sobie sprawy, że mocniej przyciąga ich smród innego gówna.

Droga w dół, przy niej kilka domów, sad za ogrodzeniem, kozy na trawie, w polu rząd niedokończonych bloków, zgarbiony ochroniarz, wte i wewte, kaszel, plucie, rozcieranie butem, i znowu. Stanisław zatrzymuje się, nalewa kawę i pije zachłannie. Wcale się nie wypieram, mówi, coś mnie do Ryśka mimo wszystko ciągnęło, sam siedział, trzeba to powiedzieć, w biedzie, za żadną inną pracę nie chciał się zabrać, legalną czy nie, uparł się na jedno, a ludzie różnie sobie radzą, dajmy na to, czytałem w gazecie, taka córka byłego króla Rumunii urządzała z mężem Johnem Walkerem na farmie w Oregonie walki kogutów, nieważne, mówi, wreszcie przyszedłem z ostatnimi wynikami, no, takimi, że już nic, tylko się zmierzyć wzdłuż i wszerz i trumnę wybierać, lekarz powiedział żonie, że zaraz się zacznie bal, poszedłem z tym do Ryśka, ostatni raz, myślałem, dowlokę się podziękować za to, cośmy się pośmiali, pogadali, cośmy poudawali, że machnięciem ręki da się odpędzić chorobę jak muchę, bo przecież i ja udawałem, no nic, pokazałem mu wyniki, przeczytał, zastanowił się niby i zamiast wódki się ze mną napić, mówi, co by mi zaszkodziła, do ziemi miałem iść, zamiast odezwać się jak człowiek do człowieka, zamiast podać rękę, zaczął mi wmawiać, że to świetny znak, tak jest z nowotworem, po kilku miesiącach bioenergoterapii się nasila, to jego ostatnie podrygi, nowotworu znaczy się, tydzień, dwa i będzie pan, panie Staszku, mówił Rysiek, zdrów jak ryba,

o nie, pomyślałem wtedy, ale ustami nie ruszałem, żeby nie poznał, o nie, bracie, choć bardziej na syna pasował niż na brata, tak się nie dam, przychodzę do ciebie jak do człowieka, a ty mi tak, nie wymagałem od ciebie, bracie, myślałem, siedząc na tej zepsutej leżance, co się zawsze na nią musiałem wspinać, bo za wysoko była ustawiona i nie dało się opuścić, siedziałem, a Rysiek stał i też cisza, nie wymagałem od ciebie, bracie, myślałem, żebyś się przyznał, że nic nie potrafisz, że wywijasz rękami jak pomylony, że pleciesz trzy po trzy, nie wołałem, żebyś pieniądze oddał za to, żeś mnie zwodził, mówi Stanisław, elegancie w dziurawych gaciach, szczerbaty lowelasie, co pastą do butów włosy czernisz, nic nie chciałem od ciebie, synu kurwy i belzebuba, tyle żebyś, jak już tej wódki nie masz albo ci szkoda, herbaty zrobił, usiadł przy stole ze mną, napił się i powiedział, ano, panie Staszku, bez panie, po imieniu, ano, Staszek, szkoda, kurwa, że się nie udało.

Opuszczony szlaban przed torami, nieczynna wieża ciśnień i budynek dróżnika. Po drugiej stronie odremontowany dworzec, kilka osób na długim peronie. Powiedz, po co tyle wcześniej zamykają, mówi Stanisław, dopiero co zapowiadali pociąg, a od ich zapowiedzi do wjazdu zawsze mija kilka minut, potem jeszcze czekać, aż jedni wysiądą, drudzy wsiądą, wtedy ruszy, mówi i rozpina kurtkę, poprawia szalik, za nami zatrzymują się samochody, kierowcy gaszą silniki, w obie strony, omijając szlaban, przechodzą ludzie, Stanisław się uśmiecha, też tak dawniej przemykałem, a tamtędy, pokazuje w prawo, nie widać stąd, ale tamtędy szliśmy dzisiaj rano do domu Ryśka, mówiłem, że zrobimy kółko, a to nie koniec, jeszcze trochę cię pomęczę, śmieje się, kto ci lepiej wszystko opowie niż ja, no nikt, na czym skończyłem, żeby po kolei mówić, zastanawia się głośno, a ja mu nie przerywam ani nie podpowiadam, już wiem, mówi, wróciłem wtedy, znaczy się po tej wizycie, co ani wódki nie dał, ani herbaty, wróciłem do domu i się położyłem, skoro miałem umierać, straciłem apetyt, inna rzecz, były takie upały w lipcu, że nawet zdrowym się nie chciało jeść, pić tylko, pielęgniarki przychodziły na zastrzyki, raz czy dwa lekarz, zatykało mi oddech, plułem krwią, najgorsze było jedzenie, wszystko żona musiała mi rozdrabniać na takie papki jak, za przeproszeniem, rzadkie gówno, innego bym nie przełknął, stawało w gardle,

o tu, pokazuje, i nie szło dalej, gniotło i gniotło, dopóki nie wyrzygałem, no ale przykrzyło mi się to umieranie na leżąco, to wstawałem i chodziłem po pokoju, od pieca do okna, aż się zmęczyłem, kładłem się, i od nowa umierałem na leżąco, i znów wstawałem, czy dzień, czy noc, obojętne, nie według zegarka i słońca, śniłem się żonie, słyszałem, jak opowiadała przez telefon Kalinie, naszej córce, że wchodziłem do mieszkania drzwiami, a wychodziłem oknem, to niemożliwe, bo mieszkam na pierwszym piętrze, ale kto się tak śni, ten wkrótce umrze, myślę, że chciała Kalinkę ściągnąć, żeby się pożegnała ze mną, i po co, nie mogła przecież dziewczyna latać tam i z powrotem, dopiero co wyjechała z mężem i dzieckiem, musiała pracy pilnować, poza tym to nic takie hop-siup, żeby z jakiegoś zakątka na Alasce, którego nazwy nie wymówię, dotrzeć do Krzesławic, nie po to człowiek w takie miejsce się wynosi, żeby je z byle powodu opuszczać, Helena nie całkiem to rozumiała, o, Stanisław przerywa, gdy słychać drugą zapowiedź, pociąg wjeżdża na peron, z wagonów wysiadają ludzie i przechodzą przez tory na drugą stronę, tu prawie nikt nie idzie kładką, za daleko trzeba się cofać, mówi, pociąg daje sygnał i odjeżdża, kierowcy uruchamiają silniki, szlaban się podnosi, ruszamy, teraz za duży gwar, mówi, ale jak jest ciszej, to z tych głośników co chwilę słychać trzaski, ale tylko wtedy, kiedy nie podają przez nie żadnych informacji, kiedy tak same z siebie pracują i wydają dźwięki, trochę to przypomina strzelanie drewna w piecu, trochę iskrzenie przy zwarciu, nie wiem, czy mnie rozumiesz, jak gdyby coś się miało spalić albo wyłączyć raz na zawsze, tak to słyszę, mówi.

Kawiarnia, trzy stoliki, szerokie okno. Ciastka, zapiekanki, panini. Na miejscu i na wynos. Upały mijały i wracały, a ja dalej nie mogłem jeść, przełyk miałem coraz węższy, nawet wodę piłem z trudem, i dalej nie umarłem, nie wiedziałem już, czy szybciej bym sobie śmierć wyleżał, czy wychodził, mówi Stanisław, lekarz chciał mnie zabrać do szpitala, poszerzać przełyk, nie zgodziłem się, żona prosiła, płakała, doradził jej poczekać, aż stracę przytomność, poszła któregoś wieczora na mszę, może w intencji tej utraty przytomności, i wtedy zadzwonił telefon, podniosłem słuchawkę, to Rysiek, chociaż jakbym nie jego słyszał, zupełnie inny głos, mówił, że muszę do niego przyjść, i to już, skąd wiedział, że do mnie się zwraca, skoro ja nic nie mówiłem, niech wsiadam w taksówkę i przyjeżdżam, w tej chwili, czy to zrobię, pytał i krzyczał, inaczej zwariuje, a co ja mogłem odpowiedzieć, jak nie mówiłem, stałem tak i słyszałem, że Rysiek dyszy w słuchawkę, jakby uciekał dookoła Krzesławic przed wszystkimi, których oszukał,

a on pewnie słyszał, jak ja zipię, wreszcie sobie przypomniał, że jestem niemowa, i się odezwał, bardzo mnie o to prosi, znaczy się o przyjazd, i jeśli się zgadzam, mam zastukać trzy razy, Stanisław odbiera zapiekanki od kobiety za kontuarem, i co myślisz, że zrobiłem, pyta i stuka zgiętym palcem w stolik, postój taksówek jest tutaj, wychyla się na krześle i pokazuje ręką, przed domem kultury, jakoś się dowlokłem, mieszkam za rogiem, Rysiek czekał na ulicy, prosto z samochodu zaciągnął mnie na leżankę, szczerze mówiąc, jak tam jechałem, myślałem, że chce przeprosić, że jednak tę wódkę znalazł albo zaparzył herbaty, potem, na miejscu, wydawało mi się, że jest pijany, opierałem się, ale bez sił już byłem, nie wiem, nie pamiętam, mówi i odgryza kęs, całkiem możliwe, że mnie uniósł i posadził na leżance, sam bym się nie wspiął, wyciągnął ręce przed siebie, trzęsły mu się, jakby od tygodnia chlał, wyciągnął i trzymał tak, pokazywałem ci przedtem, ale zaraz opuścił, wyciągnął znowu, wziął kilka wdechów, mówi Stanisław i prezentuje, jak Ryszard łapał powietrze, i tak nerwy mu nie przeszły, dotknął mojej szyi, ręce miał lodowate, aż mi dech zaparło, o tak, Stanisław odkłada zapiekankę i chwyta moją szyję z obu stron, dłonie ma ciepłe, szorstkie, pachną jak zakład fryzjerski tuż po strzyżeniu, gdy czyjeś włosy leżą jeszcze niesprzątnięte na podłodze, jednym kciukiem uciska mi jabłko Adama, drugim dolną wargę, kiwam na znak, że rozumiem, keczup z zapiekanki kapie na podłogę, Stanisław puszcza, no i rzeczywiście, mówi, zacząłem się dusić, chodźmy, bo się zasiedzę i zdrętwieję.

Mostek nad rzeką, kaczki, ludzie i psy. Zniszczony wózek dziecięcy pod murem kościoła. Stromo w górę. Chodnik przy ogrodzeniu, za nim park, zrujnowany pałac. Nie dało się inaczej, plułem i plułem, mówi Stanisław, nie tak, jak się czasami odpluwa, tylko co złapałem oddech, to zaraz wycharczałem gęstą, brunatną kulę, jak kasztana, oczywiście na czworakach, nie ustałbym, Rysiek się telepał ze strachu, tłukł mnie po plecach, jakby łopatą ziemię ubijał, nic nie pomagało, mówi, chciałem dać znak, żeby przestał, ale bałem się, że kiedy rękę uniosę, to upadnę, na dobre utknie mi wszystko w gardle i koniec, a tu nagle, jak mnie złapało, tak puściło, z rozpędu jeszcze pokasłałem chwilę, jak te syreny alarmowe, co wyją, chociaż już się korbką nie kręci, woda się ze mnie lała, Rysiek posadził mnie na krześle, mówi, bo przecież byłem bez sił, teraz umrę na pewno, pomyślałem, popłakałem się, wcale nie z emocji, ale właśnie z kaszlu, tak jak przy rzyganiu czasami człowiek się załzawi, nie dość tego, wstyd przyznać, ale skoro już mówię, to mówię, od tego kaszlu popuściłem porządnie, Rysiek chodził wkoło i powtarzał: powiedz, że mówisz, powiedz, że mówisz, i wycierał dłonie w spodnie, dlatego pierwsze moje słowa, które ze mnie wyszły, chociaż chciałem tylko poruszać ustami, z przyzwyczajenia, no bo że odzyskałem głos, słychać przecież, pierwsze moje słowa brzmiały: zesrałem się, no, Stanisław się zatrzymuje, opiera ręce na biodrach i rozgląda się, takie są te Krzesławice, mówi, mało tu równego, raczej albo w górę, albo w dół, ale zaraz będzie dłuższy prosty kawałek, pójdziemy tędy, wskazuje wysypaną żwirem alejkę między domami, i tak siedziałem obsrany, mówi, zaduch, muchy nade mną i na mnie, jak gdybym wcale nie wrócił do życia, tylko na odwrót, umarł, dopiero wieczorem odzyskałem siły, Helena bardziej była przerażona, niż jak leżałem i umierałem, chciała zaraz wołać doktora, o nie, powiedziałem, dość doktorów, nigdy więcej, mówi, i z każdym dniem coraz lepiej się czułem, ale nie myśl, że mi dwadzieścia lat ubyło, nic z tych rzeczy, no może przez tydzień czy dwa wydawało mi się, że z setki nie spuszczę, tyle że to minęło, dalej byłem i jestem stary, coraz starszy, zmęczony, rano ledwo wstaję, sporo mija, nim się rozruszam, ta kawa mnie ratuje, plamy wyszły mi na dłoniach, zobacz, zaćma się robi na jednym oku, i dalej łamie mnie w kościach, aż wreszcie złamie wpół i już nie wstanę, wcale się nie skarżę, tak ma być.

Znów pola i pojedyncze domy. Wcześniej piaskowy mur cmentarza, czarna, spiczasta wieżyczka kaplicy, znicze i kwiaty sprzedawane z samochodu, płyty i nagrobki w ogrodzie domu. Na cmentarz cię nie wezmę, mówi Stanisław, tam chodzę sam, raz w tygodniu, do ojca, matki, i przede wszystkim żony, leży koło pisarza, też Stanisława, więc to prawie tak, jakby obok mnie leżała, mniej zazdrosny jestem, śmieje się, wypijam przy niej kawę i trochę gadam, niedużo, bo już nie mamy wspólnych spraw, tyle ona teraz wie o życiu, ile ja o śmierci, dlatego żeby nie milczeć, opowiadam jej, co się w ciągu ostatniego tygodnia działo w tych serialach, które oglądała, dawniej nie patrzyłem na nie, dziś tak, niby mógłbym jej z gazet przeczytać streszczenia, ale kiedy sam oglądam i opowiadam, ćwiczę pamięć, nie wiem, czy potrzebnie, raczej się nie przyda po śmierci, a Helena to się któregoś dnia rano, zaraz będą trzy lata, po prostu nie obudziła, zawsze dużo radości w niej było, co rano, nawet jak chory leżałem, śpiewała cicho: bo to jest dzień, bo to jest dzień, który dał nam Pan, więc cieszmy się, więc cieszmy się i radujmy się nim, nie na złość mnie i nie dlatego, że ją moje cierpienie cieszyło, chciałem jej to na pogrzebie puścić, ale córka nie pozwoliła, bała się, że ludzie źle to zrozumieją, może z tej radości, którą w sobie nosiła, Helena miała dobrą śmierć, bo tak mi się wydaje, mówi, że to dobra śmierć,

nie obudzić się, niekoniecznie trzeba się z kimś żegnać, chociaż zawsze się bałem, że inaczej umrze, w wypadku, co niedzielę, wyobraź sobie, odkąd wyzdrowiałem, jeździła na mszę do kościoła przy klasztorze urszulanek, na wzgórzu w Marnej, kilka kilometrów stąd, a że ci kierowcy nie uważają i pędzą, zawsze się martwiłem, czy wróci cała, mówi, raz był wypadek, ranni, ale Helence nic się nie stało, i dalej jeździła, w ogóle się nie bała, no, rodzicom Ryśka też świecę, tu do wszystkich jest blisko, a Ryśkowi stawiam świeczkę nad rzeką, usiądźmy na ławce, trochę się zmęczyłem, z tego dnia, co odzyskałem głos, to już wiele nie opowiem, nie pamiętam, nerwy, później dopiero, na spokojnie, dowiedziałem się, dlaczego po mnie zadzwonił, Stanisław wyciąga termos, potrząsa nim i rozlewa kawę do dwóch kubków, nie ma co trzymać, mówi, lepiej wypić, póki ciepła, no więc Rysiek ani słowem nie wspomniał o tym, że tyle dni u niego nie byłem, a on ani nie zadzwonił, ani nic, nie dziwię się, głupi nie był, musiał wtedy, co z wynikami przyszedłem, pomyśleć, że to nasze ostatnie spotkanie, za długo w tej branży siedział, rozumiał, że jak pacjentowi się pogorszyło, to lepiej, żeby się już nie odzywał, nie ma co dopytywać, jeszcze by z awanturą wrócił, kazał oddać pieniądze albo podał do sądu, w każdym razie dzień przed tym, jak mnie Rysiek taksówką do siebie ściągnął, nie działo się nic innego niż zwykle,

w poczekalni pustki, ani z kim pogadać, ani nic, siedział na schodach ganku, z piwem i papierosem, żeby w mieszkaniu nie smrodzić, poza tym ładnie, ciepło, szkoda w czterech ścianach się kisić, no i przyplątała się na podwórko jakaś przybłęda, duży kundel, trochę dropiaty, trochę czarny, różnie go Rysiek opisywał, nie wiadomo, czy pies, czy suka, nie było widać, sierść długa, skołtuniona, bał się go dotykać, z jednej strony psisko miało opadniętą wargę i kły mu wystawały, lewe oko jasnoniebieskie, prawe brązowe, albo na odwrót, nigdy go nie widziałem, z góry uprzedzam, mówi Stanisław, znam tylko z opisów, no ale jak mi go Rysiek odmalował, to się obejrzałem, czy nie stoi za mną, śmieje się, wtedy podszedł, jakby na swoim podwórku był, usiadł, język wywalił, długi, sinoczerwony, cały w bąblach, pierwsze co, to Ryśka pot oblał, zdrętwiał, nie wiedział, czy się pies rzuci, czy nie, ale że nic się nie działo, to zaczął do niego gadać, wtedy kundel się położył, a Rysiek poszedł do domu po rondel z wodą, chleb i kiełbasę, zawijał kawałki kiełbasy w chleb, bo nie miał jej dużo, i rzucał, widział, że pies je spokojnie, wcale nie łapczywie, to rzucał mu coraz bliżej schodów, krok po kroku, w końcu odważył się i go pogłaskał, szorstki był w dotyku jak szczotka, położył łeb na schodach, blisko, akurat do czochrania, ile tych kudłów miał, wyobraź sobie, skoro Rysiek po nadgarstek rękę w nich zanurzył, byłby i więcej, ale się przestraszył, że tak głęboko to idzie, czy na jakąś ranę nie trafi, z ręki jeść mu nie dał, brzydził się tych bąbli na języku, co dziwne, pies nie śmierdział, a często, szczególnie te zaniedbane, jak pysk otworzą, to cuchnie niczym strzęp mięsa, co miesiąc przeleżał za lodówką, mówi, całą wodę wychłeptał, to mu piwa dał, też wypił raz-dwa, nie dziw się, że ci tyle o tym mówię, specjalnie już na początku o psie wspominałem, a wtedy co go Rysiek nakarmił, napoił, pogłaskał, sam nie wiedział kiedy, twierdził, że przez upał, ale mnie się wydaje, że od piwa, zasnął na ganku, oparty o poręcz, z psim łbem na kolanach, obudził go ból głowy, słońce tak przygrzało, lipiec w końcu, pies zniknął, obszedł Rysiek dom, wyjrzał na ulicę i nic, łyknął pyralginę, położył się, przespał aż do rana następnego dnia, my też się ruszmy, bo już mi się zimno robi, jeszcze trochę i śnieg spadnie, zobaczysz, mówi Stanisław i wstaje, zejdziemy z powrotem na dół, tędy, pokazuje ścieżkę, nie tak, jak przyszliśmy, sporo jeszcze mam do opowiedzenia, ale nie bój się, pociągi jeżdżą do późna.

Nowy chodnik, dwa boiska, trawa i krzewy, dalej przedszkole z dużym placem zabaw. O, tutaj, Stanisław pokazuje palcem spory, betonowy plac, w poniedziałki jest targ, wszystko kupisz, od ziemniaków po ubrania i meble, mówi, nazajutrz po tym, jak u Ryśka na podwórku zjawił się kundel, przyszła pierwsza tego dnia klientka, nowa, nie była umówiona, no, poczekalnia jak zwykle i tak pusta, więc to nic, tyle że głowa dalej go bolała, nie miał wcale chęci robić seansu, zwłaszcza że nie o nią chodziło, tylko o chłopca, którego z sobą przywiozła na wózku inwalidzkim, mógł mieć sześć, siedem lat, ruszał głową i ręką, niczym więcej, mówi Stanisław, był tak poskręcany, jakby go ktoś zatrzasnął w pralce i włączył wirowanie, matka za to pierwsza klasa, jeździła po znachorach i bioenergoterapeutach, do lekarzy nie miała już po co, zanim się obejrzał, wniosła chłopca na ganek, a jemu kazała wózek zabrać, no i do gabinetu, tam śledziła każdy ruch Ryśka, o wszystko pytała, dotknął ramion, nóg, głowy dzieciaka, energię niby przekazał, chciał się umówić na następne spotkanie, ale mały zaczął marudzić, że mu gorąco i niedobrze, rozpłakał się, ona w krzyk, Rysiek, że nic nie zrobił, no to zabrała synka z leżanki i zamierzała posadzić z powrotem na wózku, a on przebiera nogami, jakby szedł w powietrzu, ot co, Stanisław kaszle w pięść, później tego samego dnia mnie przywrócił mowę, i zaczęła się karuzela, no nie ma już gdzie się szwendać, mówi, gdy wychodzimy blisko rynku, i zatrzymuje się, widocznie za szybko chodzę, a za wolno opowiadam, zresztą coraz chłodniej, marzec to nie czerwiec.

Klatka schodowa kamienicy, półokrągły witraż nad bramą, otwarte drzwi na podwórko z gruszą, dzikim bzem i pojemnikami na śmieci, smród smażonych kurczaków ze sklepu na parterze. Mój ojciec ją postawił w trzydziestym czwartym, mówi Stanisław, pomógł mu teść, który miał fabrykę firanek, tiulu i koronek, tu się urodziłem, dobrych miałem rodziców, wybuchła wojna i Niemcy na dole, gdzie teraz są mięsa i wędliny, zrobili oberżę, a przed wojną mama prowadziła małą kawiarnię, lubiłem jej pomagać, witałem gości, podkradałem landrynki z puszek, potem ta hołota, co po Niemcach nastała, zamieniła kamienicę w chlew, spali w wannach, z kibla nabierali do kubków wodę i parzyli na niej herbatę, bo nie wiedzieli, do czego kurki służą, a ich baby chodziły po mieście w koszulach nocnych jak w sukniach, po wojnie zabrali kamienicę oficjalnie, zakwaterowali pełno ludzi, nam zostawili klitkę na poddaszu, mama poszła do pracy w szkolnej stołówce, ojca zamknęli za worek marchewki, mnie na żadną uczelnię nie przyjęli, głupi wcale nie byłem, uczyłem się sam, z ciekawości, poszedłem pracować w tartaku, ojciec po więzieniach nie miał zdrowia, wyprowadziłem się, jak wziąłem ślub z Heleną, i ich też namawiałem, żeby tę norę opuścili, z nami by zamieszkali, na nowym osiedlu, blisko stacji PKP, rodzice Heleny załatwili przydział, ale uparli się, bali się całkiem z rąk wypuścić kamienicę, wydawało im się, że póki siedzą na tym strychu, to wciąż jest ich, samemu było mi żal, ale nie sposób żyć w czwórkę w ciasnocie, potem Kalinka się urodziła,

więcej dzieci nie mogliśmy mieć, moi rodzice umarli tuż po jej maturze, jedno po drugim, nie doczekali zwrotu kamienicy, dopiero po komunie ją odzyskałem, miałem trochę utarczek z lokatorami, powoli wyremontowałem i zacząłem wynajmować pomieszczenia na dole na sklepy, a resztę na mieszkania, zrezygnowałem z pracy, wolałem doglądać kamienicy, teraz jest dość dobrze, nie mam z ludźmi problemów, może się nie dorobiłem, ale też nie roztrwoniłem, drzwi obok, pokazuje, mieszka samotna kobieta, jakoś tam spokrewniona z Heleną, bardzo daleko, piąta woda po kisielu, mówi i wchodzi na schody, na półpiętrze otwiera drzwi balkonowe, na pierwszym ja i małżeństwo bez dzieci, w ogóle ich nie słychać, często wyjeżdżają, na drugim większa rodzina, obniżyłem im czynsz, bo dzieci, wydatki, wszystko rozumiem, ale w zamian mieli raz w tygodniu sprzątać klatkę schodową, pozamiatać, zmyć schody, przetrzeć poręcze, gdzie tam, jak się raz w miesiącu doproszę, to jestem zadowolony, mógłbym im podnieść z powrotem, skoro się nie wywiązują, ale coś mnie wstrzymuje, a czasami bym wolał, żeby nic mnie nie wstrzymywało, na drugim mieszka jeszcze taka doktorantka z chłopakiem, pisze pracę właśnie o tym Stanisławie, co koło mojej żony leży, a na poddaszu, tam gdzie my się dawniej gnieździliśmy, wynajmuję choremu psychicznie, na rencie jest, nie pracuje, chociaż zdolny, każdy sprzęt grający naprawi, kolumny sam złoży z części, powinien zreperować głośniki na dworcu, nigdy mu nie liczę za te miesiące, co jest w szpitalu, w ogóle bym od niego nie brał, ale się uparł, że chce płacić jak każdy, to mu obniżyłem, ile się dało, skarżą się lokatorzy, że hałasuje często, to prawda, ale co zrobię.

Sto metrów z hakiem, szafy w przedpokoju, wyliniałe dywany, trzy pokoje, tapeta w esy-floresy, okno na rynek, skrzypiące krzesła z zielonym obiciem, masywny stół. Herbata, kieliszki z rżniętego szkła, nalewka orzechowa z anyżem i kłączem tataraku. Na kawę już za późno, a na to zawsze jest dobra pora, sam robiłem, mówi Stanisław i napełnia kieliszki, bo do kawy przyzwyczaiłem się właściwie dopiero po uzdrowieniu, do Ryśka, nie od razu, ale stopniowo, dzień za dniem, zaczęli się schodzić ludzie, najpierw mieścili się w poczekalni, później ogonek ciągnął się przez ganek, schody aż na ogród, znaczy się ten plac z trawą, bo co to za ogród, zdrowie, mówi i wypija, a ja z nim, wódka najpierw jest gorzka, ciężka i mocna, a po przełknięciu niesmaczna jak słodzone zioła, musieli się ludzie dowiedzieć, mówi Stanisław, po pierwsze od tej kobiety z dzieckiem, na pewno komuś opowiedziała, skąd ona była, nie wiem, nie pamiętam, czy Rysiek w ogóle mówił, raz jeszcze tylko do niego przyjechała podziękować, no i po drugie ode mnie, tyle że ja jedynie tutejszym mogłem opowiedzieć, a oni przeważnie nie dowierzali, cóż to za cud, że nie mówił, a teraz mówi, gadali, pewnie udawał, żeby go potem Rysiek niby uzdrowił, dostanie dolę od każdego zwabionego pacjenta, nie z nami takie numery, tak czy inaczej, Stanisław napełnia kieliszki, byli tacy, co przychodzili się przekonać i wychodzili albo zdrowi, albo z ulgą, czasami musieli wrócić, żeby całkiem się pozbyć tego, co im doskwierało,

kule, wózki, opatrunki i inne rzucali pod ścianę, kładli też kwiaty, świece i biżuterię, każdego dnia tłum rósł, a że niektórzy mieli problem dostać się po schodach i przez ganek do domu, bo albo byli na wózkach, albo całkiem sparaliżowani, musiał Rysiek wychodzić do nich, aż w końcu, żeby nie kręcić się tam i z powrotem, całkiem przeniósł się przed dom, Stanisław unosi kieliszek i czeka, aż zrobię to samo, wypijamy, milczy chwilę, tak, mówi, przed domem rozłożył stary baldachim ogrodowy, dla osłony przed słońcem, i pod ten baldachim wchodzili, kuśtykali, wjeżdżali czy byli wnoszeni chorzy, szeptali Ryśkowi na ucho, co im dolega, a on ich dotykał, jak ktoś poprosił, zabierał na moment do domu, zwykle kobiety, nazywał to upławy i te sprawy, różni byli, nie wszystkim dało się pomóc, na upośledzonych umysłowo żaden dotyk nie działał, czy to down był, czy coś podobnego, nic się nie dało zrobić, są przypadki, wobec których nawet bioenergoterapia jest bezradna, śmiał się Rysiek, pieniądze sami ludzie dawali, nie musiał przypominać, upychał w kieszeniach, nie liczył, bo już następny czekał, jedyne przerwy robił na to, żeby się z pięciolitrowego baniaka napić wody i schłodzić nią głowę, nie widziałem ani razu, żeby poszedł za potrzebą, może dlatego, że wprost lało się z niego, więc albo wszystko wypocił, albo szczał w gacie, był przemoczony, dlatego nie było znać, a śmierdzieć i tak śmierdziało w tym upale od chorych,

stałem za Ryśkiem pod baldachimem, bo wiedziałem, że sam sobie nie poradzi, a to baniak podtrzymałem, jak mu ręce omdlewały, a to wytarłem go ręcznikiem i pomogłem świeżą koszulę włożyć, jedzenie przynosiłem, zupy i drugie, które Helena robiła, pilnowałem, żeby chociaż wieczorem zjadł, w dzień nie było szans go zmusić, poza wodą nic nie przyjmował, no więc i ja się zmęczyłem, a żeby się utrzymać tyle czasu w pogotowiu, piłem kawy, mówiłem mu, Rysiek, bo przeszliśmy, nie wiem kiedy, na ty, Rysiek, mówiłem, ustal dni i godziny przyjęć, nie można tak na okrągło, niedziele chociaż zostaw wolne, na co on, że odpocznie na Florydzie, chciał mi oddać pieniądze za te wszystkie terapie, na które do niego chodziłem, wcisnął mi plik banknotów, było co trzymać, ale nie wziąłem, zagroziłem, że się więcej do niego nie odezwę ani słowem, co mi oddajesz, zapytałem go, mówi Stanisław, co mi oddajesz, powtórzyłem, wyleczyłeś czy nie, zapytałem, a skoro wyleczyłeś, to pieniądze ci się należą, jak psu, chciałem dodać, ale się ugryzłem w język, mówi, nie wiem, co nim powodowało, że tak się zamęczał, czy pieniądze, czy ten szał, że potrafi przywracać zdrowie, czy jeszcze coś innego, ale czuć w nim było pośpiech, jakby się spodziewał, że to się zaraz skończy i znów będzie prowincjonalnym oszustem, Stanisław chwyta butelkę z nalewką, ale nie napełnia kieliszków, puszcza ją i wstaje, chodź, mówi, jeszcze jeden spacer, pokażę ci Ryśka.

Strome schody do piwnicy, bakelitowe pokrętła, żółtawe światło. Korytarz z kilkoma odnogami, jedno pomieszczenie za drugim, niedomknięty zsyp na węgiel, chłód i odgłosy z ulicy. Deski naszpikowane gwoździami, wiadra, narzędzia, zbutwiałe półki przymocowane do ścian, pajęczyny, worki z popiołem. Znajdę, mówi Stanisław, gdy przekłada zakurzone, zaklejone brązową taśmą kartony, rozcina je i zagląda do środka, Rysiek zapakował wszystko do jednego pudła i dał mi któregoś wieczoru, no bo zostawałem czasami u niego po tym, jak już nie było klientów czy pacjentów, różnie można to nazwać, niewiele rozmawialiśmy, mówi, raz, że był zmęczony, dwa, że dość się o sobie dowiedzieliśmy przez te miesiące, co do niego przychodziłem na terapię, o uzdrowieniach nigdy słowa nie zamieniliśmy, działy się i już, szybko nam obu spowszedniały, ot, ciężka robota przez cały dzień, o czym tu mówić, w ogóle ja się więcej odzywałem niż Rysiek, patrzył na mnie wtedy tak, jakby dalej głos się ze mnie nie wydobywał, a on musiał się domyślać słów, kiedyś pokazał mi to pudło, którego nie mogę znaleźć, psiakrew, i poprosił, żebym je zabrał do siebie na przechowanie, bo sprawa jest taka, mówił Rysiek, że kupca na dom już ma, daje dobrą cenę, zresztą nie o pieniądze chodzi, ale żeby się tego pozbyć, wyjechać stąd bez niczego, pusty, rozumiesz, mówił Rysiek, rzeczy z kuchni i gabinetu pierdolę, niech się z tym dzieje, co chce, ale mam trochę swoich, zabrać ich nie zabiorę, a wyrzucić nie mam teraz odwagi, mówił, jak już będę u siebie, na Florydzie, to ci dam znać, czy masz je do mnie przysłać, czy wywalić, ale najlepiej by było, gdyby mi się stały obojętne, tak żebym nie chciał ani ich mieć, ani wyrzucić, rozumiesz, pytał, no to przytaknąłem, mówi Stanisław, że rozumiem, i przysłał mi karton taksówką następnego dnia, zniosłem to z sąsiadem do piwnicy, ciężkie draństwo, Helena nie chciała w domu trzymać, na co mi były kłótnie, mówi Stanisław,

tu nie ma, wzdycha i wstaje, idziemy dalej, gasi światło, zamyka drzwi, mam kilka pomieszczeń, mówi, bo lokatorzy prawie wcale nie używają, tylko dwa na początku, a dawno nie schodziłem, dlatego zapomniałem, gdzie to leży, tu są bety po takich, co się już wyprowadzili, pokazuje zagraconą piwniczkę, mieli zabrać, wyrzucę wreszcie i spokój, co to za patologia była, szkoda gadać, mijamy następne drzwi, tam nie ma co wchodzić, mówi, tam trzymam tylko długie gałęzie, które gdzie indziej się nie mieszczą, niepotrzebne już teraz, no i koty, zawsze na zimę zostawiam okno otwarte, żeby mogły się schować przed mrozem, jedynie drzwi dobrze zamykam, inaczej szczury by się rozbiegły po całej piwnicy, a i tak w końcu, jak nie szczury i robaki, to grzyb i ludzie zniszczą kamienicę, czy od piwnicy, czy od strychu, niech mnie tylko braknie, córka o nią nie zadba, a obcy nie zatroszczy się, jak trzeba, nawet za pieniądze, Stanisław szarpie kłódką, w której utknął klucz, wolałbym wysadzić w powietrze, niż zostawić na zmarnowanie, ale nie da się tego tak zorganizować, żeby nie ucierpieli lokatorzy i inne kamienice, Stanisław puszcza kłódkę i wzdycha, może ty spróbuj, odsuwa się, a ja mocuję się z kluczem zablokowanym w zamku,

po co by się miała Kalinka takim zabytkiem zajmować, sprzeda i już, mówi, na Alasce mają piękny dom, z drewna, jasny, pokazywała mi przez komputer, coś musiało wpaść do środka i zatkać, odsuwa mnie i sam znów chwyta kłódkę, kupiła mi kiedyś laptopa, mówi, już z programem takim, żebyśmy się mogli widzieć i rozmawiać, poza tym nie używam, leży przykryty, włączam na całą sobotę i niedzielę, wtedy jest największa szansa, że zadzwonią, niekiedy w nocy mnie budzą, inne godziny mają, nie tylko inne pieniądze, śmieje się, i raz wyszli z komputerem przed dom, pokazać mi, jakie mają w pobliżu jezioro i las, ale tak słońce zaświeciło, że nic nie widziałem poza blaskiem, słyszałem ich, kurwa mać, klucz się złamał, Stanisław szarpie blachą łączącą drzwi z murem, aż wyrywa całe zapięcie z cegieł i wpada na mnie, przepraszam, mówi, no trudno, później przymocuję, muszę to znaleźć, inaczej powiesz, że stary wariat wszystko zmyślił, przekręca włącznik, a światło zapala się i gaśnie, powtarza to kilka razy, aż się udaje.

Z powrotem w mieszkaniu. Ciasny pokój, okna zasłonięte storami, szafki, fotele z popękanym obiciem. Rozlatujący się, brudny karton z piwnicy. Stanisław klęczy na podłodze i wyciąga kolejne rzeczy. Kasety wideo. JVC, Maxell, Phillips, TDK, BASF. 180, 240 minut, w trybie *long play* dwa razy dłużej. Kabarety, *Policjanci z Miami*, filmy karate z Cynthią Rothrock i Bolo Yeungiem, kaseta podpisana „Ja". Koszule z krótkim rękawem. Morze, plaża, słońce, palmy. Na niektórych pomieszane kolory. Niebieskie drzewa, czerwona woda, zielony piasek. Damskie pantofle bez pięt. Stały obok łóżka Ryśka, mówi Stanisław, to Doroty, nic więcej po niej nie zostało, wszystko wyrzucił, wściekł się pewnego razu, że żadnych wieści ani o niej, ani od niej, zapakował do worów, a wory do kontenerów, w dzień wywózki śmieci, mówi, dopiero długo po tym wpadło mu coś pod łóżko i położył się na podłodze, żeby to wydostać, opowiadał, że sięgnął ręką, mówi Stanisław, coś wyczuł, innego niż to, co zgubił, i wyciągnął pantofle Doroty, i już je zostawił, głupio mu było same pantofle wyrzucać, głupiej niż wszystko razem, jest tu jeszcze trochę betów, na przykład te małe figurki z drewna, wysypuje je z foliowego worka na dłoń, to akurat jego ojca, próbował rzeźbić, trzymał w warsztacie na półce te wszystkie, jak je Rysiek nazywał, pararzeźby, dzioby bez nóg, nogi bez skrzydeł, półptaki, ćwierćptaki, ptaki-niedojeby, ptaki-konie i ptaki-psy, ptaki-downy i ptaki-skurwysyny, no ale najważniejsze kasety, wsypuje figurki z powrotem do worka i podaje mi stary magnetowid zawinięty w folię z bąbelkami, masz, mówi, podłącz, wyciąga splątane kable, no ale widzisz, wtedy, co mi to pudło przekazał pod opiekę, zapytałem go, jak to tak szybko wszystko załatwione, że już się wybierasz na Florydę, a wiza, mieszkanie, pytałem, mówi Stanisław, nic się nie bój, Rysiek na to, nic się nie bój, wizę już mam zaklepaną, dziś się dowiedziałem, i to lepszą, nie turystyczną, ale skąd, jak, dziwiłem się, mówi Stanisław, a on na to, że gdybym cały dzień z nim był, nie część, to widziałbym, jakie tu czasami bryki podjeżdżają, nie o marki chodzi, ale o blachy, zgadałem się z jednym takim, mówił Rysiek, którego żonie pomogłem do zdrowia wrócić, dużo bab mi się przewinęło przez ręce ostatnio, ale tę pamiętałem, tyłek miała jak słońce Florydy, twarz jak Bagna Biebrzańskie, co tam zgadałem, sam mnie prosił, bladym świtem, jeszcze przed pierwszymi pacjentami, ja już za niczym nie muszę się uganiać, wszystko do mnie przychodzi,

a ten facet przyjechał długim, białym samochodem, całym w naklejkach ce de, rozumiesz, korpus dyplomatyczny, mówił Rysiek, za tydzień, dwa mogę do Stanów lecieć, załatwią mi stały pobyt, legalnie, jest warunek, że zrobią trochę eksperymentów ci ich amerykańscy naukowcy, co wszystko na świecie odkryli, sprawdzą, skąd mam te umiejętności, prześwietlą kości, mózg, wezmą DNA, dadzą USA, śmiał się Rysiek, a poza tym będę mógł otworzyć klinikę, leczyć, rehabilitować, bałamucić takie same kurwy i złodziei jak tutaj, ale za inny pieniądz, rozumiesz, bez ich pomocy też bym sobie poradził, mówił, wreszcie daliby mi wizę, a jak nie, to przez Kanadę albo Meksyk, hulaj dusza, Polski nie ma, no podłączyłeś, pyta Stanisław, jak tak, to puszczaj, mówi i podaje mi jedną z kaset podpisanych „Ja", wkładam ją do magnetowidu, stuknięcie, siadamy, pilot, szum, trzaski, przewijanie do początku, bez podglądu, więcej szumu, stuknięcie, start, na ekranie śnieg.

Szczupły, młody mężczyzna z bujną czupryną. Zbyt duża koszula z palmami, wpuszczona w turkusowe spodnie w kantkę, biały, lakierowany pasek, wszystko, co poniżej kolan, już poza kadrem. Z prawej światło lampy odbite w fototapecie, z lewej uginające się pod własnym ciężarem liście. Obraz wyblakły jak opakowania tanich prezerwatyw za szybą dawno nieczynnego kiosku. Krecha na całą szerokość, od dołu do góry i z powrotem, do tego czarna i biała kasza sypnięta tu i tam. Data, maj 1993. Patrz, rozgrzewa się Rysiek jak bokser w narożniku, mówi Stanisław, taki tu młody, że wcale do siebie niepodobny, kupił kamerę od faceta, który kręcił wesela i wymieniał sprzęt na nowy, no i nagrywał, znaczy się Rysiek, takie ni to reklamy, ni to opowiastki o sobie, chciał to sprzedawać i swoim pacjentom, i innym, mówi, nic z tego nie wyszło, przerwał, kiedy Dorota zniknęła, już do tego nie wrócił, pogłośnij, prosi, a kiedy to robię, bo też nie rozpoznaję słów, piski i zgrzyty zagłuszają Ryszarda, więc ściszam, zakłócenia znikają, ale głos staje się zbyt słaby, żeby cokolwiek zrozumieć, nawet z uchem przy głośniku, i co, czemu tak, pyta Stanisław, może kable źle podłączone, sprawdzam, wszystko w porządku, przewiń kawałek, też nic, niemożliwe, mówi, oglądałem kiedyś, jeszcze Helena żyła, tak mnie naszło, wyniosłem z piwnicy, a potem zniosłem z powrotem, nie chciała jego rzeczy w domu, i wtedy było dobrze, a włóż inną kasetę, zmieniam taśmę,

najpierw palmy i muzyka albo zakłócenia, nie wiadomo, tak źle to brzmi, potem flamingi pędzące w stronę ekranu, lot nad wodą i zielony napis MIAMI VICE, podświetlony na różowo, głos lektora, czysty, wyraźny, dobrze, daj z powrotem tamtą, mówi, robię to, a gdy Ryszard znów się rozgrzewa, Stanisław zbliża się i wpatruje długo w ekran, nic z tego nie wiem, mówi, nie nauczyłem się czytać z ruchu jego warg tak jak on z moich, a fajnie tak, z humorem tu mówił, nie powtórzę przecież słowo w słowo, inaczej bez sensu, wzdycha i siada, teraz sobie wyobraź, że później przytył, wyłysiał i pomarszczył się, wyglądał jak członek klubu samotnych serc wyrzucony za niepłacenie składek, dopiero podczas uzdrawiania schudł na patyk, to są różne wersje tego samego, pokazuje ręką ekran, jeszcze niegotowe, musiałby mu to ktoś dopiero posklejać w całość, patrzymy na Ryszarda jak na tłumacza programu dla głuchoniemych, przewiń, mówi Stanisław, Ryszard przyspiesza, opędza się od paprochów na ekranie, nagle wychodzi, pusta ściana, zza kamery drobnym krokiem wybiega kobieta, staje przodem do nas, wciskam *play*, chuda, szyja na dwa palce, niesymetryczna twarz z długim nosem, sprane getry i bluzka, to Dorota, całkiem zapomniałem, że tu była, mówi Stanisław, a ona patrzy w stronę, w którą poszedł Ryszard, poprawia krótkie włosy, rusza ustami, zbliża do nich pięść, śpiewa, mówi Stanisław, cofnij, Dorota chowa się i znów wybiega, mówił mi Rysiek, jaką miała ulubioną piosenkę, zamęczała go nią, jeszcze raz przewiń, Dorota tyłem wychodzi z kadru i wraca przodem,

zatrzymaj, już wiem, mówi, z radia znam, słuchaj i patrz, czy pasuje, włącz, czy gwiazdy wiedzą, co to lęk, cienkim głosem podśpiewuje Stanisław, a z nim Dorota, która kiwa się na boki, czy gwiazdy znają strach, serca gwiazd – twardy lód, pod żarem schowany szklany chłód, serca gwiazd – twardy lód, Dorota podrywa się i miota, uczepiona wyimaginowanego mikrofonu jak znaku drogowego podczas tornada na Florydzie, pod złotym morzem ognia lęk się czai tak jak zbrodnia, skanduje z nią Stanisław, serca gwiazd, diament, szron, świeć, gwiazdo samotna, blask swój chroń, chroń swój chłód, dobrze wiesz, że miłość znaczy śmierć, Stanisław chrząka, wyciera usta, Dorota zwalnia, opuszcza głowę, nagle się zrywa, jak flaming wystraszony przez krokodyla, nabiera wysokości, udaje, że nic się nie stało, właśnie to planowała, tak łatwo spłonąć od kłamstw, tak łatwo spłonąć od prawd, lecz najokrutniej jest żyć z samotnym sercem gwiazd, tak łatwo, Stanisław kaszle, odwraca się do mnie, dalej nie wiem, mówi, a Dorota jeszcze chwilę krąży, z szeroko rozpostartymi ramionami, zahacza o liście, wpatrzona w dół, skąd ledwo uszła śmierci, niespodziewanie przerywa, chowa się za kadrem, wraca Ryszard, nie wiadomo, czy w ogóle śpiewała, mówi Stanisław, może tylko ruszała ustami, żeby nie słyszał, chodź się napić po jeszcze jednym, odprowadzę cię na pociąg, nie ma już gdzie iść ani co pokazać, mówi, późno.

Na przemian ciemno i jasno, co druga latarnia sprawna, gęsty śnieg. Ślady butów i psich łap, poza tym pusto. No i co, szturcha mnie Stanisław, mówiłem, że będzie sypać, mijamy blaszaną budę z migoczącym, wielokolorowym napisem „Gralnia-Wygrywalnia", zdążymy, mówi, nic się nie bój, jeszcze kupa czasu, na czym skończyłem, czekaj, Rysiek szykował się do wyjazdu, mówi, a w tym czasie przyjechała do nas Kalinka, bez męża, za to z córeczką, ledwo zaczynała chodzić, to ile mogła mieć, teraz już do szkoły chodzi, Roma, brzydkie imię, ale co mi do tego, Helena trochę narzekała, nie wprost, po cichu, że dopiero teraz Kalina nas odwiedziła, a nie jak byłem chory, mnie wcale to nie dziwiło, mówi, zawsze ludzi bardziej ciągnie do życia niż do śmierci, cieszyłem się, zapowiedziałem Ryśkowi, że nie będę przychodzić przez tydzień, za to dzwoniłem, ciekaw byłem, co u niego, radził sobie, trudno mu było, wiem, ale nie skarżył się, nie prosił o nic, chociaż proponowałem, że na godzinę czy dwie wpadnę w ciągu dnia, nie chciał, przecież już niedługo i on sam wyjedzie, mówił, wtedy odpocznie, za tydzień, góra dwa, dostanie wszystkie papiery, bilet na samolot, no ale tak się złożyło, że ostatniego wieczoru przed wyjazdem Kaliny, z samego rana musiała jechać na lotnisko, Rysiek do mnie wparował, cały w nerwach, usiadł na schodach, nie mógł ustać, mokry, jakby oberwanie chmury było, zapraszałem do środka, nie chciał, prosił, żebym szedł z nim szukać psa,

jakiego psa, pytałem, mówi Stanisław, szukać psa, powtarzał, bo od południa nikogo nie uzdrowił, dotykał i nic, rano jeszcze tak, wszystko dobrze, a po przerwie koniec, ledwo się wyrwał ludziom, chcieli, żeby próbował do skutku, schował się w domu, obiecał, że wyjdzie z powrotem, jak odpocznie, kręcili się pod oknami, co pewien czas ktoś zapukał, więc się Rysiek wymknął przez okno z tyłu domu, podarł ubranie i pokaleczył ręce, tam są chaszcze, mówi Stanisław, no i co sobie ubzdurał, ano to, że ten pies, który kiedyś przyszedł na jego podwórko, mówiłem ci o nim, że ten pies przekazał mu dar uzdrawiania, więc jak go Rysiek znajdzie i znów dotknie, to dar wróci, radziłem mu, mówi Stanisław, żeby odpoczął, wyspał się, ludźmi niech się nie martwi,

ale co tam ludzie, uniósł się Rysiek, aż Helena wyszła na klatkę pytać, co się dzieje, kazałem jej wracać, co mnie jacyś ludzie obchodzą, niech chorują, krzyczał, mogą zdychać jeden po drugim, w nerwach był, trzeba zrozumieć, mówi Stanisław, nie o ludzi chodzi, przecież ja nic nie jestem wart dla tych z Ameryki, jeśli nie potrafię uzdrawiać, stanę przed nimi, powiem, że już nie leczę, a oni na to, że na Florydzie niepotrzebny im taki hochsztapler, co raz leczy, a raz nie, z kraju, który raz jest, a raz nie, bo pojawia się na mapie i znika z niej jak pryszcze na gębie nastolatki, tak mi powiedzą, wołał Rysiek, chodź ze mną, powtarzał, mówi Stanisław, a ja, nie wiem, dlaczego wtedy o tym pomyślałem, chciałem mu powiedzieć, że ta cała jego Floryda, wystarczy popatrzeć na mapę, to żaden raj, bo tak jak Włochy mają kształt buta, tak Floryda, nie da się tego inaczej nazwać, tak Floryda to obwisły chuj, chciałem powiedzieć Ryśkowi, ale zamiast tego tłumaczyłem się, że córka i wnuczka są u mnie, o świcie jadą, nieprędko, a może już wcale ich nie zobaczę, zrozum, prosiłem go, myślałem, że to chwilowe, radziłem, żeby poczekał chociaż do jutra, nic się nie stanie, a nuż się obudzi wypoczęty i znowu będzie leczył, po co pośpiech, jeśli nie, to jutro pomogę, ale on, że nie, trzeba teraz, uparł się jak osioł, idziesz czy nie, zapytał, ja na to, że nie, to wstał i poszedł bez słowa, a ja zostałem.

Zawieja, na peronie jedna osoba, nie wiadomo, czy mężczyzna, czy kobieta, ślisko. Widzisz, to cały rok stoi, Stanisław pokazuje czarne pudło z piachem niedaleko kładki, ale mało kiedy tego używają, mogliśmy poczekać w budynku dworca, teraz już chyba nie ma sensu wracać, za kilka minut przyjedzie, chyba że marzniesz, kurtkę masz cienką, mówi podniesionym głosem, z ustami przy moim uchu, bo przez stację przejeżdża towarowy, no nie wytrzymałem, mogłem iść od razu albo wcale, a zrobiłem tak, mówi, że wyszedłem, niby na spacer, jak Helena i Kalina wzięły Romę do kąpieli, najpierw do Ryśka, tam tłum, dom obklejony ludźmi jak słoik miodu mrówkami, przy drzwiach, pod oknami, zaglądają, pukają, krzyczą, nie przeciskałem się nawet, jasne, że go nie było, mówi, poszedłem szukać, najpierw w pobliżu, potem coraz dalej, nie miałem wtedy komórki, żeby do niego zadzwonić, towarowy przejechał, ustawiamy się plecami do wiatru, z głośników ledwo słychać, tak wiatr gwiżdże, że pociąg będzie opóźniony dziesięć minut, ale opóźnienie może ulec zmianie,

wreszcie go zobaczyłem, mówi Stanisław, wołam po imieniu, on nic, idzie dalej, drę się, nie zwraca uwagi, znika za zakrętem, no to biegiem, udało się, mam go, Rysiek, mówię, stój, pomogę ci, poczekaj, daj mi oddech złapać, poszukamy razem, on nic, słyszysz, pytam go głupio, a on nie patrzy na mnie, wyprzedzam go, o tak, idź przed siebie, mówi Stanisław i ciągnie mnie za rękę, robię, jak każe, a Stanisław idzie tyłem przede mną, wyprzedzam Ryśka, mówi, a on mnie wymija, no wymiń, Stanisław ciągnie mnie w bok za rękaw, a ja znowu, on tu, ja też, on tam, ja za nim, wreszcie się zatrzymał, mówi, to ja też, rękę do niego wyciągnąłem, szkoda czasu, będzie zgoda, zapytałem, Rysiek nic, szufla, mówię, a ten, jak mnie popchnął, chyba z dwa metry przeleciałem i usiadłem na dupie, splunął, nie na mnie, tylko tak, jak się spluwa, kiedy coś między zęby wejdzie po jedzeniu, i poszedł, ani się nie obejrzał, ostatni raz mnie wtedy widział, rozłożonego na ziemi, bo zaraz wstałem i za nim, ale już na dystans, a on ani razu nie popatrzył za siebie, co się zatrzymał, żeby kogoś o psa zapytać, to i ja przystawałem, no i tak doszliśmy nad rzekę,

co tam się stało, to już wiesz, na początku ci mówiłem, komary cięły, dobrze, że miałem koszulę z długim rękawem, Rysiek przycupnął nad brzegiem, nabrał wody rękami i napił się, ja nie schodziłem niżej, nagle słyszę, że Rysiek krzyczy jak do psa, cmoka, gwiżdże, no chodź, chodź do mnie, tak wołał, patrzyłem tam, gdzie on, nic nie zobaczyłem, no, światło już inne było niż za dnia, niby jeszcze nie ciemno, a już mało co widać, i wszedł do wody, po kolana, po pas, i po człowieku, stałem jak zamurowany, mówi Stanisław, potem do wody, ale ile, do kostek, pływać nie umiem, boję się, kucnąłem i rękami szukałem pod wodą, idiota, myślałem, że go złapię, zerwałem się, biegiem wzdłuż brzegu, Rysiek, Rysiek, wołałem, z powrotem, bo może wcale nie popłynął, tylko tu gdzieś jest, gdzie go woda przykryła, do kolan wszedłem, upadłem, napiłem się wody, spazmów dostałem, w górę, na drogę, pomocy, ratunku, wołam, nic, nikt, w jedną stronę, w drugą, jak pies za własnym ogonem, sam nie wiedziałem, gdzie biegnę, patrzę, jestem z powrotem pod domem Ryśka, nie wiem jak, tłum, wchodzą i wychodzą z domu, drzwi wyłamane,

okno wybite, wrzaski, przepychanki, syreny, coraz bliżej, skąd wiedzą, pomyślałem albo i nie, a oni tu, przed dom Ryśka, policja, sąsiedzi musieli wezwać, że awantury, łapię pierwszego za mundur, człowiek w wodzie, krzyczę, utopił się, gdzie, kiedy, kto, pytają, a ja do przodu jak pies, oni za mną, dogonili, wsadzili w samochód, straż, pogotowie, nic, ciemno, przerwa, rano od nowa, i znowu, i jeszcze, koniec, a tego wieczoru, co się utopił, odwieźli mnie do domu, nie chciałem do szpitala, Kalina i Roma spały, Helena czekała, papieros od papierosa, wystraszona, że nie wracam tyle, myślałam, że to już, powiedziała, że to już, no, gdyby się nie spóźnił, to musiałbym chyba z tobą wsiąść i po drodze ci opowiadać, tylko czym bym wrócił, uśmiecha się Stanisław, słychać drugą zapowiedź, że pociąg wjeżdża na peron, pierwszą, że wjedzie, przegapiliśmy, dalej sypie, ale wiatr się uspokoił, chciałem, żebyś to usłyszał, jak samo z siebie trzeszczy, mówi Stanisław i wskazuje głośnik, już będę cicho, bo zagłuszam trzaski, ani słowa, ciągnie mnie za rękaw pod sam słup z głośnikami, widać światła nadjeżdżającego pociągu, zadziera głowę, na twarz i gołą szyję sypie mu śnieg, mruży oczy, teraz.

Spis treści

WYDAWNICTWO CZARNE SP. Z O.O.
czarne.com.pl

Sekretariat: ul. Kołłątaja 14, III p., 38-300 Gorlice
tel. +48 18 353 58 93, fax +48 18 352 04 75
mateusz@czarne.com.pl, tomasz@czarne.com.pl
dominik@czarne.com.pl, ewa@czarne.com.pl
edyta@czarne.com.pl

Redakcja: Wołowiec 11, 38-307 Sękowa
redakcja@czarne.com.pl

Sekretarz redakcji: malgorzata@czarne.com.pl

Dział promocji: ul. Marszałkowska 43/1, 00-648 Warszawa,
tel./fax +48 22 621 10 48
agnieszka@czarne.com.pl, dorota@czarne.com.pl
zofia@czarne.com.pl, marcjanna@czarne.com.pl
magda.jobko@czarne.com.pl

Dział marketingu: honorata@czarne.com.pl

Dział sprzedaży: piotr.baginski@czarne.com.pl
agnieszka.wilczak@czarne.com.pl, urszula@czarne.com.pl

Audiobooki i e-booki: anna@czarne.com.pl

Skład: d2d.pl
ul. Sienkiewicza 9/14, 30-033 Kraków, tel. +48 12 432 08 52
info@d2d.pl

Druk i oprawa: Drukarnia POZKAL
ul. Cegielna 10/12, 88-100 Inowrocław, tel. +48 52 354 27 00

Wołowiec 2017
Wydanie I
Ark. wyd. 5,3; ark. druk. 8,5

S0-BJS-111

Ciało obce

Rafał A.

Ziemkiewicz

Ciało obce

Świat Książki

Projekt graficzny serii
Małgorzata Karkowska

Ilustracja na okładce
Corbis

Redaktor serii
Paweł Szwed

Redaktor prowadzący
Ewa Niepokólczycka

Redakcja
Bogumiła Widła

Redakcja techniczna
Lidia Lamparska

Korekta
Maciej Korbasiński
Elżbieta Jaroszuk
Małgorzata Ruszkowska

Świat Książki
Warszawa 2008
Bertelsmann Media sp. z o.o.
ul. Rosoła 10, 02-786 Warszawa

Skład i łamanie
LITERA

Druk i oprawa
GGP Media GmbH, Pössneck

ISBN 978-83-247-1406-3
Nr 6691

Cóż to jest sumnienie? Mieszkanie jedno z wierzchu ciemne, ze wnątrz jasne: w którym bez okien wszystko widać, choć bez drzwi, pełno przychodzących i odchodzących.
W tem mieszkaniu dobrym – dobra i ulubiona ojczyzna: przeciwnym sposobem złym – złe i uprzykrzone mieszkanie.

Wespazjan Kochowski, *Psalmodia polska* XXIX

Pan Kurtz... on umrzeć.

Joseph Conrad, *Jądro ciemności*

Cały problem, mówię do Magdy, sam nie wiem, który już raz to mówię, cały twój problem polegał na tym, że tego człowieka, za którego wyszłaś, nigdy nie było. Ja go tylko udawałem. Dobry w tym byłem, tak dobry, że przez większość czasu sam niewzruszenie wierzyłem, że nim jestem. I gdybyś tylko trochę chciała mi pomóc, naprawdę nie trzeba było wiele, gdybyś tylko odrobinę mi poluzowała – udawałbym do dziś. I wciąż bylibyśmy ze sobą. Oczywiście, taki jaki jestem teraz, nie wyobrażam sobie, jak byśmy mogli ze sobą być, mówię, ale gdybym cię nie stracił, nie zdarzyłaby się żadna z tych rzeczy, które się zdarzyły, więc nie byłbym taki. Gdybyśmy się nie rozstali, powtarzałbym sobie dalej, że mam tyle szczęścia, ile rozsądny człowiek może od życia wymagać, i przy odrobinie obłudy z obu stron moglibyśmy do końca życia grać, ja – porządnego ojca rodziny, który kocha żonę i troszczy się o córkę, a ty – kobietę mającą dla męża tę niezbędną do życia odrobinę szacunku.

Ale ty oczywiście się na to nie mogłaś zgodzić, mówię do niej, ty zawsze – albo wszystko, albo nic. No więc musiało się skończyć na niczym.

Tak, bo, słuchajcie, główny problem z Magdą polegał na tym, że nic nigdy nie było dla niej wystarczająco doskonałe. Na wszystkim potrafiła wypatrzyć jakąś rysę, skazę, to nieważne, że widoczną tylko dla niej jednej, jej to wystarczało, czepiała się tego niedoskonałego szczegółu z całej siły, nawracała do niego bezustannie, oglądała ze wszystkich stron i już nic innego się nie liczyło. Z niczego nie umiała być zadowolona, niczym się cieszyć. Całe nasze wspólne życie, kiedy patrzy na nie dzisiaj ten człowiek, którym jestem, całe to nasze życie było jednym wielkim stresem, ciągłym problemem, nieustannym napięciem i rozpaczliwą ucieczką. Ucieczką Magdy przed nieuporządkowaniem świata. Wtedy nie rozumiałem, że ona ucieka. Że ta ciągle stwierdzana niedoskonałość wszystkiego wprawia ją w przerażenie, w histeryczny popłoch. A przecież to było logiczne. Oczywiste. Jeśli świat nie jest doskonały, to znaczy, że w każdej chwili może się zmienić – a jeśli może się zmienić, to może się i rozpaść. Chciała znaleźć przed tym jakąś obronę, ale wszystko, w czym się próbowała ukryć, z bliska też okazywało się niedoskonałe, rozczarowywało ją, zawodziło. I z tych wszystkich rozczarowań i zawodów największym, najbardziej bolesnym byłem ja. Bo zamiast ideału, który udawałem, okazałem się – jak każdy człowiek – kawałkiem mięsa, nasączonego krwią, żółcią i limfą, wydzielającego z siebie śmierdzący pot, szczynę, bździnę i gówno, z kałdunem pełnym flaków i głową zapchaną myślami o załatwieniu swoich biologicznych potrzeb. Tego właśnie nie umiałaś mi wybaczyć, mówię do Magdy.

Mówię do Magdy, ciągle do niej mówię, ciągle się przed nią tłumaczę. Rzeczpospolita Polska ustami ondulowanej sędzi ogłosiła, że z uwagi na niezgodność charakterów tych kilkanaście lat było tylko nieporozumieniem, którego skutki anuluje się niniejszym za pomocą stempla, podpisu i znaczków skarbowych. Minęły od tego czasu, od chwili, gdy ostatni raz zmuszeni byliśmy zamienić ze sobą parę słów, już prawie dwa lata – a ja ciągle do niej mówię, ciągle się przed nią usprawiedliwiam albo oskarżam, albo coś tłumaczę. Widocznie to jeszcze jedna rzecz, której się nie można oduczyć, tak jak spania na swojej połowie łóżka – nawet jeśli pamiętasz, żeby zasnąć na środku, to i tak twoje ciało skorzysta z sennej nieuwagi, żeby naprawić niedopatrzenie i ulokować się po właściwej stronie.

A łóżko mam wielkie jak pastwisko. To był pierwszy mebel, na jaki się w swoim nowym życiu szarpnąłem. Naprawdę się szarpnąłem – po tych wszystkich pieniądzach, jakie wirowały wokół mnie przez ostatnie miesiące, nie jestem w stanie przypomnieć sobie sumy, w porównaniu z nimi śmiesznej, ale wtedy to była dla mnie straszna kasa. Dopiero co udało mi się wynająć mieszkanie, cały mój dobytek wciąż ograniczał się do kilku par dżinsów, swetra, podróbki amerykańskiej kurtki wojskowej i sterty gaci, skarpet, koszulek, ręczników, czego tam jeszcze, wszystko wala się po podłodze w torbach z supermarketu albo wisi na klamkach, gołe ściany, goła podłoga – i w środku tej pustki tragarze ze sklepu skręcają gigantyczne łoże jak z Hollywood, dwa czterdzieści na dwa, z wyzłoconą, ozdobną balustradą z obu stron i grubym, podwójnie resorowanym materacem. Nie ma Magdy? I bardzo dobrze. Wreszcie jestem wolny, w pełni sił, ledwie skończyłem czterdziestkę, a świat jest pełen towaru, tylko brać. Od dziś istnieją tylko trzy żelazne zasady, trzy jedyne rzeczy, które sobie przysięgam: zero wyrzutów sumienia wobec kobiet, zero uczuć dla którejkolwiek i zero onanizmu.

Nie ma Magdy. Ale mojego pomałżeńskiego łoża też już nie ma. W ogóle nie ma już niczego, tylko drwiąca pewność siebie Buchaltera i ten niespecjalnie czysty przedział w pociągu pośpiesznym do Suwałk, od stacji Białystok jako osobowy. Bolesny skurcz w gardle i słona bania w żołądku, kiedy pociąg szarpie nagle, kołysze się i rusza. Perony Centralnego zostają w tyle i w mroku tunelu nagle dopada mnie atak strachu. Gadam do siebie, żeby go zagłuszyć.

Właśnie wyruszyłem po swoją śmierć.

Sięgam po butelkę. Muszę uważać, by nie upić się za szybko, więc tylko trochę, na początek. Byle zagłuszyć ten strach. Głupi strach. Przecież to jeszcze tyle godzin.

Wszystko naraz. Ojciec, Magda, doktor Hans, Kreszczyński, Groszek, agencja Artura, dziennikarze, dziewczyny z pijaru, kobiety z... Niech będzie najpierw Danka. Jakoś właśnie o niej mam teraz ochotę myśleć i mówić. Danka, mój punkt dojścia i, jak mi się przez dłuższy czas zdawało, optymalne rozwiązanie moich problemów. A teraz – jedyne wspomnienie, z którym nie wiążą się żadne wyrzuty sumienia ani gorycz. Przeciwnie, na samą myśl o niej w spodniach robi się twardo, a śmierć wydaje się dalsza. Beztroski, radosny seks bez żadnych konsekwencji, czyli dokładnie to, co sobie nawzajem obiecaliśmy.

Danka. Kobieta z ogłoszenia w pornolu. „Mam ochotę na niezobowiązujący seks z superfacetem z Warszawy" – i numer oferty. Superfacet, rozśmieszyło mnie to określenie, może z tego powodu wybrałem to właśnie ogłoszenie z całej kolumny. Napisałem parę słów o sobie, że wolny, z własnym mieszkaniem, gwarantuje dyskrecję oraz higienę i tak dalej. Tydzień później znalazłem na komórce esemesa.

Nigdy nie odważyłem się zapytać, ile ma lat, mogła być ode mnie trochę starsza, ale na oko nie więcej niż dwa, góra trzy lata. Dla kobiety, w każdym razie dla pewnego typu kobiety, takiej właśnie jak Danka, to kapitalny wiek. Wie już wszystko, czego mogła się nauczyć, i używa tej wiedzy z nieopanowaną zachłannością, żeby wykorzystać coraz bardziej ograniczony czas. Imponował mi jej seksualny apetyt, może nie tyle nawet imponował, ile leczył z kompleksów; po każdym rżnięciu czułem się uspokojony i dowartościowany jak rzadko w życiu. Szła prosto od drzwi do łazienki, zawsze w pośpiechu, bo praca, dzieci, mąż, zresztą ja też nie miałem ochoty na przydługie powitania – a potem od razu klękała przed moim kutasem. Przysysała się do niego zgłodniała, bezwstydnie, radośnie i ze znawstwem pozwalającym jej nieomylnie wyczuć, w którym momencie przerwać obciąganie i nadstawić się, tak żebym, zanim się spuszczę, jak najdłużej pozostał twardy. Przy całym okazywanym podnieceniu, posapywaniu, wszystkich tych krzykach i wbijaniu mi paznokci w pośladki, gospodarowała moją erekcją jak skrzętna gospodyni mężowską pensją, żeby nie zmarnować ani jednego pchnięcia. Bardzo rzadko trafiał się jej na tyle gorszy dzień, że odpuszczała i w którymś momencie dokańczała mnie na zewnątrz, pozwalając trysnąć sobie na piersi.

No dobra: nie były to cycki z rozkładówki „Playboya", wolałbym odrobinę jędrniejsze. Ale mogły być. Właściwie można to samo powiedzieć o całej Dance. Wszystko w niej było takie: może być. Mogłaby mieć odrobinę smuklejsze uda, odrobinę węższą talię, parę centymetrów więcej wzrostu, ale na każdy z tych braków swobodnie dawało się przymknąć oczy. Zwłaszcza że po początkowych obiekcjach, wygłoszonych bardziej dla dopełnienia rytuału niż z rzeczywistej obawy, dość szybko pozwoliła się związać. Nawet przed kneblem się zbyt długo nie broniła. Może ją też to podniecało. Ale chyba raczej przekonała się, jak bardzo to podnieca jej „superfaceta" i podnosi jego wydolność.

Bo rzeczywiście, mimo całej wypijanej gorzały i nerwów organizm jakoś mi wtedy nie nawalał – o, przeciwnie, mogłem być z siebie bardzo dumny. A już najbardziej tego dnia, kiedy Danka przyniosła zabawki od siebie z redakcji. Długo się do tego zbierała. Mówiła wcześniej co raz, to by ci się spodobało, ale, cholera, żeby mnie nie przycięli, no sam wiesz, chyba nic z tego, no, nic z tego – a za jakiś czas znowu, ale może mi się uda, wiedziałem, że w końcu przyniesie, bo zaczęło ją to podniecać, aż pewnego popołudnia przyszła z wypchaną torbą i uśmiechając się tajemniczo, zabrała tę torbę do łazienki. Wyszła stamtąd w pończochach, szpilkach i skórzanym gorseciku odsłaniającym piersi, w grubej obroży, z naręczem akcesoriów. Niektóre były śmieszne i zupełnie bez sensu, jakaś imitacja bata z pasków czarnej flaneli czy łańcuszki jak przy klozetowej spłuczce, ale inne okazały się bardzo praktyczne, zwłaszcza knebel, twarda, skórzana kula na mocnym pasku z zapięciem na kark. Wsłuchiwałem się, jak przez ten knebel Danka pomrukuje aprobująco, gdy ją rżnąłem spętaną, pełen szczęścia i ulgi, że cokolwiek tam było z Groszkiem, minęło, że teraz już mogę tak bez końca, wydawało mi się, że zaraz pęknę z dumy – bezbrzeżnie zadowolony z siebie markizek de Zadek. Chyba już ostatni raz w życiu mi się wtedy zdarzyło, żeby być z siebie tak zadowolonym, więc zapamiętałem dokładnie. Kiedy Danka wyszła, usiadłem zaraz do komputera, jeszcze cały osłabły i rozmarzony, żeby pochwalić się udanym seksem mojej internetowej powiernicy. A przy okazji, racząc ją szczegółowym opisem, jeszcze raz to wszystko poprzeżywać. Czy może raczej upewnić się, że to naprawdę ja jestem tym facetem, któremu zaczęły się wreszcie takie rzeczy przydarzać. W każdym razie wyszyłem do Iris długiego mejla i potem kręciłem się z godzinę koło komputera, licząc, że odpowie i – jak tyle razy wcześniej – utniemy sobie podniecającą pogawędkę o wrodzonej uległości kobiet i rozkoszach, jakie daje im zniewolenie. Ale tego wieczoru najwyraźniej nikogo tam po drugiej stronie nie było, czekałem na próżno, popijając i puszczając sobie muzykę, aż w końcu udało mi się zasnąć.

A niewiele później, nie pamiętam, może parę dni, może tygodni, z adresu Iris przyszedł do mnie list od Kreszczyńskiego. Z kolorową fotką. A potem Kreszczyński krótko i brutalnie poinformował, że mają przeciwko mnie zeznania mojej własnej córki i jest tylko kwestią jego dobrego humoru, czy mnie zgnoi, czy nie.

Pewnie, że się przestraszyłem. Ale wcale nie strach był najgorszy. Najgorsze było upokorzenie. Straszliwe poczucie upokorzenia, które przyszło wraz z bezradnością i rezygnacją, wraz ze świadomością, że muszę ulec, bo nie pozostawiono mi żadnego wyjścia – i że wszystko nagle poskładało się do kupy. Wszystkie zdarzenia, słowa, szaleństwa, zupełnie niezależne od siebie, nagle osaczyły mnie szczelną obławą, nagle wszystko zaczęło do siebie pasować, zmieniać się w jeden logiczny obraz, ktoś to wszystko długo mozolnie nizał i trzeba było takiego kretyna jak ja, żeby przez tyle czasu się nie spostrzec – a teraz nic już nie mogłem zrobić, nawet gdybym tego przeklętego pedała zamordował sto razy na wszystkie sposoby, jak to sobie bezsilnie roiłem. Zrozumcie, nie jestem żadnym zboczeńcem, nigdy w życiu przez myśl by mi nie przeszło, że można dotknąć własnej córki, nawet nie umiem sobie wyobrazić nic obrzydliwszego – ale on oczywiście miał rację, że nikt by w to nie uwierzył. Pamiętam jej oczy, z jaką odrazą na mnie patrzyły, pamiętam, z jaką nienawiścią moja Nusia cedziła, że nigdy nie wybaczy mi tego, co zrobiłem mamie, Magda tyle lat wychowywała ją w pogardzie do ojca, że już wiele nie było trzeba. I jeśli nawet pedał na swoją zgubę blefował, bo czasem myślę, że może, to w każdym razie lepiej blefować nie mógł. Wiedziałem, i on też musiał wiedzieć, że moja córeczka nie tylko jest gotowa zeznać przeciwko ojcu najpodlejsze kłamstwa, ale – gorzej – że jest w stanie w nie święcie uwierzyć.

Tak się wtedy czułem, pomyślałem, jak musiał się czuć przez te wszystkie lata mój ojciec. A w każdym razie, jak się musiał czuć w ostatnich tygodniach swojego życia. Tylko że ja jeszcze za głupi wtedy byłem, żeby cokolwiek zrozumieć. Wtedy to był mój czas zaprowadzania na świecie porządku. Czas, w którym ten świat był prosty, czarno-biały, i przy odrobinie wysiłku, na który byłem gotów, mogłem go urządzić jak należy, naprawiając błędy wszystkich poprzednich pokoleń. Ojciec musiał doskonale wiedzieć, co mnie rozpiera, bo gdy czasami mnie ponosiło i zaczynałem pleść jakieś rzeczy zupełnie już niemożliwe, nie unosił się, nie krzyczał ani nie użerał jak z Andrzejem. Uśmiechał się tylko. Ale uśmiechał się bez odrobiny politowania czy rozbawienia – ze smutkiem, którego wtedy nie umiałem zrozumieć, nie umiałem nawet zauważyć. A może z zazdrością.

– Dobierają się wreszcie łajdakom do dupy – mówię, czy coś w tym stylu, w każdym razie nie kryję swego gorącego zaangażowania w sprawę. – A ci twoi by się po prostu wstydzili, tato. Zachowują się haniebnie, ha-nieb-nie, tato.

Podbijam mocno każdą sylabę, patrzę na ojca prowokująco, niech zareaguje choć słowem, niech tylko da mi szansę wyrzucić z siebie z pasją całe moje święte oburzenie. „Ci twoi" to oczywiście jego przyjaciele, których przez całe moje dzieciństwo było pełno w tym samym zawalonym książkami i rocznikami gazet pokoiku, w którym teraz siedzimy. W mojej dziecięcej pamięci ojciec zawsze tkwi w tym pokoju, wciśnięty w kąt za swoim biurkiem i perorujący z papierosem w ręku, trzymał tego papierosa w bardzo charakterystyczny sposób, nie jak to robi większość ludzi, końcówkami palców, ale u samej ich nasady, jak robotnicy na zimowym zrębie, kiedy palą w grubych trójpalczastych rękawicach – tak że żar wydawał się wychodzić mu z dłoni niczym ostrze przebijającego ją od wewnątrz gwoździa. Wywijał tą dłonią z papierosem, podkreślając z pasją puenty, popiół sypał się na dywan i między serwety, bardzo złościło to matkę, że wszędzie pełno tego nawcieranego butami i łokciami popiołu. Zresztą wszyscy na tych spotkaniach u ojca palili, smród zastałego tytoniu nie dawał się wypędzić z jego gabinetu żadnym praniem ani trzepaniem. Znam ten zastały odór z mieszkań palaczy i serdecznie go nie znoszę, ale w moich wspomnieniach dym papierosowy nie jest przykry. Kojarzy się z niedostępnym dla dziecka wtajemniczeniem, z brodatymi twarzami i podchwytywanymi przez szparę w drzwiach strzępami rozmów o duchu Soboru, granicach kompromisu, upodmiotowianiu i budowaniu podstaw społeczeństwa obywatelskiego. Nie dam głowy, czy rzeczywiście padały tam takie określenia. Dawno już zauważyłem, że moja pamięć kłamie straszliwie, wciąż przyłapuję ją na uzupełnianiu po latach wyblakłych, gasnących kadrów szczegółami, których pierwotnie wcale tam być nie mogło. Moja pamięć tłucze wszystko na proszek i układa z okruchów mozaiki według linii, które wytycza w imię jakichś własnych, niezrozumiałych dla mnie kryteriów. I pewnie nie tylko moja. Nigdy nie mogłem się dogadać z Magdą co do najprostszych faktów. Latami skutecznie rozbijała się o to moja głupkowata wiara, rodem z amerykańskich poradników, że każdy małżeński konflikt można sobie racjonalnie wyjaśnić, przedyskutować i wspólnie znaleźć rozwiązanie. Akurat! O czym tu dyskutować, kiedy w chwilę po sprawie wersja zapamiętana przez

Magdę była diametralnie sprzeczna z tą, którą doskonale pamiętałem ja?

Chociaż jeśli chodzi o Magdę, pamięć może nie miała tu nic do rzeczy. Ona po prostu słyszała co innego, niż się do niej mówiło. We wszystkim znajdowała od razu drugie dno, pomijając z lekceważeniem pozory, które może zwiodłyby kogo innego, ale nie ją – deszyfrowała bezustannie każde rzucone przy niej zdanie, rozłamywała je jak szpiegowski kod. Jeśli mąż mówi, że jest piękna pogoda i dobrze by było wyjść na spacer, to najwyraźniej dla jakichś podejrzanych celów chce się pozbyć żony z domu. A kiedy przy obiedzie poprosiłem: „Kochanie, mamy tu gdzieś sól?", to moja Magda natychmiast odcyfrowywała, że naprawdę powiedziałem: „Nic nie umiesz, nawet zupy posolić jak należy". Już ona wiedziała. Zresztą, powiedziałem to przecież „takim tonem" albo „z taką miną". Ton i mina zawsze okazywały się „jakieś", żeby już nie pozostała żadna wątpliwość.

Znajomi, kiedy chcieli być dla mnie mili, mówili coś w stylu: „Tak szczerze, wiesz, stary, dziwiłem się zawsze, że tak długo z nią wytrzymałeś". Ludziom się wydaje, że jak chcą okazać życzliwość człowiekowi świeżo rozwiedzionemu, to nic lepszego, niż mówić źle o jego byłej żonie. Wkurzali mnie tylko i nigdy nie podejmowałem takiej rozmowy, ale gdybym podejmował, to odpowiedź brzmiałaby: wytrzymałem z Magdą tak długo, bo z czasem nauczyłem się uważać na każde wypowiadane przy niej słowo. Umiałem przewidzieć, czego się doszuka w niewinnym zdaniu, i zawczasu odpowiednio je ocenzurować. Nawet nieźle mi to czasami wychodziło. Ale też nic innego nie było trudniejsze do wytrzymania. Można jakoś wytrzymać seksualną oziębłość żony, dom wionący emocjonalnym chłodem, nawet ciągłe poniżanie w oczach córki – ale nie to, że każda prosta rozmowa jest chodzeniem po polu minowym i wymaga stałego natężenia uwagi. Latami.

Nie zawsze tak było. Dopiero od chwili, kiedy Magda dowiedziała się o moim drugim życiu.

Najgorsze z moją pamięcią nie jest to, że fałszuje ona zdarzenia, rozmowy i postaci, że z czasem żółknie i blaknie albo zatraca całe miesiące. Najgorsze jest to, że poza nią nie mam niczego innego i muszę, wiedząc doskonale, jak niewiele jest warta, ufać jej bezgranicznie. Przyjaciele mojego ojca przemawiają tu głosami, które na pewno zostały dograne potem, zgodnie z zasadami dedukcji: skoro ojciec był znanym i ważnym działaczem katolickim, a jego gabinet miejscem spotkań opozycyjnych elit, to na pewno musiały się tam toczyć ważkie dysputy o przyszłości kraju i Kościoła, o tym, czy wejdą Ruscy i kiedy samemu „wchodzić", wierząc w sens pracy organicznej, a kiedy trwać w sprzeciwie.

Ale równie dobrze mój stary mógł tam sobie opowiadać z kumplami pieprzne kawały nasycone niezrozumiałymi dla mnie aluzjami. Dźwięki w moich wspomnieniach nie zasługują na zaufanie. Jedynym, w prawdziwość czego mogę wierzyć, jest obraz – ten oglądany przez szparę w drzwiach: ojciec za swoim biurkiem, szczupły, siwy, ze sterczącym spomiędzy palców papierosem i brodaci faceci w swetrach albo sztruksowych marynarkach, wtedy wydawało mi się, że strasznie starzy, wszyscy kopcący okrutnie z papierosów albo fajek – matka przeciskała się pomiędzy nimi, żeby otworzyć szerzej okno albo upchać gdzieś pośród papierów i szkła nowy talerz z kanapkami ozdobionymi na wierzchu kawałkiem pomidora, ogórka czy rzodkiewką i szczypiorkiem. Nawet później, kiedy już podrosłem, ojciec nigdy nie chciał przenosić na synów tych rozmów, które toczył ze znajomymi.

Naprawdę. Nie chcieli mi wierzyć, kiedy to mówiłem: mój ojciec nigdy nie rozmawiał z dziećmi o dziadku, wojnie, deportacjach ani o Wronkach, a już zwłaszcza nie rozmawiał z nami o polityce. O Katyniu najpierw dowiedziałem się od kolegów ze szkoły. Kiedy ojciec znalazł w moich rzeczach podziemne pisemka, był wściekły. Aż głos mu się łamał, gdy wygłaszał mi długie kazanie o głupocie dzieci, które nie zdają sobie sprawy, że ci bandyci potrafią zniszczyć każdego bez żadnych skrupułów, że trzeba rozsądku, rozsądku i jeszcze raz rozsądku i w moim wieku w żadnym wypadku nie mogę się dać sprowokować. Tak powiedział – „dać się sprowokować". Teraz wiem, to wcale nie była wściekłość; on się bał. Bał się o mnie śmiertelnie, strachem, którego ja, szesnastolatek, po prostu nie mogłem pojąć. Udawałem, że słucham go z uwagą i w skupieniu, czekając, aż się zmęczy i przestanie chrzanić. Nie wiem, czy bardziej poruszyło go, że wbrew jego woli zadałem się z „polityką" i przynoszę do domu bibułę, czy że była to bibuła skupiona na demaskowaniu komuny jako żydowskiego spisku, okraszona rubryką humoru w stylu, czym się różni sejm peerelu od belgijskiego – że w belgijskim jest połowa Belgów, połowa Żydów, a w polskim nie ma Belgów.

Może zresztą ten kawał słyszałem zupełnie gdzie indziej, ale moja pamięć przykleiła go potem do tego wspomnienia, bo poniewczasie tłumaczył niezrozumiały w pierwszej chwili gniew ojca – moja bibuła na kilometr śmierdziała mu ubecją, ale mnie to wtedy nie przyszło do głowy.

Ostatecznie wyszło na jego – ja w końcu dałem sobie z polityką spokój raz na zawsze, a brata w ogóle nigdy to nie zainteresowało, bo poszedł w sekciarstwo. Zastanawiam się czasem, który z nas bardziej skrócił ojcu życie. Ja, klarując mu, że Polska nie będzie naprawdę niepodległa, dopóki stanowczo i bezlitośnie nie rozliczy i nie ukarze wszystkich komunistycznych kolaborantów i kapusiów, czy Andrzej, wywrzaskując, że żądny bogactwa i politycznej władzy kler sfałszował nawet dekalog i zataja przed wiernymi to, że Jezus przez dwadzieścia lat podróżował po Indiach, ucząc się od tamtejszych mistrzów.

Nie, tak naprawdę wcale się nad tym nie muszę zastanawiać. Wiem, że ja.

Znacznie lepiej od ludzi, którzy pojawiali się w gabinecie ojca, zapamiętałem stojące tam książki. Pewnie każdy mężczyzna przechowuje w duszy to szczególne, niepowtarzalne wspomnienie odkrywania tajemnic ojcowskiego biurka i biblioteki. Wszystko w tym jest: oddech wielkiej tajemnicy uśpionej w szufladach z ciemnego drewna, egzotyczny zapach skóry i fajkowego tytoniu, fascynacja każdym walającym się drobiazgiem, czy to wielka, ozdobna zapalniczka, z której dawno wypadł kamień, kryształowa popielniczka wypełniona drobiazgami, nadrdzewiała puszka po prince albercie czy pudełko zapałek z trójwymiarową Japonką, w zależności od kąta patrzenia ubraną w koronkowy peniuar albo same majteczki. I do tego dreszcz emocji, czy w którymś momencie wdzierający się na zakazane lądy eksplorator nie zostanie przyłapany.

Zawsze było tam mnóstwo książek. Niektóre ustawione równo, jakby miało im to zrekompensować to, że nikt po nie nigdy nie sięga, inne w stosach, po naleganiach matki wdzierającej się do ojcowskiego królestwa z odkurzaczem przerzucanych z jednego miejsca w drugie. I te, o których sam ojciec najchętniej ze mną rozmawiał. Stevenson, Conan Doyle, polskie, rozlatujące się wydania w czarno-czerwono-niebieskich okładkach ze zwijającego się w rulon kartonu, podsuwane mi do czytania, i oryginały, które pozwalał oglądać tylko w swojej obecności; dostojne, oprawione w skórę, ze złoceniami i ilustracjami, część mu przysłano, ale większość sam przywiózł z Zachodu. Mówił, że kiedyś, gdy nie będzie już miał na głowie ważniejszych spraw, napisze esej o literaturze popularnej aż do czasów Sherlocka Holmesa. To, co było później, nie jest interesujące, mówił, amerykański „czarny kryminał" to tani sentymentalizm i rozwadnianie Hemingwaya, wszystko, co fascynujące, zdarzyło się wcześniej. Pan Lecocq i zbrodnia w Orcivall, *Księżycowy kamień* Collinsa, *Doktor Jekyll i Mr. Hyde* Stevensona. Zwłaszcza o tym ostatnim potrafił opowiadać, że nie znamy i zapewne nie poznamy już nigdy pierwotnej wersji utworu, którą żona pisarza spaliła, przerażona i zniesmaczona opisem tego, co uwolnić miał z szacownego doktora Jekylla jego eliksir. A tekst, który w końcu wydrukowano – ojciec łatwo się rozgadywał, gdy wchodził na ten temat – to blady cień tego, co być miało, w okropne skłonności Hyde'a musi czytelnik wierzyć na słowo, i nigdy się nie dowiemy, co tak zmroziło w mężowskiej powieści szacowną panią Stevenson.

Była tam jeszcze wielka pożółkła księga w bardzo grubych brązowych okładkach – wszystkie powieści i opowiadania o Sherlocku Holmesie w jednym wielkim tomie. Nie rozumiałem po angielsku, ale lubiłem oglądać ilustracje, oryginalne ryciny z „The Strand", z wąsatym doktorem Watsonem, czasem dzierżącym grubą, staroświecką laskę z gałką, a czasem rewolwer, i z Holmesem w kraciastym płaszczu oraz podróżnej czapeczce z dwoma daszkami. Ojciec mówił, że nauczył się angielskiego właśnie na Holmesie, i kiedy miał rzadkie okazje spotkać się z Anglikami czy Amerykanami, wiktoriański styl, w jakim budował zdania, wzorując się na swoich ulubionych bohaterach – *I dare say, that...* – nieodmiennie budził rozbawienie rozmówców. Dla niego to nie był problem nauczyć się jeszcze jednego języka – mówił po francusku i niemiecku, płynnie radził sobie z hiszpańskim i włoskim, ja po latach nauki angielskiego ledwie potrafię rozmówić się w najprostszych sprawach, a on dla przyjemności czytał sobie wieczorami siedemnastowieczny romans pikarejski. Mówił, że kiedyś go przełoży. Tę książkę pamiętam najlepiej ze wszystkich. Pamiętam jej czerwoną oprawę i tłoczony tytuł *Guzman de Alfarache*. Pamiętam, bo któregoś dnia – parę lat później – miało się przez nią rozsypać całe moje życie.

Mówił o mnóstwie rzeczy, jakie jeszcze napisze, kiedyś, gdy wreszcie będzie miał trochę czasu. Ale kiedy umarł, nie znalazłem w jego papierach żadnego śladu, żadnej przymiarki do książki czy eseju o wszystkich sprawach, które mi opowiadał. Nie znalazłem w nich w ogóle prawie niczego. Choć umarł tak nagle, wszystko zostawił posegregowane, nie było w jego szufladach żadnych bezładnych szpargałów, jakby zawczasu pamiętał o ich przejrzeniu i zniszczeniu śmieci. Nie przyszło mi w związku z tym do głowy nic specjalnego.

Był wtedy potwornie upalny czerwiec, od trzydziestu dni nie padało i wokół Warszawy płonęły lasy. Czasem, szukając dla siebie usprawiedliwienia za to wszystko, co wygadywałem w naszych ostatnich rozmowach, nie wiedząc oczywiście, że to już ostatnie, myślałem sobie, że ojciec umarł, bo zabrakło mu wyobraźni. Nie jemu jednemu. Nikt sobie wtedy nie wyobrażał, że w wolnej Polsce tak to będzie wyglądać – spisane zostaną czyny i rozmowy, tylko nikomu się za chuj nie będzie chciało tego wszystkiego czytać.

Całe szczęście, że w tym pociągu jest tak pusto. Niby nic dziwnego – kto miałby tłuc się do Suwałk w piętnastostopniowym, lutowym mrozie? Ale chce mi się wierzyć – to sam Pan Bóg daje mi znać, że aprobuje moje zamiary. Chociaż od tylu już lat nie żyjemy ze sobą w przyjaźni. Bo niby jak? Nie byłbym w stanie się przemóc, żeby pójść do spowiedzi, opowiadać to wszystko jakiemuś Bogu ducha winnemu księżulowi, bo co on by mógł z mojego życia zrozumieć i jakim prawem miałby o nim wyrokować. Ale nie umiem też skrzesać w sobie heretyckiej buty mojego brata. Andrzej, gdyby znalazł się na moim miejscu, nie miałby żadnych rozterek – skoro księżowskie gadanie ma mnie unieszczęśliwiać, to do diabła z nim. Nikt mi nie będzie mówił, czego Bóg ode mnie chce, wiem to od niego samego, powiedział mi osobiście.

Może to dlatego, że choć jestem starszy zaledwie o kilka lat, świat, w którym dorastał on, był już zupełnie inny od tego, który zdążył jeszcze uformować mnie. Ja, zapisując się na oazę, miałem poczucie, że schodzę do katakumb, gdzie się spotykają ludzie prawi i prześladowani przez reżim. Oczywiście rozczarowałem się tym wszystkim strasznie, żadnej rojącej mi się antypańswowej działalności, choćby nawet miała polegać tylko na gadaniu czy czytaniu zabronionych przez cenzurę książek, nie było w tych kościelnych ruchach ani śladu. Okazało się, że wdepnąłem w zwykłe kółko dewocyjne, ze śmiesznym księdzem-opiekunem, któremu mefistofeliczny profil i kozia bródka zyskały ksywę „Diabełek". To przezwisko oddawało też manię naszego moderatora – która zresztą była jedynym odejściem od klepania zdrowasiek w stronę, jaką od biedy mógłbym uznać za bardziej interesującą. Manię demaskowania wszechogarniającego światowego spisku „szatanistów", tak zawsze mówił, przez „sz". Wystarczyło podpuścić Diabełka kilkoma pytaniami, a zaczynał, że „szatanistami" byli i Lenin, i Trocki, i Stalin, Marks z Engelsem zwracali się do siebie w nagłówkach listów „mój diable" i tak dalej, może i zdołałby mnie tym zarazić, gdyby dorzucił do listy Jaruzela, ale jego akurat oszczędzał, w zamian skupiając się na demaskowaniu gwiazdorów muzyki rockowej i Hollywoodu.

Skłamałbym, gdybym polegał na mojej pamięci, dlaczego dałem sobie wreszcie spokój z tą sodalicją; po prostu ze znudzenia czy też nie mogąc się już fizycznie zmusić do opowiadania Diabełkowi po raz kolejny w konfesjonale, że znowu dopuściłem się „nieskromnych uczynków względem ciała" – sam się zastanawiam, jak umiałem to wtedy mówić, nie parskając śmiechem, tonem okropnie pokutnym i zbolałym – i wysłuchiwania jego księżulowskich rad, żebym uprawiał sport, dużo się gimnastykował i brał zimne prysznice. Oczywiście, że uprawiałem sport, dużo się gimnastykowałem i brałem zimne prysznice. Gówno pomagało.

Zamknąłbym to w niepamięci jak tyle innych spraw, gdyby nie Danka – znowu o niej. Przy wszystkich zaletach jeden nawyk miała irytujący – uwielbiała mnie nazywać „niegrzecznym chłopczykiem". Puszczałem to mimo uszu, żeby jej nie robić przykrości, bo widocznie myślenie o facecie, który ją rżnął, jako o małym chłopczyku musiało ją podniecać. A najbardziej podniecało ją patrzenie, jak się onanizuję. No wiesz, każdy facet to kiedyś robił, próbowałem z początku wybrnąć, ale już widzę, jak ją to kusi, aż piersi jej nabrzmiewają i robią się różowe: pokaż mi, niegrzeczny chłopczyku, jak to robiłeś, no pokaż. No wiesz, przysięgałem sobie, że już nigdy w życiu, mówię, ale ona: nie musisz tryskać, ja cię potem dokończę. No i pomyślałem, w końcu każdy ma swoje dziwactwa, Danka się nie opierała moim, to dlaczego ja mam jej odmawiać drobnej przyjemności. Strasznie ją to nakręciło i chciała potem powtarzać tę zabawę wiele razy – siadała po przeciwnej stronie łóżka albo na fotelu, rozkładała szeroko nogi i wpatrzona, jak walę konia, łapała się za łechtaczkę. Nacierała ją sobie tak mocno i szybko, że ja nigdy bym się nie odważył, w ogóle bym nie pomyślał, że można kobietę w tym miejscu miętosić tak bezceremonialnie. Sapała, jęczała i rzeczywiście dochodziła, zanim cokolwiek uroniłem – a potem, tak jak obiecywała, szło już normalnie.

Dopiero po tylu latach zrozumiałem, dlaczego Diabełek zawsze się upewniał, czy moje „nieskromne uczynki wobec ciała" popełniane były w samotności. Skoro w samotności, to mniejszy problem. Grzech nie jest aż tak straszny, dopóki udaje się go dobrze ukryć, dopóki nie gorszysz innych owieczek bożych – dzisiaj już tego księżowskiego żargonu dokładnie nie powtórzę, ale tyle mniej więcej wynikało z nauki, jaką mi serwowano od dzieciństwa: jak już jesteś grzeszny, to trudna rada, ale przynajmniej udawaj, grzesz w tajemnicy, żeby inny grzesznik myślał, że tylko on jeden jedyny odstaje od ogólnie wysokiego poziomu.

Niby to wiem, ale jakoś wewnętrznie nie potrafię się do końca zbuntować. Nie wiem dlaczego. Nigdy nie potrafiłem sobie powiedzieć, jak mój młodszy brat: taki właśnie jestem, jaki jestem, i już, mam swoje potrzeby i mam, jak każdy, prawo do ich zaspokojenia. Tak akurat jestem poskręcany, marzę o tym, żeby gwałcić kobietę, żeby być jej władcą, dominować, trzymać ją krótko przy pysku i zmuszać, by mi dogadzała – i moje dobre prawo znaleźć taką, która będzie chciała tego samego, a jeśli obojgu nam będzie to odpowiadać, to co komu do nas?! Dlaczego władowałem się w wieloletni, toksyczny związek z dziewczyną, cudowną, ale tą właśnie, której cieleśnie nigdy do mnie nie ciągnęło, a już do takich rzeczy zwłaszcza, i dlaczego, kiedy wreszcie zacząłem się z tego związku wyzwalać, dałem się wpędzić w tak straszne poczucie winy?

Odpowiedź na to pytanie jest banalnie prosta i bez trudu znalazłem ją już dawno: bo jestem żałosnym dupkiem.

Ale nawet nie mam o to do Boga wielkiego żalu. Tylko on jeden wie, przed zabrnięciem w jakie draństwa ta pierdołowatość mnie ocaliła.

Otwieram okno, mroźny wiatr tnie po twarzy, pozwala się uspokoić. Może to nie jest dobre miejsce ani odpowiedni moment, żeby rozpamiętywać takie rzeczy jak spotkania z Danką. Ale zawsze tak miałem, ilekroć zaczynałem myśleć o Bogu, śmierci i wszystkich tych sprawach, niepostrzeżenie schodziło mi na przyziemne sprawy płciowego niezaspokojenia. Widocznie one wcale nie są takie przyziemne.

Dla Magdy to wszystko było proste. Dla niej w ogóle wszystko było proste. Przysięgałem jej przed Bogiem i ludźmi miłość, wierność i to, że jej nie opuszczę aż do śmierci. Nie byłem wierny i opuściłem. O czym tu rozmawiać, powiedziałaby tym swoim nieopisanie zimnym tonem, dystyngowanym i pełnym zbolałości, którą wszyscy brali za wyższość. Ona się ze wszystkiego wywiązała, ona przecież nie zawiodła, nic nie można jej zarzucić.

Kto w ogóle, kurwa, wymyślił te słowa małżeńskiej przysięgi? Jak można komukolwiek przysięgać miłość? Uczciwość, wierność, no, to tak. Na pewno są tacy, co potrafią w razie czego wziąć na wstrzymanie i zalecaną przez księży metodą wysublimować popędy w twórczość artystyczną albo wyżyć się w bieganiu i zimnych prysznicach. Uczciwość, lojalność to są rzeczy, nad którymi możesz zapanować, a jeśli nie zapanujesz, może ci ktoś kazać czuć z tego powodu winę.

Ale miłość? Nagle, pewnego dnia spotykasz inną kobietę, i okazuje się, że to jest właśnie ta, której szukałeś, całe twoje ciało wyrywa się do niej jak pies na łańcuchu – i co masz z nim zrobić? Nagle, pewnego poranka patrzysz na kobietę w swoim łóżku i uświadamiasz sobie, że od dawna już twoje ciało daje ci sygnały: nie, dość, pomyłka, zawracać! I co na to poradzi przysięga, choćby pod nie wiem jakimi kapłańskimi klątwami ją składano? W każdą sobotę i niedzielę tysiące par przed tysiącami ołtarzy pokornie powtarza za księdzem te bzdury, nie zdając sobie sprawy, że miłości sobie przysięgać nie można – a po paru latach i tak wszystko im się rozłazi, krzywdzą się nawzajem, nienawidzą, żrą jak pies z kotem, wciągają w to dzieci i nikt się nie zastanowi, że coś jest spieprzone w samym pomyśle.

Powiedziałem: lojalność? No, to użyłem wreszcie ulubionego słowa doktora Hansa. Rozmawiał ze mną, bo ja wiem, pięć, dziesięć minut, a powtórzył je kilka razy. Znaczy: poświęcił mi niesamowicie dużo czasu i uwagi jak na faceta, który nie jest premierem, ministrem ani nawet posłem i nie można z nim zrobić żadnego interesu.

Fajnie, chyba cały wagon pusty. To przynajmniej przez połowę drogi mamy spokój. Wracaj, chłopie, do przedziału, możesz już sobie pozwolić na następny łyk.

A więc doktor Hans – tu się zaczyna ścieżka, która skończy się za parę godzin u celu tej podróży. Wywyższenie. Oto zostałem zaproszony na osobistą rozmowę z człowiekiem z samych szczytów listy najbogatszych Polaków, z największym biznesmenem czy oligarchą, czy jak go tam zwać, Trzeciej Najjaśniejszej. Z facetem, który w swoich spółkach ma w pejrolu kilkunastu byłych ministrów i Bóg jeden wie, ilu przyszłych, jest głównym sponsorem partii politycznych, za ganc, prawicowych czy lewicowych, byle miały szansę dojść do władzy, i w ogóle – wiadomo. Przy okazji też powszechnie w kraju znienawidzonym. Wyjąwszy, nawiasem mówiąc, jego rodzinne miasteczko. Mówił mi Artur, że kiedyś Hans zlecił badania swojego wizerunku i tak właśnie wyszło: z całego kraju tylko w swoim mieście wzbudza więcej uczuć pozytywnych niż negatywnych. Co prawda tam też zdrowo naprzekręcał, ale u nas zawsze najważniejsze, czy kto jest swój. Po co mu zresztą te badania były? Może pluć z piątego piętra na to, co sobie ktokolwiek o nim myśli, a interesy prowadzi tego rodzaju, że rozgłos tylko w nich przeszkadza. Rozsądek nakazywałby każdemu na jego miejscu zamknąć się gdzieś i oganiać od dziennikarzy grubym drągiem. A już na pewno nie wsadzać swego nazwiska do nazwy każdej powoływanej na potrzeby holdingu spółki. Jeszcze zrozumiem, po co mu były te fotki w kolorowych pismach, sprowadzanie do Polski baletu z Moskwy czy stradivariusa z Nowego Jorku. Pijar jest pijar, każdy biznesmen musi dbać o swój wizerunek, a że Hans dbał bardziej od innych, też da się zrozumieć, w końcu miał więcej od innych kasy. Zresztą dobrze, że wydawał ją na takie rzeczy, dzięki temu agencja Artura mogła załapać się na ich zlecenie, a przez nią z kolei i ja. Ale tej ostentacji z nazwami spółek nie rozumiał nikt. Co by to był za nius, że jakiś bank czy pakiet kontrolny w państwowej firmie mającej wyłączność na pośrednictwo w handlu gazem czy ropą, czy w sieciach energetycznych, wykupiła, powiedzmy, spółka ABC Poland czy inny tam Przekręt SA? Żaden. Jakiś Maciek czy któryś z jego kolegów po fachu pewnie by za tym połaził, odkrył oczywiście, do kogo prowadzą powiązania kapitałowe, opublikował to u siebie, w dziale gospodarczym na siedemnastej stronie gazety, gdzie nikt nie zagląda, i tyle. Ale jeśli ta firma nazywała się Nowaczyk Tradex czy Nowaczyk Enterprise? Podnosił się krzyk, szajbusy krzyczały o tym z sejmowej mównicy, gazety pisały komentarze, a Hansowi pewnie to nic a nic nie szkodziło, ale po co?

– To psychologia – tłumaczyłem, kiedy rozmawialiśmy o tym właśnie z Maćkiem. – On musi podkreślać swoje znaczenie. Niech go sobie nienawidzą, byle podziwiali.

– A ja myślę, że to ta jego żona – odpowiedział. – To ją mają wszyscy podziwiać, a wiadomo, że istnieje tylko jako jego żona, więc go tak nakręca.

Nie, nie miał racji. U źródła wszystkiego musiała być zaburzona samoocena, kompleks zmuszający do stałego potwierdzania posiadanej władzy i mocy. Tłumaczyłem to Maćkowi, pamiętam tę rozmowę; a prywatnie, nie jako dziennikarza, prosiłem, żeby nigdy tego, co ode mnie usłyszy, nie pisał. Szpanowałem – już wtedy. Dla znajomych stałem się w sprawie Hansa kimś w rodzaju eksperta, skoro nie tylko dla faceta pracuję – niezależny audytor w holdingu, jak to brzmi – ale jeszcze on sam osobiście przekazywał mi to zlecenie. Nie wyprowadzałem Maćka z błędu. Nie rozgadywałem się, co konkretnie robię dla holdingu, niech wszyscy myślą, że to coś strasznie ważnego, odrobina tajemnicy przydaje człowiekowi znaczenia.

Dlatego umiem rozszyfrować Hansa, że i mnie takie gierki nie są obce.

Ten „Hans" potwierdzał moje domysły. Ciekawe, czy to było jego przezwisko z podwórka, czy cinkciarska ksywa, może wzięło się z tego lewego paszportu, na którym robił za Jaruzela interesy w Niemczech, opisywane swego czasu w gazetach – jak to u nas, na opisaniu się skończyło. Na pewno podobało mu się, że tak go podwładni nazywają. Prezesów, dyrektorów czy szefów w holdingu było gdzie spluniesz, a przecież każdy wiedział, że nie pracuje dla nominalnego szefa firmy ani dla samej firmy, bo co to tam firma, zwykły szyld, formalna rejestracja potrzebna do wygodniejszego przelewania pieniędzy czy odpisywania VAT-u – tylko dla doktora Hansa. Jako jego osobisty lennik, choćby najniższej rangi. Bo Nowaczyk Holding to oczywiście nie jest żaden holding, tylko klan, podporządkowany w działaniu zasadzie silnych więzi osobistych bardziej niż służbowych podległości. To mogłem Hansowi powiedzieć nawet bez audytu, na podstawie tego, co wiedziałem z prasy i od znajomych, tylko niby w jakim celu. Nie po to mnie chciał zatrudnić.

Moja pamięć przechowała z tego spotkania żałośnie mało. Głównie to, że strasznie sapał i w ogóle wyglądał niezdrowo, jakiś taki opuchnięty, zupełnie nie jak na zdjęciach przepuszczonych przez cenzurę jego firmowego pijaru. I tych dwóch facetów bez szyi przy stoliku obok wejścia, każdy z igielitową rurką skręconą jak kabel od słuchawki telefonicznej, wychodzącą z ucha i chowającą się za kołnierzem. Wcześniej widziałem faceta z taką rurką z bliska tylko raz, na inauguracji roku akademickiego, którą raczył na naszym wydziale zaszczycić sam pan prezydent, dopiero potem mi się opatrzyli, jak zacząłem chodzić na biznesowe rauty.

Wyznaczył mi spotkanie nie w biurze, tylko w restauracji na dole, ale cała boczna sala była pusta, pewnie do osobistej dyspozycji prezesa. Ze mną był Artur, jako ten, który mnie rekomendował, a z nim facet, którego nazwisko usłyszałem wtedy przez łomoczące mi w uszach z wrażenia tętno jako „Leszczyński", i długo potem tak go w myślach nazywałem, dopiero przy opracowywaniu ankiet okazało się, że Kreszczyński. I to oni dwaj zwracali się do mnie „panie doktorze"; po raz pierwszy, i na szczęście ostatni, od wielu lat ktoś tak do mnie mówił.

– Oczywiście, słyszałem o pańskich osiągnięciach, bardzo się cieszę, że będzie pan dla mnie pracował. Bardzo mi zależy na pańskiej opinii. Proszę się nie wahać żądać wszystkiego, co będzie panu potrzebne. Pan prezes – skinął głową w stronę Kreszczyńskiego – będzie z panem w stałym kontakcie, ze mną też jest w stałym kontakcie, więc jeśli będzie potrzeba i tak dalej. Parę mało istotnych pytań, kilka uwag mających świadczyć, że docenia wagę prawidłowej komunikacji wewnętrznej i zewnętrznej w swoich spółkach, szczególnie w okresie tak dynamicznego wzrostu jak w ostatnich latach. Czysta kurtuazja. I niczego więcej się nie spodziewałem. Wszystkiego, co chciał wiedzieć o mnie, mógł się już dawno dowiedzieć od swojego personelu. A ja, nawet jeśli chciałbym się dowiedzieć o nim czegokolwiek więcej niż z gazety, i tak nie miałem po co pytać.

Nie, zaraz, jak mogłem zapomnieć – przecież zirytował mnie wtedy maksymalnie: z tych piętnastu minut z siedem poświęcił na idiotyczną, nadętą przemowę o narodowych interesach, którymi musi się kierować biznes, o bezpieczeństwie energetycznym państwa, zahaczył o jakiegoś stryja, pułkownika spod Monte Cassino, i drugiego, działacza londyńskiej emigracji, żebym nie miał wątpliwości, że do zagarniania szmalu popchnął go wyłącznie patriotyzm. Zabawnie to brzmiało w ustach człowieka uważanego za symbol wszystkich przekrętów i szwindli Trzeciej Najjaśniejszej. Widocznie uznał, że na synu znanego opozycjonisty w ten akurat sposób zrobi najlepsze wrażenie, wielu ludzi zresztą tak zakładało. Skąd mógł wiedzieć, że mówi do człowieka, który właśnie tylko przez wzgląd na nieżyjącego ojca postanowił nie dawać po sobie poznać, że dawno już stracił wiarę.

Chociaż to, że na towarzyskich imprezach robiłem za dyżurnego katolickiego fundamentalistę, także wtedy, kiedy już nieźle zgłębiłem tajniki podwójnego życia, nie było wcale nieszczere. Gdy mówiłem, że Kościół albo wróci do zasad sprzed Soboru, albo się rozleci, kiedy broniłem celibatu, watykańskiego potępienia dla rozwodów i antykoncepcji, to nie była wcale obłuda, choć nazajutrz po takiej rozmowie znikałem na parę godzin z rzeczywistości, żeby spotkać się z kochanką.

No więc tyle z tego spotkania było, że Hans obejrzał mnie sobie w krótkiej przerwie między jedną a drugą ważną sprawą i przekazał Kreszczyńskiemu. Jeśli po zapoznaniu się z rezultatami mojej pracy będzie miał jeszcze jakieś pytania, to zaprosi mnie ponownie. Bieżące sprawy – z panem prezesem. To znaczy – ze Staszkiem, Staszek jestem, mówmy sobie po imieniu, tak będzie prościej.

Kreszczyński, dla odmiany, zrobił na mnie bardzo dobre wrażenie. Jakżeby inaczej, uczą ich tego przecież. Sympatyczny facet, konkretny, będzie się z nim dobrze współpracowało. W najmniejszym stopniu nie przypominał pedała. Chociaż Kinga, kiedy potem, przy jakiejś okazji, przyznałem jej się do zdziwienia, orzekła, że chyba jestem zupełnie ślepy. Przecież wystarczy spojrzeć na jego buty, śmiała się, żaden normalny facet nie chodziłby w takich butach. Widocznie kobiety mają na nich jakieś lepsze oko.

Oczywiście że w ogóle mi to nie przyszło do głowy. Nie mogło. Po prostu nie mam w tym kierunku żadnych skłonności. Absolutnie żadnych. Teraz myślę sobie na przykład: ile razy obejrzałem ten internetowy filmik, na którym jest chłostana i gwałcona modelka łudząco podobna do mojej żony? Nie da się policzyć. Pamiętam dokładnie bieliznę tej dziewczyny, sposób, w jaki jest skrępowana, knebel, pejcz, czy jak tam to nazwać, taki sztywny kawał skórzanego pasa z uchwytem z jednej strony, wszystkie szczegóły – a faceta, który na filmie dokonuje tej egzekucji, nie jestem w stanie sobie przypomnieć w najmniejszym stopniu. Może był mały, pękaty, w dżinsach, a może wysoki mięśniak w skórach, nie mam pojęcia. Po prostu nigdy na niego nie spojrzałem, nie mam tych skłonności w najmniejszym stopniu. No, nie spojrzałem także dlatego, że ile razy to oglądałem, to właściwie ja byłem tym człowiekiem, który chłoszcze zniewoloną kobietę po wypiętym tyłku aż echo idzie, a potem ją posuwa, niezdolną do niczego, poza bezradnym pomrukiem. Po to sobie to zgrałem na twardy, po godzinach w uczelnianym centrum informatycznym, żeby od czasu do czasu być tym facetem, a ona żeby była Magdą. Modelka naprawdę była do niej bardzo podobna. Każdy ma gdzieś na świecie sobowtóra, mówią. Sobowtór mojej byłej żony pracuje w branży porno w Kalifornii. Śmieszne. Żebym nie wiem jak długo myślał, nie umiem sobie wyobrazić niczego, co by mniej do Magdy pasowało.

W centrum komputerowym przesiadywałem po godzinach oczywiście w ramach robienia doktoratu. Robiłem go teoretycznie sześć lat. I jeszcze ze cztery habilitację, a gdyby chciało mi się ubiegać o przedłużenie, mógłbym tę habilitację robić do dziś. Prosta, zrozumiała sprawa: uciekałem z domu. Przez wiele lat robiłem to podświadomie, i gdyby ktoś powiedział mi w oczy, jaka jest prawdziwa przyczyna tego wszystkiego, mógłbym się z nim bić: ja bym wszystko zrobił, żeby spędzać jak najwięcej czasu z żoną i dzieckiem, ale jestem przecież człowiekiem odpowiedzialnym, muszę zarabiać pieniądze, muszę budować naszą wspólną przyszłość. Nieprawda, szajs, udawałem, okłamywałem samego siebie, tak jak w każdej innej sprawie. Uciekałem od żony i jej wiecznej depresji, uciekałem od atmosfery domu, w którym wszystko rozrastało się do rozmiarów życiowego problemu, uciekałem przed wrzaskiem Nusi, przed pieluchami, dziecięcymi chorobami, z których pewnie połowa albo i więcej była urojona, ale nie śmiałbym postawić takiego zarzutu nawet w myślach. No i przede wszystkim uciekałem przed Potworem.

Nie potrafię jej nazywać w myślach inaczej. Wszystkie wredne teściowe z kawałów nie dorastały Potworowi do pięt. Ona nie była sekutnicą, przemądrzałą mamuśką, która wszystko wie lepiej i we wszystko się wciera, czy żandarmem, to znaczy wszystkim tym także, ale sekutnica czy baba-żandarm to są postaci normalne, z tego świata. A ona była po prostu potworem. Bez reszty przekonanym o swojej nieomylności i wyższości, rozgrzeszonym poczuciem krzywd bezustannie doznawanych od całego świata, nienawidzącym wszystkich dookoła i bezwzględnym w egzekwowaniu tego, co jej się należało, a należała się, w jej przekonaniu, władza absolutna nad wszystkim. A już zwłaszcza nad córką.

Kiedy uświadomię sobie, jak ja nienawidzę tej kobiety. Boże, może byłbyś mi w stanie wybaczyć kurewstwo, podwójne życie, obłudę i wszystkie inne moje grzechy, nawet samobójstwo, ale takiej nienawiści, domyślam się, nie możesz, choćbyś chciał, tym bardziej że ja z kolei nie mogę skrzesać w sobie najdrobniejszej iskierki żalu czy wstydu. Gdyby na moim miejscu znalazł się jakiś prawdziwy mężczyzna, po prostu by ją zabił. Bo nic mniej by nie wystarczyło. A jeszcze po śmierci trzeba by zołzę przebić dobrze zastruganym osikowym kołkiem.

– Ja wiem, że ty masz jakąś babę, i ja cię na tym przyłapię – rzuciła mi kiedyś w chwili szczerości.

No i marzenie się spełniło, ma wreszcie Magdę wyłącznie dla siebie i może ją teraz wykończyć. Może zresztą wykończą się nawzajem. Bo częścią codziennej grozy, jaką niosło ze sobą to małżeństwo, było obserwowanie, jak Magda tydzień po tygodniu nabiera cech Potwora, choć przecież doskonale sobie zdawała sprawę ze wszystkich wad swojej matki, wiem, bo przegadaliśmy o tym naprawdę wiele czasu. A jednak to jest od człowieka silniejsze. Powtarzamy charaktery swoich rodziców, powtarzamy ich losy, wchodzimy w przetarte przez nich koleiny i bezwiednie nimi podążamy, by w końcu utonąć w tym samym bagnie, które ich pochłonęło. Cały sens życia polega na tym, żeby, zanim to się stanie, każdy zdążył jeszcze okaleczyć na własny obraz i podobieństwo swoje potomstwo. Nie mam wątpliwości, że Magda odpłaci Potworowi na starość, tak jak Potwór zdążył odpłacić swojemu ojcu.

Nikt mi nigdy tej rodzinnej historii nie opowiadał, ale z sumiennością badacza postrzępionych papirusów zrekonstruowałem ją sobie mozolnie z urywków rozrzuconych po różnych rodzinnych spotkaniach. Dziadek Magdy spłodził kilkoro dzieci, na samym końcu córkę, a potem, zanim zdążyła ona przyjść na świat, beztrosko poszedł sobie na wojnę. Wojnę, jak wiecie, przerżnęliśmy, dziadek trafił do obozu internowanych w Rumunii, stamtąd bohatersko przedarł się na Zachód, a w tym czasie jego żona, nie mogąc sobie w okupacyjnej nędzy poradzić z utrzymaniem licznego potomstwa, oddała najmłodszą córeczkę na wieś jakimś dziesiątym wodom po kisielu. Dziesiąte wody po kisielu też nie miały do jej wychowywania głowy ani czasu, czy może ktoś tam umarł, w każdym razie Potwór trafił do jakiejś innej wsiowej rodziny, a potem do jeszcze innej i tak się tułał między coraz bardziej obcymi ludźmi, można sądzić, że niezaszczycany specjalną uwagą, a tym bardziej uczuciami. Matka z rodzeństwem nie przeżyła powstania, ojciec, nie wiadomo po jaką cholerę, wrócił w czterdziestym siódmym, i nawet spotkał się przy jakiejś okazji z córką. Miał powiedzieć ludziom, u których była, że w życiu nie widział tak brzydkiego dziecka albo że nie może jej wziąć do siebie, bo będzie mu przypominać utraconą rodzinę, a może tylko że weźmie córkę do siebie, jak tylko się jakoś urządzi, wersji było dużo, w zależności, kto opowiadał i kiedy. W każdym razie zdążył ożenić się z inną kobietą, ale córkę zostawił na łasce losu, może dlatego, że nowa żona nie chciała, a może bo od razu wylądował w pudle. Wyszedł po pięćdziesiątym szóstym ze zniszczonymi płucami i jakby mu jeszcze było w życiu mało, zaangażował się w Gomułkę i w naprawianie socjalizmu, co zajmowało mu zbyt wiele czasu, żeby utrzymywać z dzieckiem kontakty, zresztą do tego czasu nauczyło się już ono radzić sobie w życiu samo. A miało niby inne wyjście?

I na tym by się mogło skończyć, gdyby druga żona dziadka Magdy nie umarła nagle, nie dając mu nowego potomstwa. Nie wiem, jak to potem szło, jak rozkładał się na lata proces powolnego zbliżania się do siebie, aż w końcu między ojcem a córką zaciągnął się ten sam neurotyczny węzeł, który połączył potem Magdę i Potwora. Nienawidzili się i nie byli w stanie bez siebie żyć. Dręczyli się przy każdej możliwej okazji, stosując różne wyrafinowane techniki wyprowadzania się nawzajem z równowagi w taki sposób, by świat musiał przyznać, że to wina tamtego, nie moja, to ja jestem uciśnioną niewinnością, podziwiajcie, z jaką cierpliwością znoszę to, co mnie od niego/niej spotyka. Wiem, bo byłem wraz z Magdą zmuszony brać w tym udział jako widownia, bez której cała rozgrywka nie miałaby sensu. Oczywiście próbowałem nie przyznawać racji nikomu, i z punktu widzenia taktyki było to rozwiązanie najgorsze, bo narażałem się obojgu. Magda była jeszcze bledsza i jeszcze bardziej umęczona niż zwykle, wyłamywała nerwowo palce, ale tak czy owak stara w końcu musiała ją mieć po swojej stronie, w przeciwnym razie zaczynała swoim zwyczajem umierać, żeby pokazać wyrodnej córce, do czego doprowadziła. Umarłaby za którymś razem naprawdę, gdyby tylko ktoś dał jej stuprocentową gwarancję, że wzbudzone w ten sposób wyrzuty sumienia na pewno zdołają Magdę zabić. Zresztą dokładnie tę samą grę stosował jej tatulek: biedny, stary obrońca i budowniczy ludowej ojczyzny, który z historycznych powodów nie mógł dać swojej córce tyle serca, ile chciał, ale za to dziś znosi cierpliwie i wyrozumiale jej fanaberie. Nie miał w tym starciu szans, biologia grała przeciwko niemu, naprawdę się starzał, a chorował bodaj od zawsze, i nie miał nikogo innego, kto by mu podał kubek wody do popicia leków, wykorzystując oczywiście tę okazję do palnięcia stosownego kazania.

Nie żałowałem go wcale. Przy każdej możliwej okazji usiłował mnie sprowokować do kłótni o politykę, startując z jakimś komunistycznym bełkotem, w którym slogany przedwojennego pepeesu mieszały się z frazami rodem z propagandy peerelu, z lekkim nalotem moczarowskim i silną dozą antyklerykalizmu. Były to jedyne chwile, w których Potwór natychmiast stawał po mojej stronie. Nie dlatego, żeby miała jakieś ugruntowane poglądy polityczne, po prostu musiała przy każdej okazji wykazać dobitnie, że „tatuś” nie zna się na niczym i jest wrednym kabotynem. I odwrotnie. Rytuał został ustalony na długo przed moim pojawieniem się tam: ktoś wypowiadał się na jakikolwiek temat, a potem już szło, replika po replice w tonie coraz bardziej jadowitej uprzejmości, coraz cięższa od aluzji i bardziej naszpikowana złośliwościami, aż do finalnego furioso, furioso oczywiście w treści, co do formy obowiązywała dystynkcja oraz staranna praca nożem i widelcem. Jeszcze tylko wieńczący rozmowę atak rozedmy albo kołatania serca, potem wzajemne użalanie się nad sobą, wszystko oczywiście najeżone szpilami, i już można wracać do domu. Rodzinny obiad w miłej atmosferze, stary polski obyczaj. Rzygałem na samą myśl o kolejnym, ale wierzyłem głęboko, że Magda myśli to samo co ja. Nie oponowała, choćby nawet tym swoim uniesieniem brwi, kiedy odreagowywałem spotkania z jej rodziną. Rozkładała tylko ręce i mówiła: „To przecież moja matka". I co miałem zrobić? To przecież była jej matka. Co tam, najważniejsze, że się kochamy, że Magda jest ze mną, że mamy śliczną córeczkę, a teściowa, no trudno, po to są teściowe, żeby dawać w kość, w życiu nie ma idealnych sytuacji.

Ale najgorsze jest to, że uciekając z domu, sam w końcu wepchnąłem swoją żonę z powrotem pod władzę Potwora. Męża nie było, a mamusia – zawsze. Zawsze gotowa, zawsze chętna do okazania, jak bardzo się poświęca, ile dla niej robi, narzucająca się namolnie ze swoją nadopiekuńczością. Przez całe dzieciństwo nie miała dla córki czasu, Magda wychowywała się w świetlicach i na stołówkach, typowe peerelowskie dziecko z kluczem na szyi – a teraz, nagle, kiedy córka oznajmiła twardo, że kocha i jest kochana, wychodzi za mąż, wyprowadza się i już, powiedziałam i już, czy ci się to podoba, czy nie, i kiedy jeszcze się okazało, że w bezpośrednich starciach córka przestała ulegać emocjonalnemu szantażowi matki i konsekwentnie staje po stronie męża, teraz stara okazała się najbardziej kochającą matką na świecie, która w środku nocy przyjdzie na każde wezwanie i bez wezwania też, odejmie sobie od ust i objedzie wszystkie co do jednego sklepy meblowe w Warszawie, żeby wybrać dla wnuczki to właśnie jedyne, idealne, najlepsze łóżeczko, jakie tylko można znaleźć. Potwór postawił sobie zadanie, że, choćby miało to trwać latami, odzyska kontrolę nad Magdą – i Potwór swego dopiął. Z pomocą moją i Nusi. „No, przy dziecku Madzia przecież musi mieć pomoc, a ty jej nie pomożesz, zwłaszcza że musisz pracować". Trudno było zaprzeczyć. A jeszcze trudniej było się jej pozbyć, kiedy już zaczęła przychodzić. Im bardziej panoszyła się w naszym domu, tym bardziej ja się wycofywałem, uciekałem w chałtury, doktorat i służbowe wyjazdy, im bardziej się wycofywałem, tym dawałem jej silniejszy powód do narzucania się z pomocą i tym więcej czasu, żeby mogła dzień po dniu mozolnie nakręcać Magdę przeciwko mnie. Tak samo jak potem Magda nakręciła przeciwko mnie naszą córkę.

Swoją drogą, co ja chcę od Potwora, że zmuszała nas, byśmy byli publicznością w jej wojnach z ojcem, ja przecież też potrzebuję publiczności, choćby nawet zmyślonej. Muszę do kogoś gadać, no więc gadam do was – sam nic z tego wszystkiego nie zrozumiem, ale wy, moje audytorium, zrozumiecie, choć wiem doskonale, że was nie ma, że gadam w pustkę, w mroźną pustkę, w którą wbija się ten pociąg. Jakby wszystko, co mówię, co myślę, mogło w niej zamarznąć i pozostać dla nieznanych archeologów. Jak ten myśliwy, o którym kilka dni temu czytałem w gazecie, zwrócony światu przez alpejski lodowiec po trzech tysiącach lat.

Jak to możliwe, że kochasz kobietę i jesteś dla niej gotów na wszystko, a piętnaście lat później zostaje z tego tylko fizyczny wstręt, nienawiść i góra wzajemnych pretensji? Na to pytanie jest odpowiedź, ale jej udzielenie wymaga właśnie piętnastu lat. Właściwie, żeby być ścisłym, siedemnastu. Komu innemu może by zajęło mniej, ale ja nigdy nie umiałem nawet przed samym sobą postawić sprawy jasno, powiedzieć sobie, jak przystało na mężczyznę: jest tak i tak, a wyjście tylko tędy albo tędy i trzeba się na coś zdecydować. Nigdy w życiu nie byłem do tego zdolny. Jeśli sytuacja robi się napięta, to lepiej rozładować ją żartem, komplementem, zmienić temat. Nie myślmy na razie o problemach, byle nie dziś. Jutro. Kiedyś. Może coś się samo z siebie naprawi. Przez wszystkie te lata nie podjąłem żadnej decyzji. Wszystkie podjęły się same, ja tylko dostosowywałem się do sytuacji i póki to było możliwe, robiłem, co mogłem, żeby się nie wydało. A było możliwe bardzo długo.

Między innymi właśnie dzięki temu, że stworzyłem sobie tak duże możliwości ucieczki. A szczerze mówiąc, udało mi się to przez czysty przypadek. Nie jest tak, żebym nienawidził swojej pracy, po prostu zawsze była mi ona kompletnie obojętna. Zdałem maturę i uświadomiłem sobie, że właściwie nie mam żadnych sprecyzowanych zainteresowań ani planów. O historii czy literaturze, na które zwykle się w takiej sytuacji zdaje, w moim wypadku nie mogło być mowy – już do końca życia byłbym wtedy tylko synem swojego ojca, stale by mnie z nim porównywano, i wiadomo, na czyją korzyść. Nauki ścisłe, medycyna czy politechnika nie ciągnęły mnie w najmniejszym stopniu. Poza tym czułem mdłości na myśl, ile trzeba tam wkuwać. Języki obce wchodziły mi opornie, greka czy łacina nudziły śmiertelnie... Chwilę zastanawiałem się nad prawem, gdybym wiedział, że tak się w kraju pozmienia, może bym się zdecydował, ale nie mnie jednemu nie przyszło do głowy, że dożyję końca przodującego ustroju. A na studia iść było trzeba, wojsko wisiało nad karkiem, no i rodzice – po prostu nie wyobrażali sobie, że mógłbym być pierwszym od pokoleń dziedzicem nazwiska bez dyplomu.

I akurat otworzyli na uniwerku wydział zarządzanie. Nie wzbudzał entuzjazmu, mało kto się tam wybierał, mówiono, że ma kształcić kadry, które będą zarządzać socjalizmem „po nowemu", bo że po staremu się dłużej nie da, to już wtedy wiedzieli – chociaż na czym by miało polegać to „nowe", nikt jeszcze nie miał bladego pojęcia. Egzamin był łatwy, ekonomia wydała mi się nauką na tyle luźną i niepoważną, że byle opanować żargon, da się studiować i dziesięć lat. No i trudno było o dziedzinę, w której mniej by mi groziło zderzenie się z legendą ojca, niż „zarządzanie". Ojciec nie miał zielonego pojęcia o zarządzaniu nawet własną garderobą, bez mamy nie wiedział, w której szufladzie ma czyste gacie, a w której podkoszulki, to wszystko w domu należało do niej, wiecznie zaganianej, ciągle coś szorującej albo pichcącej, wyliczającej na karteczce domowe wydatki. Wpływ ojca na dom ograniczał się do oddawania jej każdego zarobionego grosza – odkąd mniej więcej zacząłem się w tym orientować, nie mogłem wyjść z podziwu, jak jej się udawało utrzymać nas wszystkich za honoraria opozycyjnego pisarza i eseisty. Bez matki ojciec nie umiał sobie nawet ugotować herbaty. Siedział po uszy w sporach z Teilhardem de Chardinem, Sartre'em czy Dmowskim, w historii emigracji, szansach Mikołajczyka i jakichś innych abstrakcjach, o których pies z kulawą nogą już dziś nie pamięta. A dla odprężenia opowiadał mi o Guzmanie de Alfarache i panu Hyde. Więc naprawdę o wyborze przeze mnie studiów zadecydowały wyłącznie te sprawy, nie było w nim cienia kalkulacji. A potem okazało się, że zupełnie przypadkiem obstawiłem bodaj najlepszy los na loterii i że specjalizacja, którą ostatecznie sobie wybrałem, za parę lat zacznie się z angielska nazywać „pijarem", i w dobie transformacji ustrojowej okaże się mieć wielką przyszłość.

Nie mam talentu do pijaru, jak zresztą do niczego w ogóle, to znaczy myślę o tej pomysłowości, jak tu zawsze przedstawić sprawę w korzystnym świetle. Kiedy Artur zaczynał jako człowiek od promocji w prywatnym wydawnictwie i jakiś krytyk powiedział o ich książce: „Szekspir to nie jest", to Artur jakby nigdy nic potrafił walnąć na skrzydełko: „Znany krytyk X porównywał autora tej powieści z Szekspirem". Ja po prostu zająłem się tym, czego mnie uczyli. Że wybrałem taką a nie inną specjalizację to też był przypadek, nikt po prostu nie chciał tego robić, bo trzeba było dużo jeździć po Polsce, zwłaszcza jeśli badało się dużą firmę, a głównie takie skłonne były sobie fundować jakieś kapitalistyczne nowinki. A mnie to odpowiadało: dwa, trzy dni poza domem, nocowanie po hotelach. W ten sposób zostałem jednym z pierwszych w Polsce specjalistów od komunikacji wewnętrznej i kiedy Artur zaproponował mnie holdingowi Nowaczyka, mógł tę propozycję poprzeć taką stertą papierów, że konkurencja nie miała szans.

Gdybym chciał, mógłbym na tym dyplomie z zarządzania zarobić mnóstwo kasy, jeszcze ze swoim nazwiskiem bez trudu załapałbym się do jakiejś prywatyzowanej spółki albo lokalnego oddziału dużej firmy konsultingowej, miałem kupę propozycji, zwłaszcza zaraz po Okrągłym Stole, kiedy komuchy za opozycyjne nazwisko płaciły jak za zboże. A mnie po prostu nie zależało na pieniądzach. Dla ludzi, którzy spotykali się u mojego ojca, to zdanie zabrzmiałoby, jakbym się chwalił. Dla środowiska Artura czy Maćka dokładnie te same słowa są pewnie przyznaniem się do niewybaczalnej głupoty. Dla mnie to po prostu fakt: nie zależało mi na wielkich pieniądzach, ogromnym samochodzie, willi pod miastem. Uważałem, że bez żadnego cudowania zarabiam wystarczająco jak na nasze potrzeby, a Magda nigdy tego nie kwestionowała, nigdy w życiu nie zrobiła najdrobniejszej aluzji, że ci albo tamci postawili sobie dom, polecieli w podróż dookoła świata. Stać nas było na własne mieszkanie, samochód, którym nigdy nie jeździłem, dobre rzeczy dla dziecka i na to, żeby Magda mogła pracować naukowo, praktycznie za darmo, tylko po to, żeby się realizować. W sumie dla większości moich rówieśników byłem szczęściarzem bez trosk. Kiedy ktoś usiłował mnie namówić do jakichś fantastycznych interesów, żartowałem, że pieniądze wpadają mi tylko wtedy, kiedy o nich nie myślę. Tak było naprawdę, nigdy nie miałem finansowych problemów. A kiedy tylko zaczynały się zbliżać, spadł mi jak z nieba Artur, a potem doktor Hans.

Czy to znaczyło, że Bóg mnie aprobował? Raczej był ciekaw, co dalej zrobię. Obserwował dziwoląga, jak biolog obserwuje stworka w terrarium i podrzuca mu karmę, żeby eksperyment nie zakończył się za wcześnie. Co za głupia myśl. Na parę godzin przed śmiercią powinienem chyba myśleć o czymś ważniejszym niż pieniądze. Mam ich, zdaje się, całą kupę na tym koncie inwestycyjnym, czy jak to się nazywa. Nawet myślałem, żeby coś z nimi zrobić, jakoś je zapisać, Groszkowi, Kasi, Ewie, Ewie zwłaszcza, może jeszcze Kindze... Ale gdybym zaczął to robić, spieprzyłbym cały efekt. Weźmie je sobie z powrotem bank doktora Hansa, i bardzo dobrze, niech tę całą kasę szlag trafi, bo to przecież forsa, którą obsypał mnie Kreszczyński.

– Nie możesz tak wyglądać – naskoczył na mnie. Nie wiedziałem, jak się zachować, bo w końcu znaliśmy się ledwie od paru dni, i to wyłącznie z pracy. Ale uznałem, że przemawia przez niego troska o wizerunek firmy. – Nie może audytor holdingu być ubrany jak dziad. Skąd ty żeś wytrzasnął taką marynareczkę, z pedetu? I zrób coś z tą siwizną!

Powiedziałem, że się na tym nie znam i nie przywiązuję wagi – uśmiechnął się wyrozumiale i, jakby mimochodem, zaoferował mi firmową kartę kredytową na opłacanie knajp, zakupów i czego tam jeszcze.

– Tylko po agencjach płać gotówką, bo tego księgowość nie uzna – zażartował.

Wziąłem, dlaczego miałem nie wziąć. A na agencje towarzyskie wystarczały mi oszczędności z poprzednich chałtur. Po przyjacielsku dał mi jeszcze wizytówkę stylistki, a na odwrocie dopisał nazwę środka do włosów. Nie farby, broń Boże, tylko „środka przywracającego włosom naturalny kolor". Muszę chyba mieć mózg z drewna, ale nawet wtedy nie przyszło mi do głowy, że to pedał.

Tym bardziej nie mogło mi przyjść do głowy, że już niedługo ten pedał będzie łkał w moich ramionach, że mnie kocha, i prosił, żebym go mocniej przytulił, a ja go, kurwa, będę posłusznie przytulał coraz mocniej i mocniej, i nawet nie będę już w tym momencie czuł obrzydzenia do siebie samego, bo dojdę do stanu, w którym nie czuje się już w ogóle nic, zupełnie nic, jakby się było drewnianą, wydrążoną pałubą.

Ale na to trzeba było jeszcze wielu miesięcy używania firmowej karty. Zresztą karta to były grosze – „wszystko pójdzie w rozliczenie", nie ma problemu. Parę dni później przy piwie pedał zainteresował się życzliwie stanem moich finansów i nie posiadał się z oburzenia, że tej klasy fachowiec jak ja jest materialnie uzależniony od takiej byle pijarowskiej drobnicy jak agencja Artura i Przema.

– No tak, rozwód, wszystkie związane z tym sprawy, to każdego może wykończyć, no, wiem coś o tym – pokiwał ponuro głową. – Ale właśnie dlatego nie można się poddawać.

Więc wprawdzie jestem w holdingu człowiekiem z zewnątrz, na razie, bo on ma nadzieję, że będą mi mieli po tej robocie do zaoferowania coś stałego, no, ale właściwie to w pewnym sensie już należę do familii, dokładnie takiego określenia użył – krótko mówiąc, poleci mnie swojemu maklerowi, ależ co za problem, że nie mam pieniędzy, od czego są kredyty i tak dalej.

Skorzystałem. Dlaczego bym miał nie skorzystać? Polecony makler pracował oczywiście w banku należącym do holdingu. Jakiś czas potem przypomniałem sobie, że kiedyś było o tym banku głośno, bo okazało się, że udziela kredytów tylko kadrom kierowniczym doktora i członkom rządu z premierem na czele. Było hałasu na całe trzy dni i na interpelację w sejmie, zanim wszyscy zapomnieli. Mogę sobie powiedzieć, że kopnął mnie niezły zaszczyt – znaleźć się wśród tak ekskluzywnej klienteli. Makler załatwiał takie rzeczy rutynowo, otworzył mi konto, wypisał wniosek o kredyt do kumpli siedzących w sąsiednim pokoju i powiedział, że „coś wybierze". Jakiś tydzień później poinformował mnie, że zainwestowałem w akcje Śląskiej Fabryki Instrumentów Optycznych, której akurat – no patrzcie, co za traf! – kilka dni później ministerstwo nieoczekiwanie zleciło obsługę offsetowego kontraktu na dalmierze do wozów pancernych czy coś takiego, w każdym razie już po kilku dniach mogłem sprzedać te akcje z sześćdziesięcioprocentowym przebiciem. Na uczczenie tak obiecującego początku działalności inwestycyjnej kupiłem sobie mieszkanie w apartamentowcu przy Morskim Oku. Nieduże i jak na tę okolicę skromne, ale można się było wprowadzić od razu po pierwszej wpłacie. To tam właśnie przychodziła do mnie Danka. Udało mi się w ten sposób uciec przed

Groszkiem i kilkoma innymi dziewczynami. Pochwaliłem się tym w mejlu do Iris, nasza codzienna korespondencja wtedy kwitła. Podobały mi się opinie anonimowej powiernicy o moich rozterkach. Że co do Ewy, na przykład, to nie mam żadnych powodów, by czuć wyrzuty sumienia, bo jest dorosła i niczego jej nie obiecywałem. A co do Groszka, to sama by chciała być na jej miejscu, choćby raz.

Na jednej z imprez u Artura trafił się facet, chudy, ogolony na łyso jak Fantomas, od sieci komputerowych. Opowiadał mi – szkoda, że trochę byłem wtedy zamroczony gorzałą i nie zapamiętałem, jak się nazywa i w którym banku administruje, bo przydałoby się dowiedzieć o tym więcej – no więc opowiadał, że nic w tej sieci nie ma prawa zginąć, opowiadał o jakimś policyjnym śledztwie, które rozstrzygnięto dzięki zapisom polskich czatów sprzed kilku lat znalezionym na serwerze gdzieś w Wielkiej Brytanii. Jeśli nie zmyślał, to moje internetowe listy do Iris i jej odpowiedzi też pewnie tkwią gdzieś w zwałach zbekapowanego bełkotu, i gdyby ktoś chciał i umiał, mógłby je wyciągnąć i przeczytać. Sam bym właściwie chciał, choć pewnie nieźle bym się nad tymi zapisami rumienił ze wstydu. Pamięć zachowała na ten temat dziwnie niewiele. Poznaliśmy się na czacie, jak jeszcze byłem żonaty, a potem wymienialiśmy listy na priwie, czasem raz na parę tygodni, czasem parę razy dziennie. Niekiedy odpowiadała zdawkowo, niekiedy się rozpisywała i mnożyła dygresje, widać było, jak zmieniają się jej nastroje, w moich listach też to pewnie było widać. Pisała mi o seksualnych rozkoszach poddawania się swojemu panu i władcy, o swojej uległości i o tym, co czuje, gdy władca trzyma ją mocno za kark i wymusza posłuszeństwo. Ja mniej więcej o tym samym, tylko od drugiej strony. Dużo w tym było fantazjowania albo przepisywania bajeczek z pornograficznych pisemek, ot, tak sobie oboje gaworzyliśmy, ja udawałem i doskonale wiedziałem, że ona też nieźle łże, bo równie starannie jak ja unikała sugestii, by się kiedyś spotkać w realu. Takiego akurat spotkania nie potrzebowałem ani trochę. Wszystko, co było w tych mejlach, miało pozostać tam, poza codziennym światem – jak to, co działo się pod kołdrą w czasach Diabełka i „nieskromnych uczynków".

Potrzebowałem jedynie kogoś, komu mogłem się zwierzać ze swojego życia, oczywiście filtrując te zwierzenia przez kłamstwa, którymi tworzyłem swój strawniejszy dla siebie samego wizerunek. Kogoś, kto był doskonale anonimowy. I kto, nie mogę zaprzeczyć, od czasu do czasu zaskakiwał mnie wiedzą i erudycją. Iris lubiła schodzić na filozofię, cytowała swobodnie mnóstwo autorów i dzieł, by udowodnić, że jedynym gatunkiem człowieka, jaki zasługuje na szacunek, jest człowiek silny. A siła oznacza dominację. Taka jest nasza natura i we wszystkich międzyludzkich relacjach, choć je zakłamujemy od tysięcy lat na wszelkie możliwe sposoby, tak naprawdę chodzi tylko o ustalenie, kto dominuje w stadzie. I tylko o to chodzi także w miłości. Miłość to trybut dla najsilniejszego, dla władcy, człowieka silnej woli. W seksie nie chodzi o ból, przypominam sobie długi mejl, w którym się nad tym rozwodziła, zadawanie bólu to tylko znak, tak jak inne znaki podkreślające władzę i zniewolenie. Rozkosz nie bierze się z zadawania bólu, rozkosz bierze się u niewolnicy z poddania się władcy, a u władcy – z łamania woli słabszej. Nie to jest sensem dominacji, by zgwałcić, ale to, by zmusić poddanego do gwałcenia wszystkich swoich zahamowań, złamać go strachem i bezradnością; sztuka zmusić syna, by zgwałcił matkę i żeby wykonanie tego polecenia sprawiło mu rozkosz, sprawić, żeby kochanka ze smakiem zjadała twoje odchody – zagalopowała się, wjeżdżając w de Sade'a, na moment zapominając o wyznaczonej sobie roli kobiety uległej... W ogóle wracał w jej postach, teraz to sobie przypominam, wątek wzbudzania strachu. Z jednej strony wypisywała mi o pragnieniu, żeby być zniewoloną, ale głęboko pod tym pojawiała się ta fascynacja: jaki to rodzaj spełnienia – budzić w kimś takie przerażenie, że można go samym strachem zmusić do wszystkiego? No i właśnie w tym kontekście pojawiał się ten de Sade – w każdym razie zagalopowała się z nim i jakoś, już nie pamiętam, dałem jej to poznać, więc zaraz potem korespondencja wróciła w utarte koleiny.

Ale od czasu do czasu powtarzały się u niej takie wyskoki w różne zboczone strony – nauczyłem się po prostu zbywać to, co mi się nie podobało, milczeniem. W dniu, gdy z wielką ulgą skończyłem redagować audyt, kiedy wieczorem po robocie podłączyłem się do netu, znalazłem w jej mejlu kolorową fotkę. Przedstawiała dwóch facetów. Jeden ubrany był w coś, co można by uznać za mundur SS, gdyby esesmani nosili mundury z lateksu i robili sobie w nich wycięcia do wypuszczenia na świat półdupków i kutasa. Drugi był skuty łańcuchem, klęczał przed tym pierwszym i robił mu laskę. Rzuciłem na to okiem – odbiło babie? –

zamknąłem plik, skasowałem cały list. Za karę, postanowiłem, napiszę do niej dopiero za jakieś dwa, trzy dni, nie wspominając o tym incydencie, sama się domyśli, co sądzę. Nie napisałem oczywiście, bo się z dnia na dzień wszystko pozmieniało.

Myślę, że gdybym nie wyniósł z domu tego lekceważącego, inteligenckiego stosunku do pieniędzy, Kreszczyński i całe to towarzystwo kupiliby mnie tą lawiną kasy bez reszty. Ale przecież tych kilkanaście lat wcześniej, na początku lat dziewięćdziesiątych, naprawdę mogłem się lepiej ustawić w nowo budowanym ustroju. A ja zostałem na uczelni, pisałem doktorat i po staremu dorabiałem sobie chałturami. Naprawdę dlatego, że wierzyłem w sprawy ważniejsze: kumple z liceum i ze studiów pociągnęli mnie wtedy za sobą w politykę. Zakładali niezależne pismo, żeby mieć wpływ na ludzi i odkłamywać ich świadomość – ale do założenia niezależnego pisma trzeba jakiegoś zaplecza, spółki, która by zarabiała. Dzisiaj przypominam to sobie słabo i niechętnie. Było tak samo jak w osiemdziesiątym dziewiątym, kiedy poszliśmy mniej więcej tą samą paczką, jako młodzież walcząca, pikietować komitet PZPR, żeby nie niszczyli akt swoich zbrodni i oddali Polakom zrabowany majątek, staliśmy pod tym komitetem cały dzień jak idioci i pies z kulawą nogą nie zwracał na nas uwagi. O rzut beretem strajkowała wtedy zajezdnia, więc chłopcy postanowili tam pójść, nawet nie żeby cokolwiek od roboli chcieli, po prostu wystawić na sprzedaż trochę antykomunistycznej literatury i porozjaśniać nieco w mózgownicach. I o mało nie dostali po mordzie, bo robole strajkowali tylko i wyłącznie o podwyżkę, o żadnej polityce ani chcieli słyszeć.

„Polska Młodych" miała być pismem dla ludzi inteligentnych, wykształconych i zatroskanych losem ojczyzny. Prosta recepta na bankructwo – nie było i nie ma w Polsce takiej grupy targetowej. Pismo miało fatalną sprzedaż i zero reklam, reklam nie mogliśmy zdobyć, bo byliśmy oszołomami, bez kasy z reklam nie dało się poprawić jakości pisma, a na podłym papierze i bez koloru o wyjściu z niszy mowy nie było. Mając niski nakład, skazani byliśmy w Ruchu na wysokie zwroty, a mając wysokie zwroty, nie mogliśmy przy takiej dystrybucji podnieść nakładu, innej zaś dystrybucji jeszcze długo w Polsce nie było. Spółka PM miotała się od drukowania pocztówek po handel importowaną herbatą, odbijała się jak od ściany o odsetki, użeranie z biurwami, szlag by to wszystko trafił – beznadziejna szamotanina. Chłopaków to oczywiście tylko utwierdzało w bojowym zapale, Wacenty szarpał na zebraniach brodę i perorował z ogniem w oczach, że komunistyczno-udecki układ usiłuje nas zdusić, ale nie zdusi, i to na ludzi działało, przynajmniej wtedy, gdy się tam plątałem. Ale prawda była taka, że dokładnie jak na tych pikietach, na których domagaliśmy się rozliczenia komunistów, gówno kogo obchodziło to wszystko, z czym do ludzi startowaliśmy, naród miał głęboko w dupie nasz honor i ojczyznę, o nas samych nie wspominając.

Byłem w tym wszystkim? Byłem. Ale jakoś tak połowicznie. Jako biznesowy doradca, przez pewien czas dyrektor administracyjny, marnujący czas na beznadziejne próby stworzenia jakiegoś materialnego zaplecza dla niepodległościowej prawicy. Na tyle schowany na zapleczu, że nie spotkałem potem w życiu nikogo, nie licząc oczywiście dawnych kumpli, kto by w ogóle o tym epizodzie w moim życiorysie wiedział. Co wcale nie znaczyło, że tego nie przeżywałem. Przeciwnie, mało czym się w życiu tak przejmowałem. Nusia miała cztery latka, remontowaliśmy mieszkanie, Magda traciła właśnie pracę, bo wydawnictwo bankrutowało i rozwiązywało redakcje, a ja większość energii poświęcałem lustracji i dekomunizacji oraz wściekaniu się na wszystkich tych brodaczy, którzy latami przesiadywali w gabinecie u ojca, że nagle zaczęli jakieś humanitarne wygibasy, że niby z jednej strony totalitaryzm be, ale dzisiaj lepiej sza, żadnych rozliczeń ani polowań na czarownice, kapować owszem było brzydko, ale dziś kapusiów karać jest jeszcze brzydziej, i tak dalej.

– Haniebnie się ci twoi zachowują, ha-nieb-nie – pamiętam, jak rozwścieczony tym wszystkim klaruję ojcu: – Mowa chrześcijanina ma być prosta, tak-tak, nie-nie. A co oni mówią? No, że niby tak, ale w zasadzie z drugiej strony niemniej, biorąc pod uwagę i nie zapominając o kontekście... Co to jest za pieprzenie, tato?

To był jedyny moment, kiedy zareagował ostro.

– Nie takim językiem, synu.

– Dobra, dobra, przepraszam za język, tu nie o język chodzi. To jest sprawa elementarnego ładu moralnego. Ktoś się dopuszczał ostatniego draństwa, podłej zdrady. Wyciągał zwierzenia ze swych przyjaciół, podszywając się pod jednego z nich, a potem donosił prześladowcom, co kto mówi, co planuje, i brał za to pieniądze. A oni dzielą włos na czworo i stają na głowie, żeby taką kanalię wybielić. Że może taki kapuś, robiąc te wszystkie brzydkie rzeczy, cierpiał. Że sam moralny upadek jest dla niego wystarczającą karą. Odwracanie kota ogonem! I jak, robiąc coś takiego, można żądać od prostych ludzi, żeby żyli przyzwoicie i nie kradli jak za peerelu? No, cieszę się, tato, że się od tego zdystansowałeś, że się nie wypowiadasz, ale to za mało. Ty ze swoim nazwiskiem nie możesz milczeć, powinieneś być z nami.

Bronił się twardo, ale zupełnie od czapy, że Olszewski rujnuje reformy gospodarcze i otwiera drogę najgorszym ciemnym żywiołom.

– Ależ kto ci każe popierać Olsza, napisz po prostu krótki tekst, że dobro jest dobre, a zło złe. Albo podpisz się przynajmniej pod apelem, skoro Herbert mógł podpisać, to i ty się nie masz czego wstydzić.

– Rewolucyjny motłoch zabiera się do gilotynowania swoich przywódców – odparł, wciąż słyszę, jak to mówi, mocnym głosem, z rzadką u niego zawziętością. – Naprawdę nie dostrzegasz, co tu się dzieje? Przywódcy rewolucji stali się przeszkodą dla tych, którzy brali w niej udział w piątym, siódmym szeregu albo w ogóle przyłączyli się w ostatniej chwili. A teraz nie mogą dojechać na rewolucyjnej fali do najwyższych stanowisk, bo te z prawa należą się tym, którzy walczyli w szeregu pierwszym. Więc muszą tych bardziej od siebie zasłużonych oskarżyć, unurzać, żeby móc ich odesłać na szafot. Po co ty się w te brudy angażujesz, synu?

I tak dalej. Męczyliśmy się z godzinę, schodząc co raz na inne, neutralne tematy, a potem znowu wracając, ale nie dał się na nic namówić. Wieczorem pojechałem na spotkanie z Wacentym, który rozpaczliwie próbował reanimować pismo na jeszcze jeden, specjalny numer, żeby wydrukować listę Macierewicza, choćby go mieli po tym zamknąć, i przyznałem się chłopakom, że na ojca liczyć nie możemy. Cała szarpanina się zresztą zakończyła jak zwykle na niczym, nie było pieniędzy na papier, drukarnie też żądały kasy z ręki do ręki. Ale moi koledzy się nie poddawali. W końcu uruchomili „Polskę Młodych" w nowej mutacji, jako niskonakładowy kwartalnik, i puścili tę listę w pierwszym numerze, pół roku po herbacie, nawet rzeczywiście ich potem ciągali po prokuratorach, nie pamiętam, na czym w końcu stanęło.

Dopiero kiedy wróciłem, Magda powtórzyła mi wiadomość od mamy, bo to jeszcze były czasy, kiedy komórki były ostentacyjnym luksusem biznesmenów, jak złoty roleks, albo nawet w ogóle ich jeszcze nie było. Więc Magda powtórzyła mi, że ojciec źle się poczuł i że zostawili go w szpitalu na obserwacji. Nie zaniepokoiłem się jakoś specjalnie, to się często zdarzało, pomyślałem, że podskoczę do niego jutro po zajęciach. A potem byłem od rana nieuchwytny, rodzina nie mogła mnie nigdzie złapać przez telefon. Przyjechałem do szpitala koło trzeciej. Myślałem, że Magda coś pomyliła albo mama źle podała jej numer sali, bo byli tam tylko jacyś obcy ludzie. I jedno świeżo zasłane, wolne łóżko. Spytałem. Popatrzyli na mnie w milczeniu, nieogolony mężczyzna w piżamie w brązowo-żółte pionowe pasy, nie wiem dlaczego ta piżama wryła mi się w pamięć, powiedział: „Niech pan pójdzie do lekarza dyżurnego", więc poszedłem, ten też popatrzył na mnie dziwnie, zaprosił do gabinetu, usadził na krześle i zaczął, że podjęli reanimację natychmiast i zrobili, co mogli, akurat wszyscy już byli na oddziale i cały sprzęt pod ręką, ale, niestety, nie udało się. Potem nie wiem, co się działo, nie pamiętam zupełnie, jak wyszedłem ze szpitala i dotarłem do mieszkania rodziców. A potem jakoś znalazłem się u siebie i tam się już rozkleiłem zupełnie, Nusia też zaczęła strasznie płakać, nie mogła, biedactwo, zrozumieć, co się tacie stało, w końcu się urżnąłem do nieprzytomności i padłem. Wyszło tak, dopiero Martyna zwróciła mi na to przy jakiejś zupełnie przypadkowej kłótni uwagę, że Andrzej oczywiście zniknął pierwszy, ja się uchlałem i wszystko zostało na jej głowie. A z mamą musiała mieć tej nocy naprawdę ciężko, mama to zniosła gorzej niż źle. Jakaś głupia pizda ze szpitala po prostu zadzwoniła i zakomunikowała jej o śmierci ojca przez telefon, w ogóle jej nie obeszło, w jakim wieku i stanie jest osoba, z którą rozmawia, czy jest sama w domu, czy nie, po prostu kazali jej przekazać informację, to przekazała, zadowolona, że sprawa odfajkowana. Mama zadzwoniła do jednej z ciotek, szczęście, że ją zastała, zanim ciotka zdążyła się ubrać, mama zadzwoniła jeszcze raz, a po kilku minutach znowu, i znowu, dzwoniła bez przerwy, za każdym razem powtarzając tymi samymi słowami, że właśnie dzwonili ze szpitala i że ojciec nie żyje.

Jakoś się pozbierała na pogrzeb i przez pewien czas było dobrze, ale od tego momentu zdrowie sypało się jej coraz bardziej i coraz szybciej, aż nagle się okazało, że wymaga ciągłej opieki. Choć przecież moja mama nie jest jeszcze wcale stara, co to jest sześćdziesiąt parę lat, dzisiaj starsi są często we wspaniałym zdrowiu, nawet do dziewięćdziesiątki. Może tak jej zaszkodziło, że nagle przestała mieć kogokolwiek, kim by się mogła opiekować. Ojciec odszedł, dzieci podorastały i wyfrunęły z domu, a ona całe życie zajmowała się nami, aż z jakimś takim zapamiętaniem, w ogóle sobie nie umiem przypomnieć mamy inaczej, niż jak coś szoruje, czyści, trzepie, myje albo odkurza, układa, szyje, zawsze w mojej pamięci stoi przy garach czy desce do prasowania. Albo z siatami pod sklepem. I nigdy nie ma czasu, żeby zwrócić na mnie uwagę, tylko komenderuje, szorstko, szybko, umordowana i opryskliwa – dziś myśląc o tej jej całej pracy, czuję się trochę zawstydzony. Ale to było po prostu tak naturalne, tak od zawsze, że nie zwracało najmniejszej uwagi. Wszystko musiało być wypucowane i zacerowane, a obiad na stole o określonej godzinie – i było. Obiadów to nawet w którymś momencie zaczęło być codziennie kilka, bo dla każdego mama szykowała co innego. Ojcu lekarze zalecili dietę, Andrzej przestał jeść mięso, Martyna się odchudzała, a ja z kolei domagałem się normalnego jedzenia i deserów, bo odziedziczyłem przemianę materii po ojcu, całe życie mogę jeść do oporu i do smaku, i jakoś nie tyję – Nusia chyba też ma to po mnie, dla dziewczynki to duże szczęście. A poza tym każde z nas coś uwielbiało, a czego innego w ogóle nie trawiło, i mama póki miała zdrowie, zawsze potrafiła to zsynchronizować tak, że wszystko wjeżdżało na stół nie tylko w tym samym czasie, ale prosto z garnków, bez żadnego podgrzewania.

Właśnie przez to wpakowałem się w te siedemnaście lat z Magdą. Podświadomie znalazłem w niej nowe wcielenie matki. Bo Magda też widziała sens małżeństwa w poświęcaniu się, też robiła obiady na czas i wszystko musiało być u nas nie tylko wypucowane na błysk, ale jeszcze wydezynfekowane. Chociaż nie, to osobna sprawa, nie mieszajmy tego. Obsesja poświęcania się mężowi i dziecku to było jedno, a obsesja czystości drugie, właściwie to była część większego problemu – wstrętu do świata. Istnienie bakterii i brudu pozwalało ten wstręt zracjonalizować, ale przyczyna musiała leżeć gdzieś głębiej. To znaczy prosta sprawa, przyczyna była jedna i ta sama dla wszystkich problemów Magdy – jej stara. Potwór. Przesadna dbałość o czystość, jaka cechowała moją żonę, to nic w porównaniu z szaleństwem Potwora. Było szorowane trzy razy? Trzeba cztery. To mają być zapastowane podłogi? Śmiechu warte, pastować trzeba na gorąco, pastą tylko o kilka stopni chłodniejszą od temperatury wrzenia i trzeba tę wrzącą pastę wcierać z całej siły, żeby tryskała na boki i żeby pot kapał z czoła. Brud w jej rozumieniu nie był tym, co dla mnie i dla każdego człowieka, czymś, co można zobaczyć gołym okiem, a jeśli nie można, to znaczy, że rzecz jest czysta. Brud był kategorią mistyczną. Skalaniem. Brudna, czyli skalana, mogła być równie dobrze rzecz, którą naukowiec z mikroskopem uznałby za sterylnie czystą, wystarczyło, że znalazła się w kontakcie z przedmiotem lub osobą skalaną. Jeśli moja teściowa przypadkiem czegoś takiego dotknęła, przeszywał ją dreszcz odrazy, wydawała z siebie jakiś przerażający skrzek, i nie było w tym nic z udawania, widziałem na własne oczy – ona naprawdę trzęsła się i umierała z obrzydzenia. Dopiero po ślubie mogłem zobaczyć, jak Potwór zabierał się do robienia jedzenia. Najpierw długotrwałe, staranne mycie rąk, żaden chirurg nie miałby tyle cierpliwości, potem równie staranne wcieranie w dłonie spirytusu, aż wreszcie na koniec, gały wyszły mi z orbit, opalała dłonie nad gazem. Normalnie, wsadzała je w płomień i jeszcze obracała. Nie mówcie mi, że to niemożliwe, wiem dobrze. Jak idiota, kiedy byłem sam, zrobiłem raz to samo, podpaliłem gaz i tylko zbliżyłem ręce do ognia w taki sposób, jak ona to robiła, poparzyłem sobie łapy jak cholera. Albo mania prześladowcza dawała jej jakiś immunitet od praw fizyki, albo przez lata skóra jej zrogowaciała jak u słonia na piętach.

Powinienem wtedy uciekać, gdzie pieprz rośnie. Powinienem w ogóle od razu, kiedy ją zobaczyłem. Nie patrz na narzeczoną, kiedy się chcesz żenić, narzeczona zawsze ma same zalety, patrz na jej matkę, żeby wiedzieć, co się z twojej żony wkrótce zrobi. Prosta, ludowa mądrość, którą podzielił się ktoś ze mną, rychło w czas, jak już byłem od dawna żonaty. Pewnie, że powinienem wiać od razu, jak tylko Magda przedstawiła mnie mamuśce, w każdym razie póki jeszcze nie mieliśmy dziecka, Bogiem a prawdą, jeszcze nawet – choć formalnie małżonkowie – nie straciliśmy oboje dziewictwa i cały ślub byłby do odkręcenia nawet przed sądem biskupim. Ale to by wymagało śmiałej decyzji, a podejmowanie śmiałych decyzji to ostatnia rzecz, jaką potrafię.

Nie, spokojnie, chłopie, tu jesteś dla siebie niesprawiedliwy. W tym wypadku to nie był brak zdecydowania. Ja kochałem Magdę i z całej duszy chciałem z nią być, w chorobie i zdrowiu, w szczęściu i nieszczęściu, dopóki śmierć nas nie rozłączy. Wiedziałem, że jej matka jest dziwaczna, że jest popaprana, niech nawet będzie, że jest potworem, ale co to miało za znaczenie? Zwłaszcza że Magda stawiała się wtedy starej ostro. Trzeba było siedemnastu lat, siedemnastu lat bezsilnego obserwowania rok po roku i miesiąc po miesiącu, jak Potwór pożera moją ukochaną dziewczynę od wewnątrz, jak stopniowo, niezauważalnie nabiera ona nawyków swojej matki, jak ogarniają ją i opanowują bez reszty te same obsesje. Choćby z tym sprzątaniem. Z początku wszystko dawało się racjonalnie uzasadnić. Najpierw alergiami Magdy, a miała alergię na wszystko. Kurz, zwierzęca sierść, roztocza i tak dalej, no zrozumiałe, że lepiej się trochę powygłupiać, niż nanieść tego do domu. A potem pojawiło się dziecko – wreszcie, po latach starań i łażenia po lekarzach. Pojawiło się i zaczęło raczkować, dotykać wszystkiego łapkami, a potem wsadzać te łapki do ust. No, jasna sprawa. Samo wchodzenie do mieszkania stało się procedurą przypominającą forsowanie śluzy w statku kosmicznym. Buty natychmiast trzeba zdjąć i odstawić na specjalne, brudne miejsce, tak by nie dotknąć nimi niczego po drodze, a potem długim wykrokiem wydostać się z linoleum, po którym chodzi się w brudnym obuwiu, i – balansując na jednej nodze – założyć domowy kapeć. Moi znajomi, to znaczy ci nieliczni z nich, którzy mi po tych parunastu latach zostali, klepiąc mnie po ramieniu, mówili, że sam ten cyrk był wystarczającym powodem, żeby się z Magdą rozwieść. A co oni mogli na ten temat wiedzieć? O tym, że po przyjściu do domu i zmianie butów trzeba zaraz zdjąć z siebie zewnętrzne ubranie, złożyć je starannie, koniecznie w odpowiedni sposób, do środka, żeby bakterie nie posypały się na dywan, i wytrzepać je na balkonie? To trzepanie było w tym wszystkim już najbardziej idiotyczne, ale nie chodziło o jakiś konkretny brud, chodziło o skalanie, które wymagało rytualnego oczyszczenia. Strzepnięcie szmatą kilka razy za balustradą zdejmowało z niej odium rzeczy trefnej. Bez tego Magda byłaby chora, dotykając czegokolwiek, co miało kontakt z brudną, niewytrzepaną rzeczą przyniesioną z dworu.

Moi znajomi nic akurat nie mogli na ten temat powiedzieć, bo po paru latach praktycznie straciłem z nimi wszystkimi kontakt, z wyjątkiem tych kilku, z którymi miałem powody spotykać się w ramach swoich zajęć służbowych. Nie chodziliśmy do nikogo, bo zasady dobrego wychowania, a zasady dobrego wychowania to była kolejna zmora tego związku, nakazywały zaproszenie potem gospodarzy z rewizytą. A jakakolwiek wizyta, poza tym, że musiałem się czerwienić ze wstydu, zmuszając gości do robienia przy wejściu piruetów z kapciami, oznaczała dla Magdy dodatkową katorgę, której oczywiście poddawała się – jak to ona – ochoczo. Najpierw na przyjście gości trzeba było wszystko starannie raz jeszcze wypucować, choć naprawdę czyściej i tak już być nie mogło, potem powtórzyć całą procedurę jeszcze raz po ich wyjściu, to przecież oczywiste. A w czasie ich pobytu musiałem patrzeć, jak Magda cierpi, widząc, że ktoś bezceremonialnie wykroczył ćwiercią brudnego buta z ulicy na czystą wykładzinę, jakby to nieostrożne stąpnięcie fizycznie ją bolało; patrzeć, jak moja ukochana z największym trudem walczy ze sobą, by nie przyciągnąć natychmiast odkurzacza. A zresztą – chodzić do kogoś? Imprezy moich kumpli przypominały spotkania w gabinecie ojca, chciało się pogadać o świecie, polityce, książkach, szkło chodziło w kółko, bo przecież alkohol dezynfekuje, popiół z peta spadał komuś na podłogę albo na stół. Byłoby mi łatwiej, gdybym potrafił po prostu bawić się jak dawniej i olać to, że Magda godzinami siedzi spięta, nieruchoma, z nikim nie rozmawiając, i markuje picie herbaty, starając się nie dotknąć warg szklanką, która nie wiadomo czy w ogóle była myta, a jeśli, to jakimi rękami. Ale nie potrafiłem, uważałem za swój obowiązek namówić ją, a skoro nie dawała się namówić, to jakoś zmusić, żeby się wyluzowała, co oczywiście musiało ją tylko dodatkowo męczyć. I miałem to przeżywać po to tylko, żeby w nagrodę musieć potem znosić jeszcze rewizytę? Zacząłem chodzić sam, Magda oczywiście nie mówiła przeciwko temu ani słowa, ależ nie, oczywiście, idź – zapewne powinienem wiedzieć rzecz tak oczywistą, że „ależ oczywiście, idź" naprawdę znaczy „jeśli tam pójdziesz beze mnie, będziesz podły", ale ja umiejętności deszyfranta nie miałem za grosz. Więc kiedy zacząłem chodzić na imprezy sam, to w końcu połapałem się, że uchodzę na nich za towar do wzięcia. Na jakiejś rocznicy czegoś tam wpadłem na dawną koleżankę z klasy, popiliśmy trochę i sam nie wiem kiedy zaczęliśmy się do siebie kleić w tańcu, całować i obmacywać, nic w sumie wielkiego się nie stało, potem przez jakiś czas byłem przerażony samym sobą i pełen wyrzutów – choć w głębi, pod kacem, narodziło się zadowolenie, że taka laska mogła mnie chcieć, i żal, że nie odważyłem się z tego skorzystać – kropla zaczęła drążyć kamień. Ale wtedy jeszcze nie byłem zdolny na poważnie pomyśleć, że mógłbym Magdzie zrobić coś takiego, i jeśli jakaś dziewczyna zwracała na mnie na imprezie uwagę, czułem się zakłopotany. Zacząłem się czepiać różnych pretekstów, aż kiedy w końcu udało mi się spłodzić córkę, to był zrozumiały dla wszystkich powód do bezterminowego zawieszenia życia towarzyskiego.

Między obsesjami Magdy i jej matki była jedna zasadnicza różnica. Stara była święta, zawsze miała rację, zawsze wiedziała najlepiej, i nawet nie to, że chciała wszystkim rządzić, tylko po prostu musiała to robić, bo nikt inny na niczym się nie znał, gdyby ona się nie wtrąciła, byłoby na pewno źle. Magda natomiast uważała siebie za ostatnie zero, za najbardziej nieudaną istotę pod słońcem. Wiedziała, że wszystko robi źle, a jeśli ktoś twierdzi, że to nieprawda, to kłamie, bo się nad nią lituje, a to, że ludzie się nad nią litują, tylko wpędzało Magdę w jeszcze większe poczucie winy. Przez siedemnaście lat miałem zawsze obiad na czas, ale nie przypominam sobie ani jednego razu, żeby Magda, stawiając talerze na stole, nie przepraszała mnie, że jej nie wyszło, zupa jest za chłodna, do drugiego dodała za dużo albo za mało przypraw, powinna była włożyć więcej marchewki, a mniej kapusty, i jeszcze na dodatek przypaliła cebulę. Po dłuższym czasie naprawdę chce się od czegoś takiego rzygać na samą myśl o wspólnym posiłku, zwłaszcza że nic nie pomagało: tłumacząc Magdzie, że gotuje zupełnie normalnie, raniłem ją dodatkowo swoją litością, a wrzeszcząc, perswadując albo wylewając dramatycznym gestem zupę do klozetu – jak jest taka zła, to po co ją podałaś! – utwierdzałem żonę w przekonaniu, że jest beznadziejna nawet jako kuchta.

Cokolwiek bym zrobił czy powiedział, grzęźliśmy w coraz większej paranoi. Pułapka bez wyjścia. I w tym wszystkim – dziecko, wiecznie spięte, niepewne, czy w następnej chwili będzie jeszcze w domu miło i spokojnie, czy kolejny byle drobiazg rozrośnie się do rozmiarów życiowego problemu.

Praca magisterska Magdy nadawała się na doktorat. Prace magisterskie to idiotyczny rytuał, każdy wie, że nikt tego nigdy potem nie przeczyta, trzeba po prostu wystukać kilkadziesiąt stron plus bibliografia, żeby tylko była podkładka do dyplomu, i to wszystko. Ale nie Magda. Magda zabrała się do sprawy ambitnie, wynalazła tekst wyryćkany na ścianach libijskiej świątyni w tysiąc sto którymś zapomnianym roku i dotąd niemający należytego naukowego opracowania, przeryła kilkadziesiąt bibliotecznych półek, zweryfikowała angielskie tłumaczenie z lat dwudziestych używane dotąd przez wszystkich afrykanistów, wynajdując w nim kilka grubych błędów, ulokowała inskrypcję w odpowiedniej kulturze i kontekście, słowem, napisała małą monografię, która wzbudziła zachwyt wszystkich profesorów. Obiecywali jej nawet, że zrobią wszystko, by to gdzieś wydać, oczywiście nie wydali, bo jak znajdowały się jakieś granty, dzielili je między siebie. Ale we wstępie, na samym środku pierwszej strony, czytanej przecież i poprawianej dziesiątki razy, jakimś cudem Magda przepuściła, że idiota, u którego zamówiła mapkę, napisał „Sahara" przez „ch". Ktoś tam wspomniał o tym półsłówkiem, żeby oprócz pochwał mieć także do powiedzenia coś krytycznego, i moja żona natychmiast zapomniała o wszystkim, otrząsnęła się ze wszystkich pochwał jak pies z kałuży i przepłakała kilka nocy nad swoim nieudacznictwem – taki straszny byk, na pierwszej stronie pracy dyplomowej, taka kompromitacja, takie dno!

– Bo moja Madzia jest perfekcjonistką – chwalił się Potwór.

Nieprawda, to nie był żaden perfekcjonizm. To nie była nawet nerwica natręctw, jak to sobie przez lata nazywałem, usłyszawszy gdzieś coś piąte przez dziesiąte z wypowiedzi telewizyjnego psychologa. To był wielki, przemożny strach. Stara szorowała podłogę po raz czwarty płonącym wrzątkiem, żeby pokazać światu: patrzcie, gnojki, tak się to robi porządnie, nikt inny tego nie potrafi. Magda robiła to samo w przerażeniu, że znowu nie wyjdzie jej tak, jak powinno. Wszystkiego było nie dość, wszystko nie takie – była najbardziej zaszczutą istotą pod słońcem i wciąż jeszcze szczuła się na siebie sama w narastającym przerażeniu.

Matka była najmądrzejsza, na dodatek zawsze cierpiała prześladowania ze strony podłych ludzi, którzy nie mogli jej wybaczyć, że jest taka dobra – więc rozwinęła w sobie agresję wobec wszystkich i wszystkiego. Wiedziała, że wszyscy są jej wrodzy i nie czekała z ripostą, aż ktoś uderzy pierwszy, więc istotnie – wszyscy utwierdzali ją w przyjętym poglądzie na świat, nienawidząc jak zarazy. Córka natomiast całą swą agresję skierowała do wewnątrz. Jedyną osobą, której nienawidziła do granic fizycznego wstrętu i poza nie, była ona sama. Przez tych siedemnaście lat, nawet wtedy, gdy wszystko już się sypało, ani razu nie podniosła na mnie głosu. To ja na nią ciągle wrzeszczałem, żeby przestała wreszcie histeryzować. Znosiła to, cierpiąc w milczeniu. Cierpienie w milczeniu było jej ulubionym zajęciem, jej powołaniem, i była w tym naprawdę dobra. Była w tym mistrzynią świata.

– To znaczy, że jestem wariatką, tak?! Śmiesz mi jeszcze mówić, że ze mną jest coś nie w porządku?! – krzyczy na mnie. To już jedna z tych ostatnich dramatycznych rozmów przed ostatecznym rozstaniem.

Tak, to był jedyny wyjątek, jedyny moment, kiedy cała jej chłodna dystynkcja znikała w mgnieniu oka i kiedy potrafiła się na mnie rozedrzeć w nieopanowanej wściekłości. Jakakolwiek aluzja, wzmianka, że coś jest z nią nie tak, że to choroba, że powinniśmy poszukać fachowej pomocy, doprowadzała do natychmiastowego wybuchu furii. Mirek, taki kolega z redakcji „Polski Młodych", który z czasem staczał się w coraz potworniejszy alkoholizm, reagował taką samą wściekłością na najlżejszą sugestię, że ma jakieś problemy z piciem. Człowiekowi nie można pomóc i chyba nie powinno się próbować. Żadnemu człowiekowi. Bo żeby cokolwiek z tego wyszło, on musi najpierw chcieć pomóc sobie sam, a gdyby chciał sobie pomóc sam, toby mu nie musieli pomagać inni.

– Do jasnej cholery – jak na sposób bycia Magdy to było przekleństwo cięższe niż najstraszniejsze joby w moich ustach. – Poświęciłam najlepsze lata życia mężowi i dziecku, robiłam wszystko, żeby ci niczego nigdy nie brakowało, a w nagrodę byłam najpodlej jak tylko można, perfidnie zdradzana. Nigdy nawet się nie całowałam z innym mężczyzną – cedzi słowa wyraźnie i powoli, z tym pozornym spokojem rodzinnych obiadków u Potwora. – A ty latami mnie okłamywałeś, spotykając się z jakimiś ostatnimi... I teraz śmiesz jeszcze robić ze mnie wariatkę?

Nusia słuchała tego zza drzwi.

– Kochanie, zostaw nas z tatą samych – pozory do ostatniej chwili. – Przy dziecku nie będziemy rozmawiać o tych twoich – szuka przez chwilę słowa, które jest jej w stanie przejść przez usta, w końcu, rozciągając pogardliwie głoski, mówi: – damach. – Tak jakby cokolwiek to zmieniało, że dziecko poczeka, aż skończymy, w swoim pokoju. – Anusiu, powiedziałam wyraźnie, idź do swojego pokoju i nie będę tego powtarzać.

Bo jeszcze jak na złość, ilekroć się taka rozmowa zbliżała, Nusia robiła się po prostu nieznośna, zaborcza, nie chciała się od Magdy odkleić... W ogóle coś takiego się z nią od pewnego wieku stało, że zaczęła być nieznośna, zwłaszcza dla mnie, krnąbrna, uparta, pomyślałbym, że Magda już wtedy jakoś ją nastawiała przeciwko ojcu, ale gdy się zastanowię, zaczęło się znacznie wcześniej. Tak że w którymś momencie uświadomiłem sobie, że rozmawiam z córką, przywoływany przez żonę, niemal wyłącznie po to, żeby wygłosić jakieś kazanie i oznajmić dziecku, że za to, co zrobiła, zostanie ukarana tak i tak. To na pewno nie było przemyślane, Magda nie byłaby zdolna do takiej perfidii, po prostu zadziałał nieomylny kobiecy instynkt: co ty narobiłaś, no, poczekaj, tata z tobą porozmawia. I, w efekcie, wyszło, że to ona, matka, jest ta dobra, a ojciec stale tylko czegoś zabrania, strofuje i wymierza kary. Na długo, zanim nasze małżeństwo zaczęło się rozpadać, mur między mną a Nusią już został wzniesiony. Może gdybym miał czas przebywać z córką częściej, byłoby inaczej, ale ja nie miałem czasu, naprawdę dużo wtedy pracowałem, musiałem, a zresztą kiedy miałem czas, to Magda i Potwór też nie odstępowały dziecka na krok, po prostu mnie od niego odcięły, chyba że coś nabroiło – nie połapałem się w porę, co się dzieje, a po paru latach już było za późno, już mnie Nusia w ogóle nie chciała słuchać.

„Niczego ci nigdy nie brakowało" – rzuciła mi w oczy Magda. No, w gruncie rzeczy, w takim prostym, ludzkim sensie to przecież prawda. Byłem karmiony, opierany, żona troszczyła się o kupienie mi odpowiedniego ubrania czy butów, no i przede wszystkim wzięła na siebie wszystkie problemy z pieluchami, przecieraniem zupek, jeżdżeniem na badania i szczepienia. Nawet jeśli coś się popsuło w domu, dopuszczała mnie do tego, tylko kiedy naprawdę już fizycznie nie była w stanie sobie poradzić. Niczego mi nie brakowało. Seksu? Przecież mi nie odmawiała. A że robiła to bez cienia entuzjazmu, no, to już naprawdę nie przesadzaj, chłopie, z wymaganiami. Jeśli nie można od nikogo egzekwować pod przysięgą miłości, to namiętności tym bardziej.

Ale – do jasnej cholery, do jasnej cholery, z tą tak wypracowaną, że niemal teatralną intonacją – a z czego ty znowu robisz taką sprawę, mówię do niej? Gdyby pies dostał żreć w domu, toby po śmietnikach nie grzebał. Kolejna poręczna ludowa mądrość.

Albo jeszcze inna: stojący chuj nie ma sumienia. To amerykańskie, ci mają na każdą okazję dosadne i celne powiedzonko. Ile lat można przejechać na waleniu konia w łazience? W ciągłym niezaspokojeniu, bez jednego powodu, by poczuć dumę ze swojej męskości, jeszcze na dodatek w atmosferze ciągłego napięcia, w nieustającym oczekiwaniu na jakieś nieuchronne nieszczęście? I przede wszystkim – dlaczego? Bo księża uczą, że trzeba zwalczać w sobie złe skłonności i powstrzymywać żądze? A oni sami to co – ilu nie wytrzymuje tego udawania i bierze kogoś na boku, dobrze jeszcze, jeśli to po bożemu kobieta, a nie dziewczynka z katechizacji albo ministrant?

Tak, kiedy moja żona dbała o dom i poświęcała się naszemu dziecku, ja ją zdradzałem. Kto się czuje w prawie, niech we mnie rzuci ciężkim słowem. Nie powie mi nic, czego bym na swój temat nie wiedział. Bo gdyby moje zdrady wiązały się z miłością, gdybym oszalał dla jakiejś innej kobiety i gotów był wszystko rzucić, wszystko zmienić, żeby na resztę życia być z tamtą, może czułbym się rozgrzeszony. Ale w moim przypadku zdrada była w większym stopniu problemem logistycznym niż moralnym. Sumienie skapitulowało nie w szale zmysłów, tylko po długim kombinowaniu, czy to się da zrobić bezkarnie. Nie pojawiła się na moim horyzoncie żadna wielka miłość. Po prostu nad skrupułami wzięła w końcu górę uporczywa, męcząca myśl, że lata płyną, a jedna z ważniejszych sfer życia pozostaje dla mnie zupełnie zamknięta. I niezgoda na to. I żal za każdą ze zmarnowanych okazji, których nie wykorzystałem, dochowując małżeńskiej przysięgi.

No i coraz większa pewność, że w którymś momencie i tak nie wytrzymam, pofolguję sobie, i jeśli odbędzie się to w sposób nieprzemyślany, wszystko się wyda. A przecież małżeństwo to świętość. Niewyobrażalne, żeby mój związek mógł się rozpaść. Rozwód nie mieścił się w wyobrażeniach nas obojga, przecież byliśmy katolikami, a mnie jeszcze na dodatek przytłaczało nazwisko ojca, przecież nawet pieprzony Hans rozmowę ze mną zaczął od tego, że czytał, podziwiał, bo w ogóle to on się wychowywał na „Tygodniku", szkoda, że nie miałem odwagi parsknąć głupiemu cinkciarzowi w nos. Zresztą to wszystko nie było jeszcze najważniejsze. Moja sytuacja była szczególna, wyjątkowa, bo czułem się za nie odpowiedzialny. Miałem misję – musiałem przecież jakoś leczyć Magdę ze wszystkich tych natręctw, z tych wszystkich osobowościowych problemów, w które wtrąciła ją matka, chronić od złego wpływu Potwora, musiałem po prostu przy niej trwać i być dla niej jak najlepszy. Zresztą, przecież ja naprawdę kochałem moją żonę i córeczkę! Nie zniósłbym myśli, że wyrządzam im krzywdę.

No, a skoro tak bardzo je kochałem, to wniosek był prosty: musiałem wszystko zorganizować tak, żeby moja żona się nigdy nie dowiedziała i żeby nikt w ogóle się nie dowiedział. Musiałem ją chronić przed takim wstrząsem. Logistyka. Wynająć cichcem kawalerkę, opracować gwarantujący dyskrecję sposób porozumiewania się. Nie spodziewalibyście się tego po facecie, któremu nawet rozbełtać jajecznicę musiała zawsze albo matka, albo żona, obie święcie przekonane, że pozostawiony z tak przerastającą go czynnością sam na sam wydłubie sobie oko widelcem. Przy okazji dokonałem epokowego odkrycia, wymyślając morderczo skuteczny greps do podrywu. To jedyny wkład, jaki zdołałem wnieść w rozwój ludzkości. Ale nie lekceważyłbym go – mój greps, jeśli tylko odpowiednio go podałem, działał zawsze. Chociaż z drugiej strony, jeśli tylko facet jest wysoki i ma gadane, to zawsze mu się uda, nawet bez dobrego grepsu. Zresztą w ogóle, jeśli facet ma naprawdę dobre gadane, to nawet nie musi być wysoki.

Mówiąc krótko, zacząłem zdradzać żonę wyłącznie dla dobra rodziny, żeby uratować nasz związek. Z satysfakcją stwierdzałem, że ilekroć spuszczę na lewych sankach nadmiar energii, wracam do domu jeszcze bardziej rozkochany w Magdzie, z nowymi siłami, i w domu robi się nam obojgu przyjemniej.

Chyba się zaraz rozpłaczę ze wzruszenia, jak bardzo się dla niej poświęcałem.

Ten właśnie Mirek, wtedy jeszcze kontrolował swoje picie na tyle, że nie uniemożliwiało mu pracy, wynalazł i sprowadził do redakcji „Polski Młodych" świeżo upieczonego absolwenta historii. Mniejsza o jego nazwisko, nie chcę sobie teraz tego nazwiska przypominać. Nie chcę zabierać ze sobą tego nazwiska na tamtą stronę, nie żebym miał coś przeciwko temu człowiekowi, on nie był nic winien, nie był świadom tego, co się stało, ani nawet tego, że w ogóle coś się stało. Po prostu znalazł się za czasów Macierewicza w komisji, która badała archiwa współpracusiów, posiadł dzięki temu pewną historyczną wiedzę, zgodną z jego wyuczoną specjalnością – historia najnowsza, stosunki państwo–Kościół w PRL – i pożytkował ją, pisząc artykuły. Jeden z nich, za namową Mirka, napisał właśnie dla „Polski Młodych".

Pamiętam: mała imprezka w ciasnym pokoiku redakcji, premiera kolejnego numeru, wino Sofia w plastikowych kubkach – pamiętam Wacentego, jak cytuje żart Hemara o magiku, który zapowiada się słowami: „Proszę państwa, sztuka, którą teraz zobaczycie, jest w ogóle niemożliwa", a potem triumfalnie, wśród oklasków i wiwatów, wyciąga pierwszy egzemplarz z nowo otwartej paczki. Potem, trochę ociężały od wypitego wina, otworzyłem pismo w autobusie, jakoś tak akurat na artykule nowego współpracownika. Artykuł traktował o rozgrywaniu przez SB Soboru Watykańskiego, a zwłaszcza o wysiłkach uwieńczonych pewnym sukcesem, żeby skłócić katolickich intelektualistów z prymasem Wyszyńskim i konflikt ten odpowiednio upublicznić na Zachodzie. Sprawę uznano w kierownictwie politycznym za tak ważną, że nakazano nawet operacyjne wykorzystanie jednego z najcenniejszych tajnych współpracowników, jakiego miał IV departament w kręgach katolickich. Zachowała się notatka służbowa w tej sprawie, pisana przez oficera prowadzącego, który protestował przeciwko narażaniu na dekonspirację tak cennego źródła informacji o nastrojach i opiniach penetrowanego środowiska, ale kierownictwo protest odrzuciło. O tym, iż wspomniany agent był dla SB nadzwyczaj cenny, zwłaszcza że oprócz bieżących raportów przygotowywał dla niej większe ekspertyzy i analizy, świadczy poddanie jego danych osobowych procedurze szczególnego utajnienia. Autor artykułu przyznawał uczciwie, że nie miał czasu ani możliwości prawnych, żeby zajrzeć do stosownych teczek, nie może więc stawiać żadnych hipotez co do tożsamości konfidenta. Posługiwał się tylko jego pseudonimem: TW „Guzman".

W zasadzie to wszystko, czego można się było o TW

„Guzman" dowiedzieć z tego artykułu. Reszta zapewne leży w archiwach Instytutu Pamięci Narodowej i gdybym o to poprosił, po roku czy dwóch mógłbym zajrzeć we wszystkie dotyczące go dokumenty. Ale jakoś nigdy nie miałem czasu, żeby się tam pofatygować. Ani odwagi.

Ani, prawdę mówiąc, potrzeby. Parę miesięcy potem, na kolejnej redakcyjnej imprezie, zagadnąłem tego człowieka, że bardzo mi się podobał jego artykuł i jakie są szanse, by kiedykolwiek sprawy doczekały się wyjaśnienia. Byłem chłodny i zdystansowany, ot, taka sobie ciekawość faceta z wydającej pismo spółki – skoro umiałem wtedy zagrać obojętnego, to odgrywanie przed Magdą wciąż w niej zakochanego na zabój, tylko potwornie zapracowanego żabusia było łatwizną. Facet szybko się zapalił, tak, tu jest mnóstwo zagadek do rozwikłania, oni może nie mieli tak wielu agentów, ale bardzo dobrze zorientowanych. Skąd wie? No, można to wydedukować z wielu szczegółów. Na przykład... A, cholera, oszczędź sobie, chłopie, przykładów. Już samo to antyprymasowskie pismo na Sobór, którego zainicjowania nie wytykano potem ojcu tylko przez grzeczność, wystarczyło, żeby wyzbyć się wszelkich wątpliwości.

Nawet czasem mnie to dziwiło, że w gruncie rzeczy nie czuję żadnej ciekawości co do szczegółów. Jak go podeszli? Czym zastraszyli? Czy złamali raz, w dramatycznym spięciu, czy wciągali krok po kroku w bagno i dopiero w pewnej chwili się zorientował, że nie ma wyjścia? Jestem pewien, zupełnie bez żadnych konkretnych podstaw, że to drugie. Nigdy nie myślałem o takich szczegółach. Myślałem tylko o tych wszystkich latach, które przeżył w dwóch postaciach. O tym, że człowiek, który musi prowadzić dwa życia, traci siły i spala się dwa razy szybciej od tego, który ma tylko jedno.

Parę miesięcy później na podobnej, skromnej imprezce w pokoiku redakcji „Polska Młodych" pożegnała się ze swoim szefem działu handlowego, czy mówiąc ściślej, z jednoosobowym działem handlowym, który zresztą nie zajmował się żadnym handlem, tylko rozpaczliwym i przeważnie bezskutecznym poszukiwaniem sponsorów.

– Nie zrywamy kontaktów – obiecywałem. – Będę wam dalej pomagał, jak tylko będę mógł.

A doskonale wiedziałem, że w życiu nie ruszę więcej dla nich palcem, choćby nie wiem jak prosili. I nie ruszyłem. Kiedy potem już zupełnie się nie udawało uniknąć z którymś spotkania, tłumaczyłem, że nie będę się mieszać w te potępieńcze swary, jakie ze sobą prowadzą – bo po ostatecznym upadku pisma ekipa rozproszyła się pomiędzy skłócone partyjki prawicy.

– Wrócę do aktywnej działalności, kiedy się wreszcie zjednoczycie – mówiłem, wiedząc, że prędzej doczekam Sądu Ostatecznego. Tymczasem zająłem się jeszcze aktywniej swoją specjalnością, przesiadywałem wieczorami przy uczelnianych komputerach i wyjeżdżałem dla zarobku na konferencje i szkolenia z wykładami, jak usprawnić zarządzanie całym tym odziedziczonym po socjalizmie bajzlem. Wiedziałem oczywiście, że i tak nic z mojego gadania nie wyniknie, że tego bajzlu nie zreformujesz, wszystko musi pobankrutować w pizdu, ale za opowiadanie głupot kasowałem wcale przyzwoicie z funduszy, które moi zleceniodawcy musieli wydawać hojnie, aby pokazać władzom Rzeczypospolitej, jak intensywnie się reformują, i dostać na to konto następne fundusze do wywalenia na idiotyzmy, jakimi się zajmowałem. Przy okazji pracy naukowej mogłem paść swoje seksualne fantazje na coraz to nowych odkrywanych obszarach sieci komputerowej, a przy okazji zarobkowych wyjazdów – trafiać tyle okazji do przygód, że nawet taka pobożna, zakompleksiona fujara jak ja musiała w końcu z którejś z nich skorzystać.

Wtedy, nie składając sobie wcale takich obietnic, nie miałem wobec partnerek tych przygód żadnych wyrzutów sumienia. Teraz mam. Ale wtedy miałem żonę i dziecko, moje przygodne doskonale wiedziały, że nie oferuję niczego więcej oprócz paru spazmów i skurczów, i uważały to za moją zaletę, a nie wadę. A po rozwodzie stałem się facetem rozwojowym. Kiedy jeździłem po Polsce z obrączką na palcu, leciały na mnie te szukające przygód. A na firmowych imprezach: specjalistki od sprzedaży czy marketingu, półka trzydzieści plus w body shopie, siłownia, sauna i dobra orientacja w karcie win, kariera otworem i kompletna pustka w łóżku. I beznadziejna, niezwalczona wiara, że wreszcie pojawi się ten właściwy, że może to ja...

Gdybym to w porę zrozumiał, nie korzystałbym z okazji, dałbym sobie szlaban na sypianie z samotnymi, ale tak byłem zajęty własnymi problemami, że zbyt późno to do mnie dotarło: nie jest ważne, co takiej kobiecie jak Ewa czy Kinga mówisz – że nie chcesz się wiązać, że nie jesteś zdolny do wierności, nie ma znaczenia, że ona ci nawet przytakuje, ależ oczywiście, jesteś po prostu dobry w łóżku i nic więcej, żadnych zobowiązań. Może ona sama sobie tego nie uświadamia, ale w duchu wierzy, że cię przy sobie zatrzyma, że jak będzie dobra, tolerancyjna, wyrozumiała i zawsze gotowa pocieszyć, to w końcu wrócisz. Gdybym tylko milcząco podtrzymał w Ewie taką wiarę, zniosłaby wszystko, cholera, może w sumie postawiłaby na swoim, nie musiałaby aż tak długo czekać, żebym doszedł do wieku, kiedy kobieta zaczyna być potrzebna, by pomogła wetknąć w zadek aplikator z maścią na stwardnienia czy tam żylaki odbytu, wtedy zaczyna się doceniać u partnerki opiekuńczość i poświęcenie.

Byłem bez reszty skupiony na tym, co czuję ja sam, zmagałem się ze sobą, nie miałem głowy do myślenia o innych, ale czasem – jak kiedyś poranny strach – teraz nachodziła mnie myśl, że zachowuję się wrednie. I tak się z tym teraz czuję: wrednie. A już najgorzej wobec Groszka. Bo na dokładkę do wszystkiego, co się między nami popieprzyło, zachowałem się wobec niej paskudnie już teraz, wczoraj, wybierając się w tę podróż. Po tygodniach uników zakończonych zupełnym zniknięciem na kilka miesięcy zadzwoniłem jak gdyby nigdy nic, wyznaczając miejsce i godzinę spotkania. Przyszła. Nawet nie musiałem szafować przygotowanymi wcześniej zapewnieniami, że wszystko jej wyjaśnię, kiedy się spotkamy. Wczoraj to było, a szczerze mówiąc, pamiętam tę rozmowę słabiej niż którekolwiek z naszych starych spotkań. Miałem do zagrania rolę, miałem do wyrecytowania przygotowane z góry kwestie, odegrałem, wyrecytowałem, to znaczy zrobiło to moje ciało, jak dobrze zaprogramowany manekin, a ja patrzyłem na tę scenę już zupełnie obojętnie, schowany głęboko w środku samego siebie. Ale teraz już mnie to uczucie własnej obcości nie dziwi, przywykłem, że moje ciało i ja to nie do końca to samo. Więc patrzyłem, jak ten manekin ze mną w środku robi zakochane miny, przeprasza, chwyta ją czule za rękę i wyznaje, że bardzo przez ten cały czas tęskniłem, tylko po prostu nie mogłem jej narażać. Jak snuje opowieść o kłopotach, w które wpakował mnie audyt u Nowaczyka, historię jak z amerykańskiego filmu o złych facetach z układu, którzy najpierw chcieli mnie kupić, potem zastraszyć, ale teraz już jest OK, wiedza o wszystkim, co odkryłem, trafiła do kogo trzeba – trochę prawdy, trochę bajki i kilka rzeczywistych zdarzeń, które za jakiś czas będzie można sprawdzić, które uwiarygodnią całą resztę. Nie mogła nie uwierzyć, manekin gadał z takim przekonaniem, że sam omal nie uwierzyłem: jeszcze tylko jedna sprawa, drobna formalność właściwie, muszę pojechać na spotkanie z pewnym ważnym facetem, sama rozumiesz, że nie mogę nic powiedzieć, ale nic mi już nie grozi, to tylko taka wiesz, jakby wizja lokalna, już tylko gromadzenie dowodów do procesu, wiesz, właściwie powinienem wyczekać z naszym spotkaniem jeszcze ten dzień, dwa, ale nie mogłem już wytrzymać. Oczy jej lśniły, znowu patrzyła na mnie z uwielbieniem i wyglądała na bezbrzeżnie szczęśliwą. I będzie taka jeszcze przez parędziesiąt godzin. Potem zacznie wydzwaniać, coraz bardziej zaniepokojona, coraz bardziej przerażona... Dość! Znowu mam wyrzuty sumienia. Właśnie dlatego, że jest we mnie zakochana, jest mi w całej tej sprawie niezbędna i musi w nią wierzyć. Poza tym to musiała być ona, bo przypadkiem zna Maćka i w końcu, szukając mnie, zadzwoni do niego, jeśli sam wcześniej nie zajmie się sprawą. A w ogóle, ona też jest przecież nieźle porąbana. I nie jest wcale pierwszą ani jedyną kobietą, która źle wyszła na tym, że się we mnie zakochała.

Więc ten manekin odstawiał przed Groszkiem teatr, a ja przyglądałem się jej twarzy, oczom, piersiom i myślałem sobie smutno, do jakiego stopnia jestem porąbany. Groszek jest naprawdę bardzo ładna. Piękna dziewczyna, wspaniale zbudowana, zakochana, namiętna, no i jeszcze chętna do wszystkich perwersji, jakie mnie podniecały. Mało tam chętna – napalona. Ideał, o jakim próżno marzyłem przez całe życie. Danka to przy niej po prostu stare, brzydkie babsko. Ale do Danki stawał mi na sam dźwięk domofonu. Jeszcze gorzej, w jej komórce coś było pokręcone, że kiedy pisała „l", to u mnie wychodziło duże pisane „Ł" jak funt szterling, i w którymś momencie złapałem się, że zaczyna mi twardnieć na sam widok tej litery. A z Groszkiem – kaplica. Myślę sobie, może trzeba było wczoraj, zamiast grzecznie odprowadzać ją po obiedzie pod dom, spróbować jeszcze ten jeden raz. Ostatni. Myślę sobie i od tego myślenia korzeń znowu miło pręży się w majtkach. Ale przecież gdyby to nie było samo myślenie, gdybym nie siedział teraz w pociągu, tylko rzeczywiście miał ją przy sobie, w łóżku, wiem doskonale, że znowu nie czułbym nic prócz niechęci i wstydu, zero podniecenia. Próbowałem dość, w końcu nawet nałykałem się przed spotkaniem jakichś kretyńskich kropli z sex shopu, ale i to skończyło się ledwie żałosnym wytryskiem na półmiękko, gdy tylko Groszek wzięła go do ust. A następnego dnia z Danką – najmniejszego kłopotu, oooch, ale ty mnie rżniesz, niegrzeczny chłopczyku, ale ci stoi, i tak dalej, i jeszcze riplej. I tylko to samo uczucie obcości, że ten niegrzeczny chłopczyk, który ją rżnie, to nie ja, ja tylko przyglądam się temu z ciekawością. W łóżku zresztą to się nawet przydawało, ten dystans, dłużej mi dzięki niemu stał.

Maciek... Skąd, cholera, Maciek, dlaczego akurat teraz wplotła mi się w to wszystko myśl o Maćku? Ja naprawdę nie mam żadnych pedalskich skłonności. Coś musiałem o nim wspominać przed chwilą, wcześniej, i stąd przyszedł mi na myśl. No tak, skoro myślałem o seksie, to odruchowo musiałem pomyśleć o śmierci, a Maćkowi przeznaczyłem w tym spektaklu ważną rolę do odegrania. Ze wszystkich dziennikarzy, jakich poznałem, a wokół Artura i Przema kręciło się ich mnóstwo, czy oni wokół nich, i stale dobijał ktoś nowy, z nich wszystkich Maciek budzi moją największą pewność, że nigdy nie pozwoli tej sprawie przycichnąć. Kupa ludzi poszła w nowych czasach do tego zawodu, bo to modne i w sumie nic nie trzeba umieć. A Maciek ma prawdziwe powołanie. I swoją życiową misję: kapitalizm. Wierzy w ten kapitalizm, jak większość z nas od dawna już nie potrafi wierzyć w nic, wierzy w Hayeka, w Miltona Friedmana i Ayn Rand, i w to, że wolny rynek może rozwiązać każdy problem. Że gdyby dokładnie skopiować zasady amerykańskie, to nie tylko zaczęlibyśmy się rozwijać gospodarczo, w co akurat sam łatwo wierzę, ale i ludzie zrobiliby się z czasem uczciwi, nawet politycy, i na dokładkę mądrzy. Tacy ludzie jak Nowaczyk, nawet tacy jak ci, co stuknęli pedała, nie budzą w Maćku strachu, tylko wściekłość. Jeszcze go widzę, jak na którejś z imprez się wścieka:

– Kurwa, wszyscy powtarzają te bzdury – bo od tego się zaczęło, że ktoś zacytował o Rockefellerze i tym pierwszym milionie, co to go trzeba ukraść – a nikt nie pamięta, że Rockefeller dziewięćdziesiąt pięć procent majątku rozdał na cele dobroczynne. Ani że to właśnie dzięki badaniom finansowanym przez Rockefellera odkryto penicylinę. To ilu milionom ludzi ten pierdolony chciwy kapitalista uratował życie? Wiecie, ile co roku w Ameryce prywatne osoby przeznaczają na cele dobroczynne? Dwa procent produktu krajowego brutto! Dwa procent od dziesięciu bilionów dolarów, umie to ktoś policzyć? A ile wyższych uczelni, laboratoriów i instytutów badawczych, i to tych najlepszych, jest w całości finansowanych z prywatnych donacji? – i tak dalej, mógł bez końca sypać przykładami, jak moralny i uczciwy jest ten jego wymarzony kapitalizm, cytować liczby, statystyki, w ustach każdego normalnego człowieka brzmiałoby to jak referat, ale Maciek podawał wszystko z taką pasją, że towarzystwo nie miało mu za złe.

Dobrze się czułem wśród tych ludzi. Od kiedy zacząłem z nimi imprezować, bo nie od razu, w końcu dzieliło nas parę lat i status pana doktora od zarządzania – kiedy Artur pojawił się u mnie na uczelni z ofertą współpracy, dobrze czułem, jaki był stremowany, chociaż umiejętnie to ukrywał – no, więc odkąd z czasem zbliżyliśmy się jakoś, po raz pierwszy od ładnych paru lat miałem znowu swoje towarzystwo, w którym można wypić, pogadać, skrzyknąć się na piwo z byle okazji albo i bez. Właściwie dopiero wtedy uświadomiłem sobie, jak mi tego brakowało. Kontakty ze starymi kumplami wygasły albo ze względu na Magdę, albo dlatego, że chciałem być jak najdalej od polityki, na wyjazdach można coś wyhaczyć, ale nie pogadać, a tu jeszcze na dodatek znalazłem się wśród ludzi o pokolenie ode mnie młodszych i – nie od razu się w tym zorientowałem – uznających mnie za autorytet nie tylko w sprawach komunikacji wewnętrznej i zewnętrznej. Dzieliło mnie od większości z nich za wiele lat, żebym był ze wszystkimi na „ty", z drugiej strony ciągłe „panie doktorze" mogło doprowadzić do szału, aż Przemo palnął do mnie „panie hrabio", ja to kupiłem, no i tak zostało: Hrabia. Niby żart, ale podkreślający mój autorytet w towarzystwie.

Bardzo dobrze się czułem w roli autorytetu. W ogóle dobrze się wtedy czułem, chyba to były najlepsze chwile mojego życia. Nie ma nic przyjemniejszego niż jazda do piekła – kolejne amerykańskie powiedzonko Maćka – przynajmniej na początku. Bo wejście w ten krąg towarzyski zbiegło się mniej więcej w czasie z początkiem mojego drugiego, ukrywanego przed żoną życia, które po pierwszych histeriach napełniło mnie satysfakcją i poczuciem własnej wartości. Spotykałem się z kobietami, które podniecał dotyk moich dłoni i mój sterczący korzeń, kobietami, którym głos zaczynał drżeć, a oczy robiły się zamglone, kiedy zaczynałem je obnażać. Proste, fizjologiczne objawy podniecenia seksualnego – a jakaż porcja satysfakcji dla sfrustrowanego, ponadtrzydziestoletniego prawiczka, który mimo małżeństwa i dziecka nie miał dotąd okazji zaznać tej najprostszej, męskiej radości, że potrafi swojej partnerce dogodzić. Może i jestem wyjątkowym dupkiem, ale co do samej zasady, nie myślę, żebym się czymkolwiek różnił od przeciętnego faceta. Seks i to wszystko, co się z tym wiąże, nie jest naszą domeną. Nie dajmy się zmylić, że to właśnie faceci krążą jak ćmy wokół pornografii, podgrzewają się ciągłym podziwianiem korygowanych komputerowo cycków na okładkach i rozkładówkach, że to oni codziennie ładują z internetu tony zdjęć, filmów i świntuszących tekstów. Seks nie jest dla mężczyzny. W porównaniu z kobiecym orgazmem nasza satysfakcja jest tylko ochłapem, który natura rzuca wyrobnikowi za wykonanie stosunkowo prostej i nie najważniejszej części wydanego przez nią zlecenia. I nawet ta skromna zapłata jest ściśle uzależniona od tego, czy zadowoliłeś swą partnerkę. Spuścić się facet może i w rękę, ale przyjemność zaczyna się dla niego dopiero wraz z pochwałami: „Ależ byłeś świetny, misiu, ależ z ciebie potwór nienasycony", i wszystkie te łóżkowe głupstwa. Naprawdę, zastanawiałem się nad tym kiedyś: modelki w pornosach wrzeszczą, jęczą i porykują, odstawiając umieranie z rozkoszy, prostytutki uczone są przez doświadczone koleżanki, żeby robić to samo, i nawet różni zboczeni gwałciciele, czytałem, siedząc w celach, wmawiają sobie, że ofierze na pewno się to bardzo podobało. Trzeba nas głaskać po główkach i zapewniać, że było cudownie, aż ziemia zadrżała, kobieta, która to wie, każdego chłopa zaprowadzi za fiuta, gdzie tylko jej przyjdzie ochota. Danka potrafiła odstawiać lepszy orgazm niż niejedna gwiazda porno. Ależ to na mnie działało – w głębi ducha domyślałem się przecież, że gra, a pękałem z samozadowolenia.

A zresztą, może faktycznie nie udawała. Co ja o niej wiedziałem? Nic, z zasady nic, o to chodziło, o nic się nie pytaliśmy, nawet jej nazwisko poznałem przypadkiem i to dopiero, kiedy już byliśmy daleko na etapie wiązania i knebla. Wyznała mi jako wielki sekret, że tak naprawdę pracuje w redakcji tego pornosa, w której znalazłem jej ogłoszenie, ale dała je tam, jakby przyszło z miasta, i podbierała odpowiedzi cichcem, żeby nikt się domyślił, że to ona. Też praca, swoją drogą – czytać codziennie listy od różnych dupków zwierzających się lasce z rozkładówki, jakby myśleli, że to naprawdę ta laska będzie im odpisywać, ty to jesteś najnormalniejszy facet pod słońcem, super jesteś, zaśmiała się kiedyś, żebyś wiedział, co te nasze zboczki wypisują – „nasze zboczki" mówiła zawsze takim pobłażliwym tonem, z jej punktu widzenia męski ród musiał się tak prezentować, aż dziw, że nie została lesbijką, chociaż chyba wspomniała kiedyś, że miała i takie przygody, ale żeby na stałe, to za bardzo lubiła dużego, twardego kutasa, coś o tym wiem – więc czytała te listy od zboczków, a potem na ich wzór układała historyjki zamieszczane przy zdjęciach.

– Bardzo prosta praca – powiedziała. – Piszę zawsze w pierwszej osobie, oczywiście niby jako facet, że pojawiła się piękna sąsiadka czy koleżanka z pracy, czy kto tam, i on nawet nie śmiał na nią podnieść oczu, aż ta nagle ryms przed nim na kolana i za kutasa. Nie masz pojęcia – śmiała się – z jakich zakompleksionych dupków my żyjemy, to jest marzenie ich wszystkich, żeby się trafiła kobieta, która wszystko za takiego zrobi, zgwałci go w ogóle i na koniec jeszcze pogłaszcze po główce jak mama.

Co ja o niej wiedziałem? Szczęka mi opadła, kiedy raz leżeliśmy przy włączonym dzienniku i nagle się okazało, że ona połowę tych rządzących komuchów zna osobiście, zaczęła mówić o nich po imieniu i opowiadać jakieś anegdoty z komitetu, o nic nie chciałem się dopytywać, ale wyszło tak, że pracowała w tym komitecie i że stamtąd właśnie wylądowała w pornosie – przyjechał tu na fali ustrojowych przemian jakiś Duńczyk szukać krajowego wspólnika, znalazł jej szefa, a ten potrzebował kogoś do pisania tych głupich polskich tekstów czy do czytania listów od zboczków, więc zabrał ją ze sobą. Jak się ostatecznie okazało, syn wielkiego sławnego opozycjonisty robił z zapałem minetę towarzyszce z wydziału kultury, szkoda, że nie mogę o tym pogadać z Wacentym, na pewno by się zadumał, jaka to znakomita metafora naszego dziejowego przełomu.

Więc po dziesięciu latach przykładnego trwania w małżeństwie zacząłem się wreszcie spotykać z kobietami, których zachowanie w łóżku przekonywało mnie, że się do czegoś nadaję. Nawet więcej, że jestem wspaniały, a mój kutas jeszcze wspanialszy. Nigdy nie podejrzewałem, że on jest jakoś szczególnie duży – był, jaki był, od zawsze, jako grzeczny chłopczyk nie zaliczyłem fazy porównywania go przed wuefem z kolegami z klasy. Dopiero Kasia, bo tak miała na imię kobieta, z którą w końcu straciłem cnotę, poinformowała, że natura raczyła mnie obdarzyć wyjątkowo pożądanym przez doświadczone partnerki kalibrem. Kiedy powiedziałem jej, że w dzieciństwie marzyłem, by zostać księdzem, wydawała się tym pomysłem szczerze oburzona.

– Ale jesteś duży – mówiły mi czasem kobiety podczas pierwszych przytulanych tańców, duży, oczywiście, że mam te swoje metr dziewięćdziesiąt parę, a ja uśmiechałem się:

– No, rzeczywiście, jestem, ale skąd o tym wiesz?

A one zawsze udawały zażenowanie, ale po oczach widziałem: przynęta działa. Nie poczuwam się zresztą wobec natury do szczególnej wdzięczności, jej niewczesny dar tylko dołożył swoje do wszystkich problemów, które zabiły moje małżeństwo. Magda, dopiero teraz zdaję sobie z tego sprawę, należała akurat do dziewczyn raczej ciasnych, a ja nie potrafiłem jej przedtem należycie rozgrzać, nawet nie wiedziałem, że powinienem, bo skąd niby? Na oazie tego nie uczyli. A na myśl, że mógłbym o jakąkolwiek z „tych rzeczy" pytać rodziców, jeszcze teraz, po tylu latach, czerwienią mi się uszy. Po pierwszych nieudanych próbach jakoś w końcu zacząłem się w niej mieścić, ale przyjemności nie miała prawa czuć żadnej. Oczywiście nie dawała tego po sobie poznać. Jak zwykle cierpiała w milczeniu.

Gdyby to ode mnie zależało, w ogóle zakazałbym młodym ludziom zawierania małżeństw bez wcześniejszego przespania się ze sobą co najmniej kilka razy i sprawdzenia, czy do siebie pasują. My z Magdą zaczęliśmy dopiero po ślubie. Wiem, że jesteśmy dinozaurami, ale wtedy byłem głęboko przekonany, że tak robią jeśli nie wszyscy, to w każdym razie wszyscy porządni ludzie. Z tym że akurat na dzień ślubu, wyznaczony przecież pół roku z góry, Magdzie wypadła miesiączka. Po całym tym długim czekaniu, kiedy już położyliśmy się razem do łóżka, nadal nic z tego. I w końcu przekonany, że moja młoda żona śpi twardo po wszystkich trudach dnia, a ja inaczej nie zasnę za nic, przyglądając się jej krągłościom i marząc o nich, starym zwyczajem dokonałem „nieskromnego uczynku wobec ciała". O tym, że nie spała, dowiedziałem się dopiero przed rozstaniem, kiedy wygarnęła mi to wspomnienie w oczy, w natłoku innych, duszonych latami urazów.

A mimo wszystko, żeby to, co przed sobą udawałem, było pełne, przy każdej okazji zajadle broniłem stanowiska Watykanu w sprawach seksu. Tak jest, klarowałem, młodzi powinni zaczynać współżycie dopiero po ślubie, a małżeństwo musi być nierozerwalne. Zaprzęgałem do tego jakichś przykościelnych seksuologów, którzy dowodzili, że tylko rozwijający się latami związek z tą samą osobą, z którą doznało się pierwszych seksualnych uniesień, może przynieść głębokie spełnienie. Cytowałem „Chicago Survey", że najwięcej ludzi zadowolonych ze swego życia seksualnego jest wśród ortodoksyjnych chrześcijan i wyznawców innych monogamicznych religii. Wyciągałem starożytnych wodzów, którzy palili za swoimi żołnierzami mosty albo okręty, żeby nie było żadnej drogi odwrotu, że niby tak samo z małżeństwem, jeśli wiemy, że musi się udać, to może nie wszystkim, ale większości się uda, a jeśli ludzie z góry założą, że w razie czego mogą się przecież rozwieść, to rozwiodą się jak w banku, i to przy pierwszym głupstwie. I tak dalej, naużerałem się o to ze znajomymi, i jeszcze o aborcję, konkordat i inne takie, to przecież wtedy były gorące sprawy, wielu idiotom uroiło się, że skoro czerwony totalitaryzm upadł, to teraz trzeba walczyć z czarnym, zwłaszcza takim, co na walkę z czerwonym nie znaleźli w stosownym okresie czasu i teraz potrzebowali to nadrobić. Że co, pytałem, jestem ciemnogród? Fundamentalista katolicki? Ależ oczywiście, że jestem. I nie było w tym obłudy. Była głęboka wiara, że nawet jeśli mi się pechowo to i owo nie udało, to u większości ludzi trzymających się tych starych dobrych zasad one się sprawdzają. Więcej, mimo wszystko ta wiara ciągle we mnie jest. Że tak być powinno. Tylko nam z Magdą nie wyszło, bo zbyt wiele się sprzysięgło – i jej zaniżona samoocena, i Potwór, i to, że przymierzu dusz okazało się towarzyszyć seksualne niedobranie.

Na imprezach za czasów Artura, w nowym, młodszym towarzystwie, powtarzałem potem to samo, tylko wtedy to już się jakoś samo brało w nawias. Ja mówię, podkreślałem w którymś momencie wywodu, że jestem fundamentalistą katolickim, a nie, że jestem świętym. Albo – to już po ładnych paru kielichach – a co właściwie ateiści mogą mieć z grzechu? Co oni mają za przyjemność, robiąc rzeczy, których i tak nikt im nie zakazuje? Nawias. Przymrużenie oka. Jak miałem nie przymrużać oka, skoro przeważnie przyjeżdżałem na te imprezy prosto z mojej dziupli, wynajętej kawalerki, gdzie spotykałem się z Kasią lub którąś z jej następczyń.

Chociaż było w tym żarcie ziarno prawdy. Pewnie nie odczuwałbym, nie przeżywał każdego z tych swoich rozkosznych upadków ani w części aż tak intensywnie, gdyby pożądanie i spełnienie nie splątały się z poczuciem winy i gorzkimi wyrzutami, że gubię duszę.

Towarzystwo w każdym razie bawiło, że mówię takie niestandardowe kawałki, akurat ja, no bo przecież jak – przez całe życie nie chodziło tylko o to, że jestem doktor taki a taki, ale że syn właśnie takiego a takiego. Aż alkohol w organizmach osiągał ten poziom, przy którym nie ma już mowy o żadnym dystansie, wtedy dochodziłem do sedna, do tego, że fundamentalizm jest potrzebny właśnie tym ludziom, którzy zupełnie się nie nadają, by ich wystawiać w Sèvres jako wzorzec chrześcijanina. To bzdura, mówiłem, cały ten Sobór. Kościół otwarty to Kościół, z którego wszyscy spierdolą. Ja jestem człowiek grzeszny, jak każdy z nas, i ja potrzebuję Kościoła tak samo, jak żeglarz błąkający się po morzu potrzebuje latarni morskiej. Jeśli się oddalam – to ona ma być właśnie tam, gdzie zawsze, wskazywać mi kierunek powrotu. A kiedy jakiś palant wsadza mi latarnię morską na kółka i zaczyna mnie gonić, bo sobie ubzdurał, że powinien być ze światłem jak najbliżej mnie, to na chuj mi ten interes? I tu moi koledzy od kielicha kiwali aprobująco głowami na znak, że trudno znaleźć kontrargument. Nawet jeśli ktoś ma taką potrzebę. Magda na przykład potrzeby szukania argumentów ani kontrargumentów nie miała.

– Ty tam zawsze potrafisz sobie wszystko wytłumaczyć – mówiła lekceważąco. – Ale to są tylko słowa.

W sumie wychodziło, że jeśli w sporze potrafiłem swoje stanowisko przekonująco, logicznie uargumentować, to był dowód tylko na to, że potrafię świetnie wykręcać kota ogonem. Jakie może mieć znaczenie, co mówię, skoro to tylko słowa? Ale to chyba nie była jej osobnicza cecha, baby tak mają często. Tylko z innymi po prostu nie musiałem się użerać.

– Ty i fundamentalizm – obśmiała mnie Kasia, ta druga, kiedy zeszło na ten temat. – Weź mnie nie osłabiaj.

– Oczywiście, że jestem fundamentalistą. Tylko umiarkowanym.

– Aha. A ja jestem feministką. Na twoje szczęście też umiarkowaną.

I wracaliśmy do swoich spraw. Tę drugą pamiętam lepiej, choć zgodnie z podręcznikami jej miejsce powinna raczej zajmować ta pierwsza, pierwsza kobieta w moim życiu, z którą mi wyszło tak, jak powinno. Ale jakoś, jak w tylu innych miejscach, tu też podręczniki kłamią. Może tak jest dlatego, że w sumie tylko przypadek sprawił – akurat ta, a nie inna. Ta pierwsza miała ciemne włosy, trochę kręcone, była bardzo wysoka i trochę chudsza, niż powinna być kobieta, żeby normalny mężczyzna uznał ją za apetyczną. I była trochę w tym samym stylu co Danka: opalenizna z solarium, ładna bielizna, zapach dobrych perfum, kępka włosów nad szparką przystrzyżona elegancko w wąski kosmyk, upierała się zresztą, żebym patrzył, jak się tam podgala, siedząc namydlona na brzegu hotelowej wanny. I równie dobrze jak Danka wiedziała, czego chce. Poflirtowaliśmy ze sobą w czasie wolnym wieczorem na szkoleniu dla pracowników sieci energetycznych i jak zwykle uciekłem w ostatniej chwili, zostawiając ją wściekłą. Ale ponieważ był to już czas, kiedy moje katolickie sumienie wydawało z siebie ostatnie słabe charkoty, po tygodniu zadzwoniłem z pytaniem, czy chce się ze mną spotkać. Tak, odpowiedziała wprost, ale tylko, jeśli mamy iść do łóżka, i nie traćmy czasu, ona przyjdzie do mnie od razu do hotelu czy gdzie tam chcę. Myślałem, że jest z kimś i też boi się dekonspiracji – ale nie, jej chodziło tylko o czas. Żałowała go na zbędne podchody. Postawiła sobie w życiu ambitne cele i była skupiona na ich realizacji, nie mogła się rozpraszać na szukanie partnerów, zwłaszcza że przyjęła zasadę nie dawać nikomu, kto z nią pracował. Choć dla kogoś, kto decydował o awansach, zrobiłaby pewnie wyjątek. A może nie. W pracy kobieta musi być nieprzystępna, wyjaśniła kiedyś, bo zaraz każdy będzie chciał na nią wleźć, jeszcze odsuną od awansu, spodziewając się, że i tak zaraz zajdzie w ciążę. Musiało ją bardzo męczyć takie udawanie żelaznej dziewicy.

Nabrałem dzięki Kasi pewności siebie, nauczyłem się podstaw, kiedy po paru miesiącach oznajmiła mi, że zaczęło to być nudne, nawet szczerze się zmartwiłem – ale jako partnerka w uczuciach czy emocjach nie znaczyła dla mnie więcej niż własna prawa dłoń. Chociaż gdyby potrzebowała czego innego, gdyby oczekiwała ode mnie właśnie uczuciowego zaangażowania, niewykluczone, że straciłbym dla niej głowę. Co tu gadać, kiedy facetowi w tym wieku babka pokaże, jak może być w łóżku, to ma przez pewien czas świeczki w oczach i gotów jest zgadywać jej niewypowiedziane życzenia. Podporządkowałem się. Jak zwykle.

W porównaniu z tym, jak mi odwaliło po rozwodzie, wtedy byłem niezwykle powściągliwy, ale przez wiele miesięcy wydawało mi się, że łamię nie wiadomo jakie zakazy, i bardzo mi to poczucie dogadzało. Mieć oprócz żony kochankę już było dla katolickiego fundamentalisty, choćby nawet umiarkowanego, czymś niezwykle ekscytującym. Ale mając już jedną kochankę, spotykać się w inne dni z drugą, tak żeby o sobie nie wiedziały – to dowartościowywało, że bardziej nie można. I przy tym wszystkim ostrożnie, bez pośpiechu – bo podstawowe potrzeby ma już kto zaspokoić – rozglądać się za następną okazją. Nie żałować sobie ćwiczeń w sztuce rozmowy i zwierzeń, które mogą się skończyć w sypialni, ale wcale nie muszą, w mówieniu rzeczy, z których może coś wynikać, ale wystarczy dodać jedno zręczne zdanie, by oddalić wszelkie podejrzenia, że cała ta gadanina miała jakikolwiek podtekst.

No dobra, uczciwie przyznaj, chłopie, że w tym byłeś dobry. Owszem, byłem. Miałem gadane. Okazało się oto nagle, że mój repertuar wcale nie kończy się na udawaniu idealnego męża. Księżycowy kochanek wychodził mi równie dobrze. Nie podejrzewałem sam siebie, że gdzieś we mnie tkwi taka potrzeba, ale widocznie tkwiła, bo różne sentymentalne głupstwa płynęły mi z ust z łatwością oszałamiającą mnie samego – no, to łyknijmy głębiej na to właśnie konto. Uuch, mógłbym napisać podręcznik. Reguła pierwsza: od razu zaczynać od tego, że, niestety, to niemożliwe. Gdybym cię spotkał kilka lat temu, ech, dziewczyno, teraz już za późno, jesteśmy oboje daleko i prąd życia nieuchronnie oddala nas od siebie, jesteśmy zaangażowani w innych związkach, musimy dbać o swoich bliskich, oczywiście, ale kiedy sobie pomyślę, że gdybyśmy wtedy, taki facet jak ja i taka kobieta jak ty, w odpowiedniej chwili stanęli na swojej drodze, i tak trzeba dalej, co jakiś czas wracając do myśli przewodniej, rozwijać niezobowiązująco wizję tego, co by mogło być, gdyby mogło być, coraz bardziej szczegółowo, aż niemożliwe zamieni się w możliwe, jeżeli tylko na pewno nikt się o tym nigdy nie dowie. Innymi słowy, przyjdzie moment, żeby spojrzeć kobiecie głęboko w oczy i niskim, rozmarzonym głosem powiedzieć:

– Tak, jeśli to zrobimy, pewnie będziemy potem żałować. Ale jeśli tego nie zrobimy, też będziemy żałować. A wiesz... Mnie życie nauczyło, że stokroć lepiej żałować tego, co się stało, niż tego, co się nie stało.

Sto procent skuteczności, a powtórzyłem ten greps sporo razy i do zupełnie różnych od siebie kobiet. O, bo to też było odkrycie – że one się od siebie tak bardzo potrafią różnić. Druga Kasia, z którą sypiałem najdłużej, potrafiła być jednocześnie przeciwieństwem i tej pierwszej, i mojej Magdy, i jeszcze paru bardziej przelotnych znajomości. A te różne drobne upodobania: Sylwia chciała tylko od tyłu, Dankę podniecało masturbowanie się na moich oczach i patrzenie, jak ja to robię sobie sam, Kasia chciała, żebym patrzył, jak się podgala, a Kinga, żeby jej pieścić i całować stopy, pamiętam nawet jedną taką, która podkręcała się, zachowując się jak mała dziewczynka, co po raz pierwszy w życiu widzi kutasa, chociaż miało ją już tylu, że można by jej tam włożyć obie ręce i zaklaskać. A Groszek... no, z Groszkiem to osobna, dłuższa historia.

Drugą Kasię, Kasię-księgową, typ dużej, ciepłej i jakby z natury odrobinę sennej blondynki, wspominam ze wszystkich przygód tego czasu najmilej. Ona po prostu lubiła wszystko, cokolwiek jej robiłem. Leżała biernie, ale nie tak jak Magda, zawsze napięta, czujna, natychmiast zasłaniająca się ręką, gdy wyczuła, że chcę spróbować pieszczot, których nie akceptowała. Kasia, leżąc, rozkoszowała się moim dotykiem albo moją obecnością w sobie. Nie krzyczała, nie wiła się z namiętności, ale pomrukiwała rozkosznie, poddając się leniwie moim staraniom, i uśmiechała się cudownym, niepowtarzalnym uśmiechem, patrząc spod półprzymkniętych powiek. Ile razy zadzwoniłem do niej do pracy z umówionym pytaniem, zawsze mogła i zawsze chciała, nawet jeśli akurat dostała miesiączkę – wtedy tylko podkładała sobie gruby ręcznik, żeby oszczędzić pościel. Gdy nie odzywałem się przez miesiąc, a potem nagle dzwoniłem, żeby przyszła jutro, zjawiała się, o nic nie pytając ani nie robiąc żadnych wyrzutów. Chyba tylko jeden jedyny raz zdarzyło się jej wymówić chorobą dziecka, bo Kasia była kolejną w moim życiu mężatką, uznającą, że – jak to mówiła Danka – coś jej się jeszcze należy od życia.

A ja, nawet gdy wyhaczyłem coś nowego, po jakimś czasie zawsze zaczynałem do niej tęsknić. Do jej biernego poddania i do westchnień, pomruków, delikatnego przeciągania się, wszystkiego, czym potrafiła okazać, że sprawiam jej niewysłowioną rozkosz. W końcu ośmieliła mnie w ten sposób do tego, do czego wobec żadnej innej kobiety, a już zwłaszcza wobec Magdy, nie miałem się śmiałości przyznać. Kiedy tak poddawała się moim pieszczotom, leżąc na plecach, lubiła odrzucać ręce ponad głowę. Pewnego dnia kupiłem i schowałem pod poduszką jedwabny szalik, a kiedy znowu ułożyła w ten sposób ręce, wyjąłem go i siląc się na spokój, choć każde następne uderzenie serca mogło mi rozsadzić głowę na kawałki, zacząłem jej wiązać nadgarstki. Robiłem to niezgrabnie, ledwie przemagając drżenie palców, i wystarczyłoby jedno niechętne mruknięcie, żebym zrejterował ze wstydem, ale Kasia uśmiechała się tylko jak zwykle, zachęcająco, poddając się cierpliwie, aż w końcu przemogę swą niezdarność i zaciągnę supeł, i kiedy w nią wszedłem, była wyraźnie bardziej rozgrzana i oddychała szybciej niż zwykle.

Nawet wtedy nie zdobyłem się, żeby z nią o tym rozmawiać. Nie opowiadałem, że w swoich onanistycznych fantazjach od zawsze byłem bezwzględnym gwałcicielem, chłoszczącym zniewolone kobiety i biorącym je brutalnie, unieruchomione sznurami czy dybami, w akompaniamecie stłumionych kneblem protestów. Uzyskawszy przyzwolenie, nie nadużywałem go. Od czasu do czasu przywiązywałem ją do łóżka albo krępowałem jedwabiem ręce i nogi za plecami, stopy do nadgarstków, w taki sposób, że stawała się wzruszająco i podniecająco bezbronna, a potem pieściłem aż do orgazmu. Ale kiedy zasugerowałem sznur i plaster na usta, to choć właściwie nie zaprotestowała, coś w jej twarzy kazało mi nie nalegać. Za to zaskoczyła mnie inaczej. Przyklękła przede mną, gdy siedziałem na fotelu, wzięła mój korzeń do ręki, przez dłuższą chwilę przyglądała mu się z wyrazem twarzy, w którym podniecenie i głód mieszały się z zawstydzeniem – aż w końcu zabrała się za niego ustami. Chyba jedyny raz wykazała wtedy tyle inicjatywy. Wydawało mi się, że zaraz oszaleję. Ale wciąż chciałem udawać tego strasznie fajnego faceta, więc zamruczałem:

– Ukochana, jest cudownie... ale musisz przestać, bo już się długo nie powstrzymam...

I usłyszałem właśnie to, o czym marzyłem:

– Nie musisz się powstrzymywać.

Chóry anielskie nad głową. O Boże, pamiętam to tak dokładnie, jakbym oglądał film.

– Nie powstrzymuj się – powtórzyła. – Chcę tego.

Połknęła wszystko. I właśnie wtedy, patrząc, jak

pracuje starannie językiem, żeby nie stracić ani kropli, po raz pierwszy w życiu poczułem to dziwne oderwanie od siebie, poczułem, że nie ja jestem tym człowiekiem spożywającym najsurowiej zakazany owoc. Ale byłem zbyt zachwycony, żeby to długo trwało. I Kasia była zbyt zachwycona. Rozgorączkowana, z zarumienioną od podniecenia twarzą tuliła się do mnie, szepcząc, och, jak fajnie, nigdy nie przypuszczałam, że to jest takie fajne. Szczerze mówiąc, ja też dopiero jej zawdzięczam odkrycie, że i kobieta z takiego załatwienia sprawy coś ma.

No i jak to ja, ledwie parę spotkań potem, kiedy tak dobrze szło, musiałem wszystko spieprzyć. Tak samo jak potem z Danką: układ był doskonały, a ja oczywiście musiałem wyskoczyć z czymś, co naruszało jego podstawy. Coś w tym stylu, nawet nie dosłownie, ale z wyraźną aluzją, że gdyby ona się kiedyś chciała rozwieść, ja też mógłbym to zrobić i bylibyśmy ze sobą nie tylko w łóżku. Nie wiem, dlaczego tak powiedziałem, bo przecież wcale nie miałem zamiaru porzucać rodziny, jeszcze długo potem nie miałem takiego zamiaru, do dziś bym tego nie zrobił, gdyby Magda sama mnie nie zmusiła – ale tak w każdym razie zacząłem bredzić, bezmyślnie psując milczącą umowę o niezobowiązującym dawaniu sobie satysfakcji. Pożałowałem już w tej samej sekundzie, czując, jak w moim wynajętym mieszkanku temperatura spada na łeb, na szyję, a rozleniwione ciało kochanki tężeje gwałtownie. Jakoś nie dało się nad tym przejść do porządku dziennego, choć oczywiście bardzo starannie udawaliśmy oboje, że taki niefortunny incydent nie miał nigdy miejsca. Ale miał, jej poczucie bezpieczeństwa zostało raz na zawsze naruszone, a moje poczucie winy obudzone z uśpienia, zaczęły w nas narastać uczucia, które w końcu doprowadziły do tego, czego tak na rozum nie da się pojąć – pewnego popołudnia, jeszcze rozleniwiona seksem, moja kochanka oznajmiła nagle, że przemyślała sprawę i nie może tego dłużej robić swojemu mężowi. I nie to jest dla mnie niezrozumiałe, że postanowiła zerwać dający jej tyle rozkoszy związek, tylko moja własna reakcja. Zamiast skinąć głową, klepnąć ją na pożegnanie w ten cudowny tyłek, a lepszy miałem chyba tylko u Groszka, i wytłumaczyć kolejnej lasce, że lepiej żałować tego, co się stało, niż tego, co się nie stało, odparłem równie poważnie: ja też długo się nad tym zastanawiałem i postanowiłem przyznać się żonie, że prowadziłem podwójne życie, uzyskać jej przebaczenie i zacząć wszystko jeszcze raz. Nie dość, że tak powiedziałem, ale rzeczywiście, kretyn skończony, zrobiłem to. Co mi strzeliło wtedy do łba?

Oż, i właśnie w tej chwili butelka musiała pokazać dno. Ale jeszcze nie napocznę następnej. Nie, jeszcze chwila. Znam swoją wrażliwość na alkohol i wiem, w jakim tempie muszę pić, żeby nie przesadzić. Tego by tylko brakowało, żebym się tu nawalił i przejechał swoją stację.

Nie, nie ma obawy. Coś w życiu musi mi się udać, a to przecież ostatnia szansa.

Najgorsze, że Kreszczyński miał rację tylko w jednej jedynej sprawie, ale w tej właśnie, w której jej mieć nie miał prawa, nie zgadzam się na to, nie pogodzę się nawet umarły, ale za nic nie umiem znaleźć odpowiedzi na jego podlane ironią, wypowiadane chłodno słowa.

Nie powinienem się z nim zaprzyjaźniać, a już zwłaszcza pozwalać, żeby służbowe dyskusje w górnej restauracji biurowca schodziły na rozmowy o życiu. Ale wciągał mnie w to stopniowo, gadało się z nim coraz ciekawiej, przede wszystkim zupełnie inaczej niż w towarzystwie u Artura – oczytany, bystry, z dystynkcją, trzeba przyznać, wydawał się jakimś reliktem, słabym echem czasów, kiedy homoseksualista to był dystyngowany profesor, poeta czy muzykolog, wykwintny erudyta o życiu prywatnym okrytym szczelną zasłoną dyskrecji, a nie debilowaty „gej" z nocnego klubu. Tymi gejami zresztą Kreszczyński brzydził się i nienawidził ich bardziej niż którykolwiek z heteryków. Ale o tym rozmawialiśmy kiedy indziej, później, gdy już wiedziałem. Wtedy, dwa czy trzy miesiące po rozpoczęciu audytu, kiedy miałem zebraną większość ankiet i siedziałem nad ich opracowaniem, ale dopiero nad samą analizą, bez propozycji usprawnień, zaprosił mnie na drinka, żeby podpytać o postępy prac.

– Wiesz, Hans mnie tu zagaduje o ciebie, jest ciekaw, a ja nie bardzo wiem, co mu odpowiedzieć.

Zacząłem się od razu usprawiedliwiać, że przecież sam chciał, żebym całą robotę wziął zupełnie solowo, więc to musi trwać dłużej.

– Ależ daj spokój, nikt cię, chłopie, nie popędza, wypijmy po prostu drinka i pogadajmy, okej?

Opowiedziałem mu, co mniej więcej wychodzi mi z badań – o rozdzieleniu obiegu informacji w spółkach w ogóle niepokrywającym się nie tylko z zależnościami służbowymi, ale z zadaniami i strategią działań, zresztą, bardziej to traktowałem jak zawodową ciekawostkę, bo badając różne popeerelowskie firmy, z pętlami decyzyjnymi i dominacją obiegu nieformalnego nad oficjalnym spotykałem się nieraz, ale aż takie niezborności struktury formalnej z faktyczną wydały mi się czymś zabawnym. Kiwał z zaciekawieniem głową, unosząc brew, i od czasu do czasu dopytywał się bardzo przytomnie, co konkretnie mam na myśli, używając takiego lub innego pojęcia. Interesował się w każdym razie. Ja z kolei korzystałem z okazji, żeby go spytać o tę lub inną spółkę holdingu, bo tak było łatwiej, niż samemu szukać danych – miał to wszystko w pamięci, jak przystało na zaufanego współpracownika doktora Hansa. Niepostrzeżenie zeszło na inne sprawy, pogadaliśmy o polityce, o sporcie, aż zeszło i na religię.

– Tak, stary, ja też byłem kiedyś katolikiem, też miałem po chrześcijańsku żonę i potomstwo. Ale z czasem zacząłem lepiej rozumieć, o co w tym naprawdę chodzi. A wiesz, dzięki czemu? Dzięki polityce. Popatrzysz na politykę i dopiero rozumiesz, co robi Kościół. Robi to samo.

Pomyślałem, że zaczyna się kolejny spór o naciski biskupów na rząd i powiedziałem coś stosownie do tego, miałem takie dyskusje obcykane aż do rutyny, ale Kreszczyński pokręcił tylko głową. Jemu chodziło o co innego. O haki.

– Haki?

– Jasne. Kogo się promuje w polityce? Tego, na kogo się ma haka. Im hak grubszy, tym bardziej możesz być faceta pewien. Jak mógłbyś ufać komuś, kogo w razie czego nie jesteś w stanie zniszczyć? Taki ktoś może cię zdradzić, gorzej, może cię w ogóle olać, a ty mu będziesz mógł skoczyć. Jeśli na kogoś nie ma haka, trzymaj się od takiego z daleka.

– Dobra – mówię – ale co to ma wspólnego z Kościołem?

– A po co stawia ludziom wymagania, których nikt normalny nie może spełnić? Żadnego seksu przed ślubem, a po ślubie do końca życia z tą samą kobietą, i to bez żadnej przyjemności, pozycja misjonarska, prokreacja i nic więcej? Ilu katolików to spełnia? Trafi się paru impotentów czy patologicznie oziębłych matron, ale reszta... – Macha ręką z lekceważeniem. – Przecież księża tacy głupi nie są, wiedzą, jak to naprawdę wygląda, ale od tylu pokoleń wszyscy się przyzwyczaili udawać, że nikomu to nie przeszkadza.

– No, może jest w tym trochę obłudy, ale...

– Trochę obłudy! – śmieje się. – To nie jest obłuda, to jest mądrość. A dlaczego własnym funkcjonariuszom zabrania Kościół tego, co normalne, oczywiste i niezbędne do życia? Bo dla papieża i biskupów naprawdę jest tak strasznie ważne, żeby który katabas sobie czasem nie zamoczył? Bo nie wiedzą, jak jest z tym celibatem naprawdę? Gdyby tak im zależało na cnotliwej kadrze, to takiego, co grzeszy, wylewaliby zaraz na zbity pysk, ażby w końcu zostali w tej firmie sami. Ale jakoś nie wylewają. Jak już się nie da przed wiernymi ukryć, że proboszcz jest pedofil, to go przenoszą po cichu do innej parafii albo wysyłają na studia do Watykanu. No, dlaczego? Bo jest przez to cenniejszy. Już jest na niego hak. I to taaaaki! Chłopie, dlaczego ta instytucja przetrwała dwa tysiące lat? Bo jest w niej nadprzyrodzona siła, duch Boży, co? Ależ gdyby tak, to by ten duch pomagał wyznawcom żyć zgodnie z tym, co wyznają. A jakoś od niepamiętnych czasów nie żyją! Nie wolno im się pierdolić, a oni się pierdolą, nie wolno im nienawidzić, a prowadzą podboje, zamiast nadstawiać drugi policzek, kradną, oszukują, i na koniec za wszystko, czego im nie wolno, dostają rozgrzeszenie, a wiara katolicka trwa w najlepsze, i fakt, że ze świecą szukać kogokolwiek, kto by według niej żył, nic jakoś nie szkodzi. Bo oni już paręnaście wieków temu odkryli sekret, kamień filozoficzny wszelkiej polityki: że prawdziwą potęgę układu można zbudować tylko na hakach. I tak przefasonowali całą Chrystusową naukę, żeby nikt, absolutnie nikt, nie mógł się czuć w porządku. Jest tylko jedna metoda, żeby zostać świętym: ukrywać się tak dobrze, by nikt nigdy nie doszedł prawdy. Każdy katolik jest z definicji grzesznikiem, każdy musi tonąć w wyrzutach sumienia, przepraszać, że żyje, błagać o rozgrzeszenia i lękać się, żeby prawda o nim nie wyszła na jaw. Od prostaczka przynoszącego do pokropienia święconkę po kardynała.

Zapamiętałem tę jego przemowę tak dobrze, bo poza tym, co mówił, było parę zaskakujących rzeczy w sposobie, w jaki to robił. Widziałem w życiu od diabła i trochę nawiedzonych antyklerykałów i osobistych wrogów tego, którego nazywali „panem B", twierdzili, że go w ogóle nie ma, i gotowi byli się nieźle natrudzić, żeby mu zrobić na złość. Kreszczyński ich nie przypominał. Nie zapalał się do tego, co mówił, nie podnosił głosu, ot, po prostu dzielił się wiedzą, do której w jakiś tam sposób doszedł. A przede wszystkim: co mówił, to nie w tonie potępienia czy demaskacji, tylko aprobaty. Tak właśnie trzeba, to mądre, i gdyby mu się inaczej w życiu ułożyło, to bardzo chętnie zostałby biskupem.

Z ulgą powitałem telefon od Artura, że udało im się z Przemem wygrać jakiś ważny przetarg i montują na wieczór ekipę do świętowania, przez uprzejmość zaproponowałem pedałowi, że pójdziemy razem, ale nie miał czasu. I na szczęście. Coś tam jeszcze pogadaliśmy i umówiliśmy się na telefon za jakiś czas. Ale trafił mnie w czuły punkt, w pytanie, nad którym łamałem sobie głowę latami, a raczej – które latami od siebie odsuwałem, licząc, że może jakaś odpowiedź sama mi się z czasem wymyśli.

W młodości rzadko słuchałem muzyki, a jazzu to już prawie w ogóle. Ojciec miał trochę płyt, Andrzej puszczał je czasem, ale ja nigdy, dopiero Artur zwrócił mi uwagę, że coś takiego jak jazz w ogóle istnieje. Co najmniej raz w tygodniu, a jak się dało, to i częściej, zbierał wieczorem ekipę na jam, ja się z nimi często zabierałem dla towarzystwa i jakoś tak przywykłem. I tego wieczora też skończyło się przed północą w Quincunksie. Nie pamiętam, kto był – no, Artur na pewno, i Przemo, jego wspólnik, chociaż w mojej pamięci Artur zawsze go jakoś przysłania, bo Przemo był spokojny człowiek, a Artur jakby nie mieścił się w sobie, niespożyty, wszędzie go pełno, bez przerwy coś nakręcał, kombinował, za czymś biegał i jeszcze po całym dniu miał siły imprezować do białego rana. Chyba zebrała się jakaś większa ekipa, bo przetarg rzeczywiście wygrali ważny, u jakichś Francuzów – może był Maciek, może nawet Ewa, ale zupełnie nie pamiętam. Nie mogłem przez cały wieczór opędzić się od myśli, że tak, pieprzony pedał ma rację – wszystko we mnie, cała moja wiara od dziecka oparte były na udawaniu, ale nie dlatego, że ja jestem popierdolony, bo jestem po prostu człowiekiem jak każdy, tylko dlatego, że inaczej się nie da. Ja wierzyłem, jak w nic innego, że mogę sobie powiedzieć – chcę być taki a taki, bo tak należy, tak jest dobrze, i jeśli będę nad sobą pracował, stanę się taki, jaki chcę być. Ale to nieprawda. Nie można ze sobą wygrać, nie można być silniejszym od samego siebie, żadne sporty i zimne prysznice Diabełka nic tu nie pomogą. Można tylko jedno: udawać. Wydzielić, wydalić z siebie istotę postulowaną i tylko ją pokazywać światu, a całą resztę starannie ukryć.

Ale tego właśnie dzisiaj, teraz, już nie można.

Przed ślubem z Magdą starszawy redemptorysta udzielał nam szkoleń, w ramach tych obowiązkowych nauk, które trzeba odsiedzieć dla proboszcza, i zapamiętałem z tego wszystkiego tylko wywód, że pokusy trzeba od siebie umiejętnie odsuwać. Nie ma siły, po latach trwania w związku pojawi się kobieta, na którą będziesz miał chęć – nie wystawiaj się wtedy na próbę, unikaj okazji do spotykania się z nią, nie pozwól, byście zostali sam na sam. *Externae,* powtarzał, *externae,* zewnętrznie, nie pamiętam, dlaczego tak to nazywał, ale generalnie chodziło mu o to, że każdy człowiek pęknie, jak pokusa jest za silna, więc tak je właśnie trzeba zwalczać – zewnętrznie. Sto lat temu, może tak. Jeszcze w pokoleniu ojca. Ale nie teraz, nie w tych czasach – czasach cywilizacji informatyczno-onanistycznej. Siadasz do komputera, musisz przecież do niego usiąść codziennie, włączasz i tuż za cieniutką ścianą masz ogromny sklep ze wszystkimi możliwymi zboczeniami. Wystarczy kliknąć. Przecież po to tylko powstał ten cały internet, ten wielki sukces współczesnej cywilizacji, żeby miliony ludzkich istot waliły sobie przy nim konia i miętosiły łechtule. No dobrze, może nie po to powstał, cele były światłe i naukowe, ale każdy przyzna – że to się tak udało i rozwinęło, obrosło cały świat i zmieniło życie, to tylko dzięki pieniądzom onanistów.

Za czasów ojca mówiło się o „ciemnych zakamarkach duszy", ale teraz to nie żadne zakamarki. Teraz to wielkie, wystawowe półki w globalnym hipermarkecie. Wszystko, co kiedyś kryto pod słowem „plugastwo" czy „sprośności", dziś ułożone jest zachęcająco, sekcjami, w kolorowych witrynach. *Bondage & domination, gay & les, SM, piss, caviar, latex, fat, midgets, amputees, she-males, lolitas,* czort wie, ile tego jest. W tej naszej globalnej informatycznej wiosce chyba już tylko ostatni parafianie rżną się jak Pan Bóg przykazał przez misjonarzy swoich – jeśli już jesteś tak prymitywny, że ciągnie cię wyłącznie do kobiet płci przeciwnej, i to dorosłych, to wyszczanie się partnerce na twarz stanowi minimum, żebyś nie musiał się wstydzić. Zapomnij o słowach „dobre – złe", mów „w moim – nie w moim guście". Samorealizacja w rozsądnej cenie i z uwzględnieniem indywidualnych potrzeb. Jakie do cholery *externae* – wyrzuć telewizor, omijaj szerokim łukiem kioski, spuszczaj skromnie oczy przy co drugiej reklamie? Przede wszystkim – dlaczego? W imię czego odmawiać sobie czegoś, o czym każde dziecko jest dziś uczone, że mu się należy? Kiedy nie było jeszcze kamer telewizyjnych, paparazzich, podsłuchów, tajnych służb i tabloidów, można było dawać ludziom przykłady, wmówić im, że wokół nich żyją dobrzy chrześcijanie, których warto naśladować. Każdy się wstydził swoich grzeszków, każdy je ukrywał, i w rezultacie każdemu się wydawało, że to on jeden nie dociąga. A dziś każdego świętego zdemaskują w końcu jako obłudnego bydlaka. Lepiej od razu się pochwalić: „A owszem, jestem plugawą świnią, i jestem z tego dumny". To jest trendy: żadnych stresów, żadnej obłudy.

Sto lat temu mógłbym sobie udawać do końca życia. I co jakiś czas, ech, skoczyć w najgłębszej tajemnicy, jak wiktoriański mieszczuch, do burdeliku. Pod koniec życia odkryłbym z dreszczykiem grzesznej rozkoszy tak niewyobrażalną perwersję jak miłość francuska. Ale kiedy codziennie muszę siadać do komputera, bo bez tego komputera nie da się pracować, i codziennie mam ten kurewski supermarket na wyciągnięcie ręki? Zresztą mniejsza o mnie, ale co zrobi pokolenie tych dwóch gówniar z tramwaju? Skoro zaczynają w punkcie, do którego cezar Tyberiusz dochodził pracowicie przez całe życie, to po trzydziestce nawet pedofilia i kanibalizm zaczną ich nudzić. A co wymyślą, żeby się podkręcać, jak będą po czterdziestce – jeśli oczywiście wcześniej nie spuści ich z wodą jakiś Bin Laden? Spodziewaj się więcej pedofilów, nawet wśród księży, nauczycieli i psychologów, więcej psychopatycznych morderców, którzy podrzynają gardła, bo mają taką wewnętrzną potrzebę, więcej i więcej każdego rodzaju pojebów, jakich tylko sobie możesz wyobrazić, spodziewaj się tego, zasrany świecie, z którego wreszcie się ewakuuję pociągiem pośpiesznym do Suwałk, od Białegostoku jako osobowy.

Ale to wszystko nie byłoby warte, żeby się gryźć.

I nie o tym wtedy myślałem, zanurzony w muzyce, której skopani przez życie ludzie powierzali swój lament. Nie, myślałem o czymś zupełnie innym. Że gdybym zdołał wcielić w życie receptę starego redemptorysty, gdybym jakimś cudem odsunął od siebie pokusy, zawiązał sobie kutasa na supeł i narzucił dyscyplinę, pozostałbym żałosnym kadłubkiem człowieka. Okaleczonym i nieprawdziwym. Miałem wszelkie dane na nawiedzonego dewota, odsuniętego przez pobożną małżonkę od łoża i rozładowującego wynikłe stąd frustracje w natchnionych kazaniach przeciwko zepsuciu.

Nie.

Gdyby Kościół warunkiem rozgrzeszenia uczynił wstręt do siebie, to miałbym jeszcze szansę. Ale uczynił nim żal. A żalu wzbudzić w sobie nie potrafię, bo z dwojga złego, mimo wszystko, nie widzę się w tamtej roli. I tu jest prawdziwy problem.

To był czwartek, a w czwartki wieczorami w Quincunksie urządzają po koncercie, w każdym razie wtedy urządzali, jam session. I na ten nocny jam przywykli spływać z warszawskich ulic ruscy grajkowie. Po całym dniu piłowania nad rozłożonym na ziemi futerałem albo czapką kalinek i czastuszek, po całym dniu ciułania grosików schodzili się tu, żeby przesiedzieć wieczór przy jednym piwie albo wzmocnionej dyskretnie pod stołem herbacie, a potem dołączyć do gwiazd wieczoru i zamiast przeboików zagrać *Stars fell on Alabama* czy *'Round Midnight*. Zagrać o swoim życiu i o źle urządzonym świecie, zagrać to, czego się nie da opowiedzieć, o czym opowiadać nawet nie warto, bo i co z tego gadania wyniknie – tylko po prostu zagrać. Nie dla grosików rzucanych do czapki. Dla siebie i dla samego Pana Boga, który przysiadał tam zmęczony nad kuflem, słuchając do bladego świtu, jak żali się jego stworzenie.

Zacząłem się od tego ich grania uzależniać tak samo jak od seksu. Im bardziej to było niedawno, tym częściej piątkowy świt zastawał mnie ze zwieszoną nad stolikiem głową, pełną wyimprowizowanych nut i pasaży. Muzyka nie może człowieka uratować, ale może pomóc, jak pigułka od bólu głowy nie wyleczy, ale ulży, i tak było także teraz – ocknąłem się z zamyślenia, gdy już wszyscy poszli, zawołałem kelnerkę, niepotrzebnie, bo Artur jak zwykle zapłacił za wszystkich, ale kiedy dziewczyna się pochyliła nad stołem, mogłem zajrzeć jej w dekolt i natychmiast się podnieciłem, właściwie nie podnieciłem, tylko coś się od razu ambitnie sprężyło w podbrzuszu, że trzeba zagadać i spróbować ją poderwać. Ale byłem zbyt ociężały od alkoholu i muzyki, żeby przekroczyć granice zwykłego barowego flirtu, zresztą, to nie ta pora – księżycowego kochanka trzeba odstawiać wieczorami, kiedy w głowie ma się miły szmerek po drinku, a półmrok i kolorowe światła robią nastrój do dyskretnego podmacywania i ocierania się strefami erogennymi, a nie nad ranem, gdy powieki ciążą, a kobietę po całej nocy harówy na wysokich obcasach bolą spuchnięte nogi, jakby w nie żywego ognia nalał. Powiedziałem dziewczynie coś miłego i poszedłem, zostawiając na stoliku dychę. Taksówkarz też nie miał o tej porze ochoty wdawać się w dyskusje o życiu, może na swoje szczęście. Wszedłem do pustego apartamentu i nie wiedziałem, co ze sobą zrobić. Włączyłem komputer, ale w poczcie żadnego listu od Iris akurat nie było. Przypomniał mi się ten filmik, odkryty przed laty, jeszcze w czasach doktoratu, i wciąż przechowywany na twardym dysku, filmik robiący za reklamową próbkę w internetowym sklepie z sado-maso. A skoro już mi się przypomniał, to wiedziałem, co teraz będzie, więc od razu zadzwoniłem do Arabeski, bo nad ranem potrzebują na przyjazd mniej więcej pół godziny. Przysiągłem sobie przecież raz na zawsze, że sam sobie tego nigdy więcej robić nie będę, a patrząc na tę modelkę z filmu, tak łudząco podobną do Magdy, trudno mi było wytrzymać, tak mnie wciąż, od tylu lat, podkręcała myśl, że to mogłaby być ona. Na szczęście w agencji starali się dla stałego klienta, może się bali, żeby mnie nie stracić – to zabawne, tak naprawdę korzystałem na przemian z trzech agencji, bo pomyślałem sobie, że jak będę za każdym razem zamawiał dziwki z tej samej, to wezmą mnie za seksoholika; dlaczego mi przeszkadzało, co tam o mnie myślą, za cholerę nie potrafię dzisiaj sobie przypomnieć. Więc przysłali mi dziewczynę szybko, ja sobie oglądałem na komputerze ten film, a Białorusinka obciągnęła mi, klęcząc pod biurkiem, i skasowała swoje dodatkowe pięć dych za francuski bez. Za moje pierdzielenie, którego musiała przy tym wysłuchać, nie doliczyła ani grosza. Trochę jej się dziwię.

Ojciec nie lubił amerykańskiego czarnego kryminału, mówił, że to pozerstwo, i co najmniej w jednym miał rację – całą tą legendą romantycznej kurwy o kant potłuc, jak każdą legendą. Marzyli sobie chłopaki o kobiecie, która potrafi to wszystko co profesjonalistka, a jeszcze do tego można się w niej zakochać. Prawdziwe kurwy są tępe, mają życie duchowe na poziomie pantofelka i wdzięku tyle co drewniany kloc. Czasem się zastanawiałem, zanim sam zacząłem z nich korzystać, po cholerę w ogóle ludzie płacą pieniądze w czasach, gdy przyzwoite dziewczyny nie robią już żadnych przeszkód. Teraz wiem: bo przy kurwie zupełnie nie trzeba się przejmować. Po prostu rób, Natasza czy inna tam Sonia, to albo to. I jeszcze można się wygadać, a ona musi słuchać.

No więc spuściłem z krzyża i siedziałem sam w pustym mieszkaniu nad ranem, potwornie chciało mi się spać, ale w żaden sposób nie mogłem zasnąć, snułem się, obijając o ściany.

Przypomniało mi się, że przechodząc koło sklepu dla modelarzy, nakupowałem sobie małych żołnierzyków, dokładnie takich, jakie w czasach mojego chłopięctwa stanowiły szczyt dziecięcych marzeń. Wysypałem całą armię na podłogę i zacząłem ustawiać w bojowe szyki, tu szwoleżerów, tam cesarską gwardię pieszą, a potem położyłem się obok na podłodze i patrzyłem, sącząc whisky, jak wyciągają ku sobie nawzajem szable i mierzą groźnie z karabinów. Żaden z żołnierzy się nie ruszał i nic z tego nie chciało wyniknąć. Zapętliłem na kompakcie adagio Albinoniego, bo o mieszkaniach w moim szpanerskim apartamentowcu tyle przynajmniej można było dobrego powiedzieć, że były dobrze wytłumione i jeśli w środku nocy poczułeś potrzebę słuchać głośnej muzyki albo kobiecych krzyków, mogłeś podążyć za nią, nie przeszkadzając sąsiadom. Ten Albinoni oczywiście dobił mnie do reszty. W pijanym widzie przyszło mi do głowy sprawdzić, czy może któraś ze znajomych nagrała mi się na komórce albo przysłała esemesa, że jest właśnie samotna i też nie może zasnąć, ale w poczcie było tylko nieodsłuchane od wczoraj nagranie wkurzonej Martyny, czy może pamiętam jeszcze, że mam chorą matkę, i skoro nie raczę ruszyć palcem, żeby się nią samemu zajmować, to może przynajmniej przyślę kasę na lekarstwa i pielęgniarkę, bo piętnasty minął już dawno. Fakt, minął, upływ czasu zaczął się jakoś zacierać w moim umyśle i zapominałem o takich sprawach, kiedy nikt mi nie przypominał. Ale przypomnienie o matce zawsze wprawiało mnie w przygnębienie, właśnie dlatego musiałem jej unikać, jak tylko mogłem. Nie potrafię znieść myśli, że mógłbym zniedołężnieć tak jak ona, przeżyć własny rozum, nie pamiętać, gdzie jestem, jak się nazywam, co robię, i zacząłem powtarzać sobie usłyszane od Ewy zapewnienie, że we właściwym momencie będę umiał ze sobą skończyć, nie przeciągając życia ponad to, co warto z niego mieć. W jej ustach brzmiało to bardziej wiarygodnie, ale myśl o odejściu, o zaśnięciu raz na zawsze, jakoś mnie uspokoiła, a może w końcu zmógł mnie alkohol, padłem na swoje ogromne łóżko i marząc o jakimś ciepłym, jędrnym ciele, do którego mógłbym się teraz przytulić, zapadłem wreszcie w nieistnienie. Niestety, tylko na kilka godzin.

Jednym słowem, wieczór jak wiele innych, jak prawie każdy wieczór samotnego faceta, wystawionego przez żonę za drzwi i niemogącego sobie znaleźć miejsca w życiu.

Dobrze, pociąg rusza, tupot na korytarzu jeszcze nie przebrzmiał, pasażerowie otrząsają buty ze śniegu, ale nikt z przyglądających mi się zza szyby nie próbował otworzyć drzwi mojego przedziału ani wpakować się tutaj. Bogu dzięki. Teraz, niestety, zaczniemy się wlec, jeszcze do Sokółki jako tako, a potem już przystanek co chwila, nie wiadomo po co, szkoda – chciałoby się mieć to już za sobą. No, ale inaczej nie stanąłby przecież na tej stacyjce tuż przed Suwałkami. Bryczno. Ciekawe, jak wiele się tam zmieniło, od czasu kiedy wysiadaliśmy tam z Magdą obładowani plecakami. Na pewno się zmieniło, tylko że i tak nic nie zobaczę, bo wtedy gdy tam byliśmy razem, było przecież upalne lato.

Można sięgnąć po następną butelkę i otworzyć ją z miłym chrzęstem pękającej blaszki przy zakrętce. Za komuny nawet ta blaszka była problemem, zakładało się, czy pęknie na wikinga, czy na łabądka, a teraz po prostu odkręcam butelkę i można nalewać. Więc o czym to ja... Cały czas o tej mojej pamięci, która kłamie jak najęta. I ma taką dziwną właściwość fotoplastykonu. Oto jeden kadr, na którym jestem u szczytu zadowolenia z siebie, zarabiam pieniądze, mam szczęśliwą – tak mi się wciąż jeszcze wydawało – rodzinę i namiętne kochanki, zarabiam pieniądze – król życia. A teraz drugi: ten sam facet udręczony wyrzutami sumienia, duszący się w tym wszystkim, zmęczony podwójnym życiem, gotów rzucić wszystko w diabły, żeby się tylko zmieniło, nie na lepsze przecież, tylko na inne. A co było pomiędzy jednym a drugim? Co sprawiło, że zrobiłem coś tak potwornie głupiego – powiedziałem Magdzie? Co sprawiło, to wiem, ale jak długo narastało, od którego momentu zaczęło być ode mnie silniejsze?

Prawda jest taka, że znowu sobie wmawiałem, że

jest dobrze, a dobrze nie było. Tak samo jak wmawiałem sobie przez pierwszych dziesięć lat małżeństwa, że to udany, zgodny związek, mimo pewnych niedoskonałości, a wcale nie był udany. I najbardziej mnie wkurza, że to trwało właśnie dziesięć lat, a nie dziewięć albo jedenaście, bo potem znalazłem jakiś psychologiczny podręcznik, gdzie wyliczali, że statystyczny mąż, jeśli nie zdradził żony w ciągu pierwszego roku po ślubie, to osiem na dziesięć zrobi to po dziesięciu latach. Coś cię szarpie za bebechy, dobrego, złego, ale przynajmniej wydaje ci się, niepowtarzalnego – a potem czytasz w kolorowym piśmidle czy w jednym ze sterty zawalających księgarnie poradników, że jesteś statystyczną prawidłowością, takich jak ty każdy psycholog ma pół kartoteki... Właściwie dlaczego mnie to tak irytowało? Przecież na rozum raczej powinienem się cieszyć, że nie ja jeden, że nie jestem żadnym wyjątkowym draniem, tylko po prostu mam problem, taki sam jak całe mnóstwo ludzi.

Ale ja jestem wyjątkowy. Jestem wyjątkowy co najmniej pod jednym względem – wyjątkowy idiota, co do tego nie ma dwóch zdań. Zdecydowałeś się zacząć podwójne życie, durniu, no to trzeba było w nie brnąć i iść w zaparte. A jak uznałeś, że sumienie cię za bardzo gryzie w oazową duszyczkę, to było cichcem zapłacić ostatni czynsz za dziuplę, zlikwidować ślady zbrodni, pójść do księdza po rozgrzeszenie – i trupy do szafy, gęba na kłódkę, Magda sama nie domyśliłaby się nigdy. Ale w tym moim pustym łbie stare bzdury o prawdzie, która wyzwala, pomieszały się z nowymi, o oczyszczającej sile rozmowy, i kiedy Kasia ni stąd, ni zowąd oznajmiła mi, że cudownie było ze mną poszaleć, ale szaleństwo nie może przecież trwać wiecznie, nagle i mnie tknęło: tak, trzeba z tym skończyć, i nie tak po prostu skończyć, tylko wyznać wszystko i oczyścić w ten sposób atmosferę w moim małżeństwie. Bo atmosfera zrobiła się gęsta. Wcale nie tak, jak sobie myślałem, że spuszczę na boku nadmiar energii, to będę w domu wyżyty i lepszy. Magda rzuciła w którymś momencie: „Zrobiłeś się jakiś hardy". Chyba w tym było sedno sprawy. Podświadomie, bo nie zastanawiałem się nad tym, uznałem, że coś jestem wart. Więcej, niż sądziłem kiedyś. Przez tyle lat ustępowałem dla świętego spokoju w każdej sprawie, że nawet nie dostrzegałem, kiedy ustępuję, a teraz zacząłem mieć swoje zdanie i uważać za coś oczywistego, że skoro nie ma żadnego powodu, by z niego rezygnować, to nie rezygnuję. A może Magda czuła coś przez skórę. A może i jedno, i drugie.

Iskrzyło między nami coraz bardziej. O jakieś domowe drobiazgi, a najbardziej o wychowanie Nusi, jeszcze nie było tak jak potem, że ilekroć ja jej mówiłem, że źle, to Magda natychmiast wręcz przeciwnie, bardzo dobrze, nie słuchaj tatusia, bo jak zwykle mówi głupstwa, i w ogóle kto jak kto, już on akurat nie ma prawa cię pouczać. Ale już się to zaczynało. Żadnych awantur oczywiście. Z Magdą nigdy nie było awantur. Awanturowanie się nie pasowało do jej godności i nie leżało w naturze. W jej naturze leżało cierpienie. Inna kobieta, jeśli mąż wdepnął gdzieś, gdzie jej zdaniem nie powinien, rozdarłaby się na niego. Magda w żadnym wypadku. Rzucała wszystko i przybiegała, żeby posprzątać. Co robisz, daj, pomogę. Ależ nie, rób swoje, ja po tobie posprzątam. Zawsze po tobie sprzątam. Przepraszam bardzo, kochanie. Ależ nie przepraszaj, nic się nie stało. Przepraszam, kochanie. Ależ drobiazg. Nic się nie stało. Dla mnie to żaden problem. Musiałam się oderwać od pracy i przyjść z drugiego pokoju, ale to drobiazg. No, teraz stracę z pół godziny, żeby złapać wątek. Żaden problem. I tak dalej. Idziesz już spać, kochanie? Muszę jeszcze popracować, przecież nie miałam dzisiaj możliwości się skupić. To właśnie leżało w jej naturze. Och, nie mam o nic pretensji, nie skarżę się, ale patrz, jak przez ciebie cierpię, patrz, co mi zrobiłeś. Ta minka, z jaką Nusia krzyczała potem do mnie: „Nienawidzę cię, nienawidzę cię za to, co zrobiłeś mamie!". Dwunastoletnie dziecko. Nie mogę mieć wątpliwości, że naprawdę mnie nienawidzi. Tak jak Magda.

Bo gdyby jeszcze – no dobrze, coś mi odbiło, postanowiłem wszystko wyznać, więc po prostu: „Usiądź, kochanie, muszę ci coś powiedzieć". Ale taki odważny to ja nigdy nie byłem.

Nosiłem się z tym, nosiłem, ale wykrztusiłem, wyrzuciłem z siebie dopiero, kiedy znowu się zagęściła atmosfera, w jakiejś dramatycznej rozmowie, nawet nie pamiętam dokładnie, jakimi słowami, bo z tego wszystkiego zacząłem wtedy popijać już nawet w domu, i podczas tej rozmowy też byłem podcięty. Nie pamiętam, jak to powiedziałem, w każdym razie nie tak, jak powinienem, skoro Magda twierdziła potem, że wcale nie przyznałem się sam, tylko ona ze mnie wszystko wyciągnęła. Nie pamiętam, jak to powiedziałem, ale pamiętam, że jej twarz zrobiła się nagle zupełnie martwa. Nie umiem tego z niczym porównać. Po prostu zastygła porażona tym, co usłyszała. Zamarła. Ani kropli krwi. A potem odwróciła się i zniknęła w swoim pokoju, zatrzaskując drzwi. Wyszła stamtąd dopiero, kiedy Nusia wróciła ze szkoły. Milczenie trwało ze trzy dni. Po tych trzech dniach, z oczami czerwonymi od płaczu, patrząc gdzieś ponad moją głową, oznajmiła, że mi przebacza. Nie mogła oczywiście nie przebaczyć, to by się nie mieściło w jej obrazie samej siebie. Ale przebaczyć nie znaczy zapomnieć. W żadnym wypadku. Nie trzeba było nawet wypominać tego przy każdej okazji, wystarczało wymowne spojrzenie, zacięcie ust, jadowita aluzja, jeśli ośmieliłem się w jakiejkolwiek sprawie sprzeciwić. Nagłe wybuchy płaczu ni stąd, ni zowąd, ataki histerii i depresji jeszcze częstsze niż wcześniej. Najlepiej przy dziecku. I koniec teraz już definitywny z jakąkolwiek intymnością: „Nie zniosę, żebyś mnie dotykał tą samą ręką, którą obmacywałeś jakieś ladacznice!". Gówno tam „oczyszczenie" czy „musicie szczerze porozmawiać o waszym problemie", jak w głupich jankeskich książkach. Nareszcie cała życiowa postawa Magdy zyskała uzasadnienie, że lepszego być nie mogło. Nareszcie miała oprawcę, który udawał dobrego, a zdradził ją podle i jeszcze powiedział jej o tym w oczy, z wyrafinowanym okrucieństwem, żeby się nad nią pastwić. Więc dobrze, znęcaj się nade mną dalej, patrz, jak przez ciebie cierpię. Patrz, co mi zrobiłeś za całe moje poświęcenie dla ciebie. Patrz, Anusiu, co ten łajdak, twój ojciec, zrobił mamie! Błagam, prosiłem, nie wciągaj w to dziecka, ono musi mieć dla ojca szacunek, ale Magda odpowiada wyniośle i zimno, jak ona potrafiła pogodzić tę wyniosłość z wrośniętym w twarz wyrazem cierpienia, więc odpowiada tylko: na szacunek trzeba sobie zasłużyć.

Najbardziej żałosny byłem, że przyjąłem tę grę. I gdyby Magda nie przesadziła, może męczylibyśmy się dotąd. A może odwrotnie, sęk właśnie w tym, że ja od samego początku nie kupiłem zasad, na których się ten związek miał opierać. Kiedy kajała się, że obiad nie jest taki jak należy, nie trzeba było oponować, pocieszać, tłumaczyć, tylko rozedrzeć na nią dziób: „No tak, ty głupia kobieto, kiedy ty się wreszcie nauczysz dobrze gotować, moja matka to umiała gotować, a ty co?!". Powinienem wpadać do domu po pracy i od progu ją rugać, że wszystko jest zrobione nie tak, strofować, popędzać, żeby nie musiała się strofować i popędzać sama. Niech cierpi, jak lubi. Ale ja nie, ja, dupa wołowa, uciekałem, ustępowałem, do ostatniej chwili nie dałem się obsadzić w roli kata i prześladowcy. Nawet po tym, kiedy już odsłoniłem swe prawdziwe oblicze wiarołomnego łajdaka, nie sprawdzałem się w roli, tak że dla sprowokowania mnie do odpowiedniej reakcji musiała z każdym miesiącem posuwać się dalej, walić we mnie coraz mocniej i mocniej. Skończyło się we wtorek wieczór, ale mogło równie dobrze w piątek rano albo w niedzielne popołudnie, po prostu poszedłem wyrzucić śmieci i kiedy wróciłem – drzwi zamknięte, a za drzwiami Magda płacze, Nusia wyje, nie wiem, o co poszło, że nie zmieniłem butów czy coś równie durnego, ale od czegokolwiek by się zaczynało, niech sobie będą i kapcie, i tak po minucie wracało do moich dziwek. Więc teraz stój tam, łajdaku, w samych gaciach i proś o łaskę, jak się wypłaczemy, to cię w końcu wpuszczę, ale nie tak od razu. Powtórzyłem swoje raz i drugi, zobaczyłem, że sąsiedzi zaczynają dyskretnie filować przez szpary w drzwiach, i w tym momencie coś we mnie pękło, wkurwiłem się i poszedłem na ulicę szukać gliniarza, wciąż z tym idiotycznym wiadrem w garści, bo nie przyszło mi do głowy, żeby je odstawić. Jak raz stali radiowozem dwie przecznice dalej, patrzyli jak na idiotę, ale w końcu ten obok kierowcy skinął głową i posłali ze mną najmłodszego, chłopak, jak to polski gliniarz, w obwisłych drelichach wyglądał jak zabiedzone dziecko, głupio mu było, że najchętniej by się schował we własne buty, ale przepisy są faktycznie przepisami, dokumenty proszę, dokumenty mam w domu, no to proszę, policja, proszę otworzyć, ten pan tu jest zameldowany? W takim razie nie może pani uniemożliwiać mu wejścia, proszę się odsunąć, ale we mnie już wtedy pękło na dobre, niech pan zostanie jeszcze chwilę, mówię do gliniarza, bo chcę uniknąć gorszących scen, ja tylko spakuję swoje rzeczy, złapałem torbę, długo to nie potrwa, mówię. Magda wyrwała mi z ręki kluczyki od samochodu, nie chciałem się szarpać, zresztą policjant zapytał tylko, czy samochód był kupiony w trakcie trwania związku, no oczywiście, a więc współwłasność małżeńska, rozłożył tylko do mnie bezradnie ręce, to już, proszę pana, sprawa dla sądu. Spakowałem swoje majtki i podkoszulki, to było poza książkami ojca wszystko, co okazało się warte zabrania po siedemnastu latach małżeństwa, chciałem się przynajmniej pożegnać z Nusią, ale nie pozwoliła się do siebie zbliżyć, w ogóle dostała jakiejś histerii pod aprobującym okiem matki. Kurwa, nie wiem, dlaczego tak ją przeciwko mnie nakręciła, bo nie byłem przecież złym ojcem, wiem, że nie miałem dla niej dużo czasu, ale pracowałem, żeby niczego im nie zabrakło, kiedy tylko mogłem, zabierałem Nusię na huśtawki, na podwórko, bawiłem się z nią, może nawet to były najszczęśliwsze chwile mojego życia, zawsze byłem z niej dumny – był taki czas, kiedy miała tych pięć, siedem lat, i tuliła się do mnie, gdy tylko mogła, taka słodka, tatku, chodź, tatku, pobaw się ze mną, aż mi czasami było głupio, no bo miałem swoje sprawy, musiałem jej tłumaczyć, perswadować, nie płacz, Nusiu, tata jest bardzo zajęty, ale w niedzielę obiecuję, że gdzieś pójdziemy. Dopiero potem nie wiem dlaczego coś się z tym wszystkim dziwnego stało, zrobiła się uparta, wręcz złośliwa. Nie zasłużyłem sobie, żeby tak się wobec mnie zachowywała. A przecież wiem, że gdyby nagle mi tu wylądowało jakieś pieprzone UFO, to prędzej bym się dogadał z tymi kosmitami niż z własną córką.

Zaskoczyłem Magdę, widziałem to po jej twarzy, ale to zaskoczenie nie trwało długo. Kiedy kilka dni później przyjechałem zabrać resztę swoich książek, już nie miała wątpliwości, że to ona zadecydowała, ona wyrzuciła mnie ze swojego domu i ona się ze mną rozwodzi. No i bardzo dobrze. Nareszcie. Jestem jeszcze młody, mam dobry zawód, pieniądze, zobaczysz, mogę mieć każdą laskę, na którą mi przyjdzie ochota. Tylko zabiorę swoje książki i archiwalne roczniki „Tygodnika", bo to wszystko, co odziedziczyłem po ojcu, poza tchórzostwem, oczywiście.

A może było jeszcze inaczej. To, że musimy się rozstać, zostało przesądzone w chwili, gdy się Magdzie do wszystkiego przyznałem. Zostało przesądzone jej reakcją. Bo kiedy w końcu się do mnie odezwała, powiedziała coś w tym stylu: „a ja, głupia, wierzyłam, że człowiek z takim nazwiskiem", albo może powiedziała – „że syn takiego ojca...". Znowu nie pamiętam dokładnie słów, bo chyba byłem podcięty, wtedy chodziłem podcięty cały czas, to zresztą ciekawe, wtedy piłem naprawdę mocno, a odkąd kupiłem sobie to wielkie łóżko i zacząłem go używać zgodnie z przeznaczeniem, to już mi się aż tak pić jak wcześniej nie chciało, suma nałogów musi być stała, jak ktoś przy mnie żartował – w każdym razie powiedziała coś takiego, z czego wynikało, że tak naprawdę nie wyszła za mnie, wyszła za syna mojego ojca, syna tego sławnego, wielkiego człowieka, bojownika, mędrca, Polaka, katolika, wierząc, że jeśli ktokolwiek jest w stanie dać jej gwarancję, że będzie ideałem i że nigdy nie zawiedzie, to właśnie ten wielki ojciec i jego nazwisko. Nie powinnaś była tego mówić, Magdusiu moja ukochana. Tego jednego nie powinnaś była mówić nigdy. Nigdy.

„Całe to twoje małżeństwo to było jedno wielkie sado-maso, tylko nie tam, gdzie trzeba, nie w łóżku", napisała mi Iris. Ja jej rzadko pisałem o swoim prawdziwym życiu, ale w którymś momencie musiałem nie wytrzymać, a może chodziło tylko o przykład – bo sformułowałem taką teorię, najpierw w korespondencji z nią, ale potem to była jedna z tych moich hrabiowskich gadek na imprezy, więc ułożyłem sobie taką teorię o wyższości kochanki nad żoną. Tę pierwszą widujesz zawsze przygotowaną, odświętną, stęsknioną do seksu, a żona tłucze się po domu bez makijażu, sprząta, grzebie w brudnej bieliźnie; cały urok i fascynację diabli biorą w parę tygodni. Schadzka kochanków, raz, dwa razy w tygodniu, to teatr, w którym każde z was pokazuje tylko swoje najlepsze strony, można być czułym, romantycznym, dowcipnym czy co tam. A na co dzień wyłazi z człowieka wszystko, chce czy nie. Więc kto nie ma kochanek, traci, co w miłości może być najpiękniejszego. Pewnie nic specjalnie oryginalnego, ale potrzebowałem tak sobie w pewnym momencie życia jasno i wyraźnie powiedzieć. Tak jak w innym momencie życia potrzebowałem sobie z przekonaniem powiedzieć, że prawdziwa miłość musi się rozwijać latami i tylko w małżeństwie można poznać wszystkie jej smaki. Powiedzieć można wszystko.

Ale to nie jest tylko moje osobiste doświadczenie, że żony dołują i niszczą. Popatrzcie na swoje własne życie, popatrzcie na swoich przyjaciół. Ja pewnie mam teraz bardziej od innych wyostrzony wzrok, może dlatego, że po tym nagłym rozstaniu przez jakiś czas, zanim udało mi się wynająć mieszkanie, nocowałem po parę dni tu i tam, u bliższych czy dalszych znajomych. Wystarczy tak u kogoś spędzić dzień, dwa, żeby żona całkiem się przestawała przy gościu krępować i pokazała się od codziennej strony, opierdzielając swojego ślubnego, zrzędząc i wylewając mu na łeb żale, że nie jest księżniczką z Hollywood, tylko polską kuchtą. A zwłaszcza kiedy poczuje, że już ma chłopa w garści. Taki Maciek; facet i z talentem, i pracowity, i przystojny, na ile mogę w takich sprawach wyrokować, a związał się z głupią, upierdliwą jędzą, co gorsze, ta jędza urodziła mu dwoje dzieci, a co najgorsze, on te dzieciaki strasznie kocha. I to wystarczy. One tak mają, urodziłam ci dzieci, to już jesteś na mnie skazany, już się mogę przestać wysilać, zaniedbać, roztyć i dać sobie spokój z czułymi szczebiotami jak na pierwszej randce. A może nawet nie chodzi o dzieci, liczą po prostu na męskie lenistwo – żeby złapać jakąś inną, trzeba się jeszcze raz w życiu sprężyć, wysilić, więc jeśli mężowi dopiekać tylko umiarkowanie, będzie wolał znosić, niż się silić na nowy podryw. Może i dobrze kalkulują.

Ja swoje kalkulacje oparłem na założeniu, że Maciek chwyci podrzucony mu trop, będzie o mnie pisał, poruszy niebo i ziemię, poruszy na pewno Artura i jego wspólnika, wszystkich ich znajomych, że po prostu narobi wokół mnie szumu. I zrobi to nie tylko dlatego, że się przyjaźniliśmy i że jest dziennikarzem z powołania, a nie z braku laku. Zrobi to przede wszystkim dlatego, że tak samo jak kiedyś ja on w swoją pracę ucieka przed atmosferą w domu, przed wiecznie niezadowoloną żoną i jej zrzędzeniem, a wyświetlanie mojej zagadki to będzie do tej ucieczki doskonały pretekst.

Właściwie było tak: najpierw o tej kobiecie słyszałem, a dopiero potem ją zobaczyłem. Słyszałem, no bo w towarzystwie wszyscy się z Maćka po cichu podśmiewali, że tak się daje kontrolować, terroryzować, chodziły o tym różne opowieści. W końcu zjawił się razem z nią na jakimś sponsorskim iwencie. Jędzunia rzeczywiście od pierwszego rzutu oka. Elegancka impreza, a ona śladu makijażu, jakieś rozczłapane trampki, dżinsy – co się będzie starać, chłop już wpadł, urodziła mu dzieci, nie? Usta zacięte jak u pani od matematyki, przez cały czas liczyła mu, ile wypił kieliszków, a co kto próbował do niej zagadać, w trzecim zdaniu zaczynała opowiadać, jakiego to ma męża nieudacznika. A Maciek nic, najwyżej usiłował łagodnie zmienić temat albo przepraszał na moment, ale nie mógł odejść za daleko, bo to by od razu wzbudziło podejrzenia. Boże mój, skąd się takie baby biorą? Tak tylko pytam, retorycznie. Doskonale wiem, skąd się biorą. Dziedziczą to wszystko po mamusiach. Sztafeta pokoleń. Matki Polki, żeby je cholera wytłukła. Tatuś albo w pracy, albo w krainie poalkoholowych marzeń, a mamusia po całych dniach piłuje nad dzieckiem mordę: gdzieś znowu wlazł, gówniarzu! Patrz, szczeniaku, co narobiłeś! I po łapach, po dupie, i wrzask, wrzask nieustający, bo wiecznie jest w biegu, siaty, inne baby w kolejce, bieganina, trzeba to na kimś wyładować, a taki szczyl plącze się pod nogami, nie słucha, denerwuje, a masz, a masz, gnoju, cholero, popamiętasz! Idę po supermarkecie, to między pieczywem a chemią zawsze będą ze trzy, cztery takie scenki, rozhisteryzowany babsztyl drący na dziecko ryj i wyrywający mu rączki. Ojciec przynajmniej jak bije w dupę, to za coś, a matka – po prostu musi się na kimś odegrać, jak popruje dziób i potarmosi, to się jej robi lepiej. Nie będzie z tego malowniczych sińców, żeby umieścić dziecię na bilbordzie i skasować za to z budżetu na akcję walki z przemocą domową. Będzie w ojczyźnie jeszcze jeden pojeb, a wielka mi różnica, jeden w tę czy we w tę, powtarzający to wszystko na swoich dzieciach. Bo jak inaczej, skąd ratunek, mamusia potwór, a tatuś dupa bezwolna – to też jest ciekawe, tyle fajnych dziewczyn, taka Ewa czy Kinga, o Groszku nie wspomnę, ładne, pracowite, zadbane, wykształcone i za cholerę nie mogą znaleźć sobie kogoś na stałe, faceci przed nimi pryskają, a wszystkie znane mi zołzy powychodziły za mąż bez problemu. Szukamy powtórki z mamusi. A ja to niby jak w to głupie małżeństwo wsiąkłem? I teraz patrzę na takiego Maćka, przecież wiem, jeszcze jakiś czas będzie to pokornie znosić, aż wreszcie pewnego razu jędzunia się zgapi, nie upilnuje i Maciek dobierze się do jakiejś dziewczyny i poczuje się przy niej jak mężczyzna, poczuje się, jak ja przy mojej Kasi księgowej, no i wtedy mu odwali, sam będzie siebie za to nienawidził, będzie kombinował, jak się z nią spotykać w maksymalnej dyskrecji, zacznie lawirować między jedną a drugą jak cyrkowiec podrzucający piłeczki, jeszcze jedną i jeszcze jedną, wciąż w przekonaniu, że może się jakoś uda, ale jasne, że się nie uda, że się rozpierdoli, i płacz dzieci, i wrzask, adwokaci, sprawy rozwodowe, jedna baba z drugą wyszarpują sobie człowieka jak wałek od kanapy, bo przez myśl im nie przejdzie, żeby toto miało jakąś własną wolę, i może, zresztą, słusznie. I w tym wszystkim te maćkowe dzieciaki, na których matka Polka bezlitośnie wywrze pomstę za wiarołomstwa tatusia, i z których też powyrastają kolejne koncertowe pojeby, żeby ta sztafeta pokoleń przypadkiem nie zagasła. Kurważeż mać, przecież my wszyscy jesteśmy dziećmi poprzetrącanych ojców i matek zmutowanych w jakieś zaczepno-odporne opancerzone potwory z siatami w garści, jak my, kurwa, możemy być normalni, jak my, kurwa, możemy mieć normalne dzieci?! Nie, nie można, zajęte, jest od cholery innych przedziałów, wagonów, pół pociągu wolnego, przepraszam bardzo!

Krótko mówiąc, będzie z Maćkiem to samo co ze

mną, i nawet się kiedyś, jak razem piliśmy, zastanawiałem – powiedzieć mu o tym, uprzedzić... Ale po co właściwie? Mówił o swojej żonie z zachwytem, ile to ona mu daje, jak nadaje sens jego całemu życiu. I tak mu nie mogę pomóc. Nikomu nie można pomóc. I dlaczego miałbym pomagać? A mnie ktoś by niby chciał pomóc? Lubię Maćka, bo lubię ludzi, którym coś się chce, tak jak mi się kiedyś chciało, kiedy mordowałem się z Wacentym i innymi nad „Polską Młodych", ale do diabła z tym, kogo lubię, kogo nie – Maciek ma do wykonania ważne dla mnie zadanie i wykona je, bo to będzie dla niego, choć sam się przed sobą do tego nie przyzna, doskonały pretekst, żeby się na parę tygodni dziennikarskiego śledztwa urwać jędzuni. A potem, za jakiś czas, może jako dziennikarska gwiazda, może jako laureat nagród za całą dociekliwość, którą okazał w mojej sprawie, nagradzany, chwalony, dojdzie do wniosku, choć też się sam przed sobą do tej myśli nie przyzna, że zasługuje na coś lepszego, że mu się coś od życia należy, i wpieprzy się w cały ten kołowrót z romansem, z zygzakami między żoną i kochanką, a potem rozwodem i tak dalej. Chyba że tamci załatwią go tak samo jak Kreszczyńskiego. Sorry, Maciek, ale dla mnie to by było nawet lepiej. Zresztą mniejsza o mnie, dla sprawy by to było lepiej. Cholera, znowu to brzmi, jakbym się usprawiedliwiał. Dlaczego ja się ciągle usprawiedliwiam?!

Niepotrzebne to było. Niepotrzebnie rozprułem dziób na tego idiotę jakiegoś, który próbował wleźć mi do przedziału. Źle, cholera. Nerwy mnie ponoszą. Co tu gadać, ja się boję. Ja sram po nogach z tego strachu.

Kurwa, ja umieram! Rozumiecie to? A ty sam rozumiesz, chłopie? Umierasz. To znaczy jedziesz umrzeć i tam, na końcu, będziesz musiał, już nie ma możliwości się rozmyślić, już za daleko w to zabrnąłeś. I z każdym stuknięciem kół jesteś bliżej tego, co jeszcze w Warszawie na Centralnym wydawało się takie oswojone, do przyjęcia, takie przemyślane, tylko jednego w tych przemyśleniach nie wziąłem pod uwagę, że przyjdzie taki strach, taki idiotyczny strach, idiotyczny, bo wszystko sobie można po sto razy wytłumaczyć, że tak będzie najlepiej, że tak trzeba, że nawet nie będzie bolało, a tu do dupy z tymi wszystkimi tłumaczeniami – człowiek się boi, człowiek sra ze strachu po nogach, a może cała tajemnica wiary leży w tym, że Chrystus tak samo zaczął robić po nogach, kiedy nagle dotarło do niego, w co się wpakował, i nagle obudził się w nim człowiek, zwykły człowiek, któremu możesz do usranej śmierci tłumaczyć...

Uspokój się, chłopie. Uspokój się, nie histeryzuj. Dość tego chlania. Rozsądek. Rozsądek, bo jak poddasz się histerii, to już w ogóle nic nie będzie miało sensu. Źle się stało z tym cholernym pasażerem. Znajdą go potem, nie wiem, zobaczy moje zdjęcie gdzieś w gazecie czy telewizji i zezna, że widział tego faceta, nachlanego i rozhisteryzowanego, że na niego nawrzeszczał, chociaż, czy ja naprawdę wrzeszczałem? Chyba nie, to znaczy na pewno, teraz mi się wydaje, że nawet nie otworzyłem ust, tylko spojrzałem, a on się od razu cofnął, zaśnieżony i sapiący, jakbym go huknął między oczy. Ale tak czy tak, te zakichane firaneczki PKP nie dadzą się dobrze zaciągnąć, a ja się tu miotam, gadam sam do siebie, Bóg jeden raczy wiedzieć, czy nie na głos. Ja zawsze tak miałem, żeby gadać do siebie, jakby do jakiejś publiczności, jakby ktoś niewidzialny obserwował, czasem się zapominałem i ludzie mnie na tym przyłapywali, że coś tam mamroczę pod nosem, macham rękami – jak świr. Może i świr. Wiem, że przecież was nie ma, nie ma nikogo, komu opowiadam to wszystko, wszystko naraz, ale muszę to opowiedzieć, muszę przyjąć, że jesteście, że mogę się jakoś przed wami wytłumaczyć, bądźcie, bardzo proszę, słuchajcie, bez was ten strach mnie pochłonie i pożre bez reszty. Ktoś potem zezna: „A, tak, widziałem tego człowieka, kręcił się po przedziale, coś tam do siebie gadał, no to poszedłem dalej, bo jakiś wariat". Trudno, jeśli się tak zdarzyło, no, jeśli ktoś mnie przez cały czas podpatrywał przez szpary w zasłonach, to trudno. Ale spróbuję się wziąć w garść, siadam spokojnie przy oknie, wpatruję się w ten szary, zamarznięty syf za obramowaną lodową pleśnią szybą, będę tu siedział i mówił spokojnie do tego syfu, bo czasu jest coraz mniej, już minęliśmy Białystok, a bodaj Sokółkę, i teraz jedziemy jako osobowy, coraz bliżej jest to Bryczno, gdzie się trzeba będzie pozbierać i wysiąść, a ciągle jeszcze nie zacząłem opowiadać o tym, co ważne. Cholera, wiem, że nikt tego nie może słuchać, ale ja to muszę powiedzieć, ja to muszę z siebie wyrzucić, zanim dojadę na miejsce. Gadam i gadam, a tych najważniejszych spraw nie tknąłem, o audycie, o Kreszczyńskim...

No to mów wreszcie, Hrabia, usiądź spokojnie, opanuj tego cykora, no i mów, kurwa, mów. Spokojnie, po kolei. Tak jak to było. Tak, można się napić jeszcze. Suma nałogów musi być stała, a z tych nerwów od czasu Danki nawet jakoś o tym nie pomyślałem, nikogo przecież nie było. No tak, nawet żeby dziwkę – odechciało mi się po prostu, nawet nie zauważyłem. Dziwne rzeczy się dzieją z tymi chemikaliami w człowieku. Bo na przykład rozstanie z Magdą dało efekt odwrotny. Dostałem jakiegoś hormonalnego napadu, marcowania po prostu, i kiedy już wyszedłem ze swojego do wczoraj domu i rozstałem się z chuderlawym policjantem w za dużym drelichu, dopadła mnie erekcja, jakiej nie pamiętałem od młodości, ale nie taka jak wtedy, kiedy się człowiekowi chce seksu, jakieś to było dziwne, po prostu całe podbrzusze opuchło mi i stwardniało, ale nie było w tym nic erotycznego, nie było chęci, żeby się tym zajęła jakaś kobieta, była tylko bolesna, utrudniająca chodzenie opuchlizna. Coś podobnego jak wtedy z Groszkiem, kiedy za nic nie mogłem się spuścić i chciałem, żeby już się skończyło, a on nic, stał jak z kamienia, zupełnie niewrażliwy na jej pieszczoty, jakby mi chciał udowodnić, jak mało mam do powiedzenia, kiedy moje mięso ma swoje własne zdanie.

Wylądowałem we wtorkowy wieczór na ulicy i tak po prostu lazłem przed siebie, z ciężką torbą i bolesną erekcją, nie mając cienia pomysłu, co właściwie zrobić. Aż zobaczyłem bank, już zamknięty oczywiście, ale uświadomiłem sobie, że trzeba wyciągnąć pieniądze z konta, zanim to zrobi Magda, przecież nagle staliśmy się wrogami, ona też na pewno próbowała, tylko byłem szybszy, skoro położyła rękę na samochodzie, to konto było moje, logiczne – chociaż nie myślałem wtedy logicznie, po prostu przyssałem się do bankomatu i wystukiwałem po tysiącu, nie chciał dać naraz więcej, wsunąć kartę, wybrać język, wstukać PIN, wybrać opcję: „wypłata bez potwierdzenia", i tak dalej, mechanicznie powtarzane czynności przyniosły pierwszą chwilę ulgi. Wyczyściłem, ile się dało, upchnąłem banknoty w kieszeni torby, i wtedy przyszła myśl, że nie będę z tymi pieniędzmi stać tu całą noc aż do otwarcia, trzeba znaleźć jakiś hotel, a jak już znalazłem hotel, to w pokoju tuż pod drzwiami, podsunięte przez szparę z korytarza, leżały karteczki z burdelu, poczułem, jak mi tam znowu wszystko puchnie i twardnieje, a chuj, kurwa, pomyślałem sobie, oczywiście, że sobie zaraz zamówię kurew tu do numeru, niby dlaczego nie?! No tak, tak właśnie zrobię, bo mam taki kaprys – zabawne, kiedy pomyślę, jak mi puls przyśpieszył, jaka to była w moim życiu zmiana, a potem nie bardzo wiedziałem, jak się właściwie do tej kobiety zwracać, jak się zachować. No, bo to była zupełna nowość, wcześniej do głowy by mi nie przyszło zadzwonić do agencji, za duży strach, że coś złapię, że ktoś się dowie i w ogóle. Ale właśnie dlatego tej nocy, kiedy ostatecznie rozstałem się z Magdą, było mi wszystko jedno. I bardzo potrzebowałem tego rozkosznego podenerwowania, dreszczu, jaki daje przekroczenie jakiejś kolejnej granicy, następnego zakazu, miałem nawet pomysł, żeby pójść jeszcze dalej, zadzwonić w trakcie do Magdy i, dopóki nie rzuci słuchawką, opowiadać jej dokładnie, że jestem w hotelu, kazałem tu sobie przynieść najlepsze wino, siedzę w fotelu z kieliszkiem, a przede mną klęczy ukraińska dziwka i obciąga mi fachowo, ze znawstwem – no, nie zdobyłem się w końcu na to, zresztą i tak by nic nie wyszło, bo rzuciłaby słuchawką natychmiast albo w ogóle nie odebrała, ale miło było sobie to wyobrażać, igrać z tą myślą. Dziwka zresztą faktycznie robiła to ze znawstwem i wyczuciem. Można nawet powiedzieć, że z uczuciem, oczywiście domyślam się, że udawała, ale jakoś się, jak na tę sytuację, polubiliśmy. Była dość sympatyczna, nieduża, zrobiona na rudo, opowiadała mi coś tam o sobie, że jest nauczycielką... Kulturalna, wykształcona dziewczyna, której w normalnym świecie i normalnych czasach do głowy by nie przyszło się kurwić.

Przemo, wspólnik Artura, właśnie ten, co mi wymyślił ksywę Hrabia, mówił, że najlepiej mieć jedną, kilka stałych, sprawdzonych dziwek, to się opłaca nawet finansowo, bo co człowiek wyda na ich honoraria, jak to ładnie nazywał, oszczędza z nawiązką na restauracjach czy prezentach. Ale o kasę mniejsza – najważniejsze, że ma się problem z głowy i można myśleć o sprawach ważniejszych. Miał od tych usług taką Rosjankę, bardzo szykowną, wykształcenie, języki, dawało się z nią w razie czego nawet pokazać bez wstydu. Zdaje się, że działała na zasadach spółdzielni, to znaczy zainwestowali w nią z jakimś kumplem czy kilkoma, żeby miała mieszkanie, ciuchy i wszystko na odpowiednim poziomie, za to dla bezpieczeństwa nie wolno jej było sypiać z nikim innym. Przemo coś po pijaku opowiadał, że zarabiała w ten sposób na utrzymanie dzieci zostawionych u babki gdzieś w Niżnym Nowgorodzie, ale może to zmyśliła, bo faceci lubią słuchać takich romantycznych głodnych kawałków, czują się wtedy lepsi, że wspomagają biedne dziateczki własną krwawicą. Co mnie to właściwie obchodzi. Nic. Bo niby dlaczego miał mnie ktokolwiek obchodzić? Mam dość problemów z samym sobą.

Nie myślę o problemach w takim normalnym, materialnym sensie. Kiedy już po tej pierwszej odjechanej nocy pozbierałem się z hotelu, wyczyściłem do końca konto w banku, założyłem nowe i zacząłem się zastanawiać, co dalej, to oczywiście poszedłem do Artura, nie było go akurat w biurze, był właśnie Przemo, skacowany po wczorajszej imprezie, poszliśmy na klina, pogadaliśmy, ależ mieszkaj u mnie, jak długo będziesz potrzebował, nie ma sprawy. To jedna z niewielu pocieszających rzeczy, że istnieje przynajmniej taka męska solidarność, która się w ludziach uruchamia w krytycznych chwilach. Gdyby na przykład Maciek pociął się wreszcie z tą swoją heksą albo potrzebował jakiegoś alibi, tobym się nie wahał mu pomóc ani przez chwilę. Więc te pierwsze dni przemieszkałem u Przema. Miejsca było sporo, segment w bliźniaku, że można się przez cały dzień nie spotkać, ale miałem wrażenie, że siedzę mu na głowie, nie mógł przy mnie żyć tak jak normalnie, krępował się albo coś, oczywiście nie dawał tego w żaden sposób do zrozumienia, ale takie miałem wrażenie – że sama moja obecność narzuca jakąś sztywność. A że poderwałem wtedy w pijanym widzie Ewę, więc się przeniosłem z kolei do niej, i to już było kompletne nieporozumienie, uciekłem, jak tylko do mnie dotarło, w co się pakuję, ale nie chciałem mu się znowu zwalać na głowę, bo już odetchnął i wrócił do używania życia, a jak się na Przema popatrzyło, tak swoją drogą, zwłaszcza rano, dochodził człowiek do wniosku, że używanie życia to sprawa wyjątkowo męcząca i ponura – w każdym razie zaczęło się błąkanie to tu, to tam, nawet po parę dni spędziłem u Martyny i u Andrzeja, dopóki w końcu nie udało mi się wynająć czegoś sensownego. W Warszawie wynająć mieszkanie jest cholernie trudno, trzeba dotrzeć bezpośrednio do właściciela, a to trwa i męczy, ale wszystkie agencje, które się tym zajmują, to banda bezczelnych złodziei żądających kasy z góry i za nic. Bo też, tak na zdrowy rozum, dlaczego akurat ta jedna branża miałaby być wyjątkiem?

O różnych szwindlach to najwięcej mi opowiadał Kreszczyński. Ot, tak jakby mimochodem, przy okazji, w tonie towarzyskiej ciekawostki – jasne, że miał w tym swój cel, ale nie sądzę, aby cokolwiek zmyślił. A może nie miał żadnego specjalnego celu. Bawiło go, że mnie wprowadza w ten świat, chociaż nie był wiele starszy, może rok, dwa, tak jak bawiło go, że posyła mnie do stylistki, wprowadza w bankietowe towarzystwo i uczy, co jest modne, co się je, nosi albo pija. W każdym razie każde opisywane kurewstwo zdawało się sprawiać mu głęboką, starannie skrywaną, ale jednak w jakiś podskórny sposób wyczuwalną satysfakcję. Niby mówił mi to wszystko, żebym się lepiej wciągnął w problematykę, jaką się zajmują poszczególne komórki holdingu, żeby wyjaśniać konteksty funkcjonowania poszczególnych spółek, w których badałem obieg informacji. Ale też żebym nie miał żadnych złudzeń. Wszyscy są cynicznymi świniami, wszyscy przewalają, co tylko mogą i jak mogą, tylko niektórzy obłudnie wszystkiemu zaprzeczają.

Może trochę te opowieści podbarwiał, na pewno starannie je przebierał. Ale nie zmyślał. Wiem, bo czasem nawet miałem możliwość sprawdzić. Na przykład z tym ekoformowanym paliwem. Rzeczywiście, doczytałem się na jednej z kilku tysięcy stron Dziennika

Ustaw, w odległym ustępie, wśród innych wyliczonych drobnym maczkiem wyjątków od reguły, których nikt nigdy nie przeczytał, a najmniej jakiś poseł, który to zgłaszał w komisji i głosował, stoi jak wół, że paliwa ekoformowane są zwolnione z opłaty akcyzowej i VAT-u. A co to są paliwa ekoformowane?

– Tu – uśmiecha się Kreszczyński – trzeba zajrzeć do rozporządzenia ministra, jeśli się oczywiście wie, gdzie go szukać.

Paliwa ekoformowane to zgodnie z rozporządzeniem takie paliwa, w których do pięciu procent mieszanki stanowi paliwo poddane procesowi ekoformingu. A proces ekoformingu to patent wykupiony przez spółkę Nowaczyk coś tam i wykorzystywany w należącej do niej rafinerii w Pipsztułkach Opolskich czy Mazowieckich. Ale o co chodzi?

– A dajżeż spokój, co to ma za znaczenie. Benzyna jak benzyna, tyle że jak jej weźmiesz wiaderko i dolejesz do beczki, to cała beczka robi się o połowę tańsza, a sprzedajesz ją przecież za tyle samo. Pięć miliardów rocznie, lekko licząc. Z tego dla holdingu mniej więcej połowa.

A na pytanie o drugą połowę znowu się tylko uśmiecha, jakby z rozmarzeniem, i mówi:

– Wcale nie chcesz tego wiedzieć. – I po chwili. – Ale to przecież grosze. Prawdziwa kasa to jest ropa, prąd, gaz, prąd zwłaszcza, przynajmniej – śmieje się – dopóki ktoś nie wynajdzie telewizora na korbkę.

Albo z zegarkami.

– Nadleśniczy – tak go zawsze nazywał – Nadleśniczy zbiera zegarki, wiesz? Takie ma kolekcjonerskie hobby. Jak się z Hansem spotka, a często się spotyka, to mu tylko mówi: „A wiesz, jaki Szwajcarzy wypuścili ostatnio model, z brylantowym cyferblatem, odbiornikiem satelitarnym i czym tam jeszcze". I następnego dnia Hans posyła do Zurychu umyślnego.

Jak się załatwia ustawę, żeby przy prywatyzacji jedna czwarta udziałów musiała trafić po preferencyjnej cenie do partnera krajowego, to znaczy do Hansa oczywiście, który z punktu je sprzedaje właściwemu inwestorowi z potrójnym przebiciem. Jak się kupuje elektrownię bez wyłożenia jednego grosza i ile trzeba przy tym odpalić związkowcom, a ile odpowiedniej fundacji. I jak się ją potem sprzedaje. Jakie są zasady wśród radców prawnych czy adwokatów i tak dalej, gdybyśmy nadal wydawali „Polskę Młodych", mógłbym z tych opowieści ułożyć podwójny numer specjalny. Sprzedałby się w paru tysiącach, wśród takich, którzy i tak nic nie mogą, dostarczył materiału do wystąpień dla garści nawiedzonych emerytów w przykościelnych salkach, którzy i tak nie kojarzą, o czym mowa, zresztą po co mają kojarzyć, skoro wszystko wiedzą – żydostwo i euromasoni. I na tym by się skończyło. Nikt normalny nie chce tego wiedzieć. Z tej samej przyczyny, dla której w szczęśliwej Ameryce ludzie latami otrząsali się z niechęcią, gdy im ktoś próbował nudzić o jakichś Kołymach czy Katyniach. Nie, świat nie może być taki zły. Oczywiście zdarzają się różne rzeczy, ale generalnie – nie przesadzajmy z tymi sensacjami. Aż tak źle przecież być nie może. Bo gdybym przyjął do wiadomości, że aż tak, no to musiałbym coś z tym zrobić, a nie mam czasu. Ani ochoty.

Chyba że spadnie ci na łeb jak Hiobowi jakiś życiowy kataklizm albo ktoś cię tą niechcianą prawdą zgwałci i zmusi do przejścia na drugą stronę świętego spokoju. Mnie na tę drugą stronę Kreszczyński, Buchalter, czy kto to tam był, musiał bardzo długo i zręcznie przeciągać. W pewnym sensie im się udało. Cholera, udało im się. Ale na pewno nie to im się udało, czego chcieli i czego się po mnie spodziewali. I ta myśl, jaką im zrobię niespodziankę, to jedyne, co mnie w tej mroźnej otchłani rozgrzewa i na chwilę koi strach.

Mówił oczywiście o wszystkich. Wszyscy do kupienia, wszyscy do sprzedania, na każdego jest hak, a paru nielicznych, na których haka nie było, skończyło jak Papała czy ten prezes NIK-u, co się zaraz na początku lat dziewięćdziesiątych za bardzo przejął rolą. Nie był w tym nachalny, rozmawialiśmy o różnych sprawach, a wszystkie te opowieści pojawiały się gdzieś w tle, ja też czasem dodawałem od siebie coś, co słyszałem przy okazji różnych biznesowych spotkań, na które dostawałem zaproszenia z sekretariatu Artura, ale to z reguły nie było dla Kreszczyńskiego zaskoczeniem, uzupełniał jeszcze moją wiedzę o szczegóły. Mówił o wszystkich, ale siłą rzeczy najwięcej o doktorze Hansie. Może po to, żebym pojął, jaki jest rozmiar powiązań i interesów tej całej plątaniny, na czele której, kaprysem losu, postawiony został drobny cinkciarz z małego pomorskiego miasteczka. Ale głównie żebym nie miał co do tego cinkciarzyny żadnych złudzeń i żebym się nie poczuwał wobec niego do jakiejś głupiej, nie wiadomo skąd wziętej lojalności. Bo widocznie przewidział, że się poczuję, chociaż tak na zdrowy rozum – właściwie dlaczego bym miał? Dlatego że Nowaczyk osobiście raczył mi powierzyć przegląd swojego imperium, że skomplementował ojca i zaszczycił mnie kazaniem o patriotycznych powinnościach polskiego biznesmena?

Tak że kiedy skurwysyn wreszcie przystąpił do rzeczy, to nie wiedziałem, co powiedzieć, zastygłem z rozdziawioną głupio gębą, bo nagle uświadomiłem sobie, że rozmawialiśmy o tym od paru tygodni i że w tych rozmowach pedał zawczasu już mi wybił z dłoni wszystkie argumenty, że wszystko, co mogę odpowiedzieć, poza pokorną zgodą, już zostało unieważnione i ośmieszone. Pozostaje tylko wyciągnąć rękę i zabrać ze stołu dyskietkę, którą tam rzucił, mówiąc:

– A tu jest twój audyt, w wersji dla Hansa.

Wziąłem tę dyskietkę, z kompletną pustką w głowie. Wreszcie wykrztusiłem:

– Nie.

A Kreszczyński zmienił się w jednej chwili, nagle nic nie zostało z jego przyjacielskiego uśmiechu, pochylił się do mnie i syknął:

– Co?!

Tak że mi jakoś ciarki przeszły po plecach, więc zacząłem się wtedy uśmiechać, że może to się da obrócić w jakiś żart, i mówię:

– Wygłupiasz się.

Nadal mnie świdruje ślepiami, jakby miał zaraz zagryźć, więc ciągnę:

– Jak to w wersji dla Hansa?

Nie, on powiedział: „w nowej wersji", zresztą już mniejsza o szczegóły.

– Nie mogę tak – wydusiłem z siebie w końcu, a Kreszczyński wrócił nagle do swojej normalnej miny i jak naiwną panienkę zapytał:

– A dlaczego?

I na tym się ta rozmowa musiała skończyć, bo rzeczywiście – dlaczego?

– Przecież to ja jestem za ten projekt odpowiedzialny, prawda? To było wyjaśnione od razu przy zleceniu. Ja jestem też odpowiedzialny za komunikację w holdingu. To dla mnie robiłeś ten audyt, no i w porządku, przeczytałem go, bardzo jest dla mnie użyteczny, serio.

Dygotałem cały w środku, nawet nie potrafiłem go zapytać, jakim cudem zna mój audyt, skoro dopiero co skończyłem redagować w swoim notbuku ostateczną prezentację i nikomu jej jeszcze nie pokazywałem.

– Ale nie ma żadnego powodu, żeby Nowaczyka denerwować. Więc po rozmowie ze mną zrobiłeś poprawki i przyniosłeś mi, a ja je zatwierdzam, to jest wersja dla doktora Hansa, jutro, jak wróci z Wiednia, znajdzie dla ciebie dziesięć minut i wtedy mu ją wręczysz.

Coś tam jeszcze dodał w takim luźnym, perswazyjnym tonie, więc po tych dreszczach i strachu z kolei przyszedł na mnie taki oddech ulgi, odprężenia, kiedy to z radości, że już nie jest tak groźnie jak przed chwilą, człowiek aż chce się na coś zgodzić.

– No pewnie – zacząłem się przymilać – że możemy to wszystko przedyskutować, to jest ciągle tylko wstępna wersja, wszystko jeszcze się da zmienić.

Uciął te moje bredzenia w pół słowa.

– Nie pierdol – mówi do mnie, a nigdy się tak nie wyrażał – nie pierdol mi tu głupot, co ty jesteś, dziecko? Już zmieniłeś i żeby cię torturowali, to powiesz, że sam zmieniłeś, nie, że w ogóle nic nie zmieniałeś, od samego początku było tak jak tu – stuknął palcem w dyskietkę. – Bo taka jest prawda, tak ci to wyszło z twoich badań, ręczysz swoim autorytetem pierwszego w kraju specjalisty od tych spraw. Bo ja ci tak każę. A jak ci każę zjeść własne gówno, to je zjesz i będziesz szczerze zapewniał, że ci smakowało, bo ja ci tak każę, rozumiesz? Zamknij się, kurwa – mówił spokojnie, tym swoim łagodnym tonem – zamknij się i słuchaj, bo tobie chyba się coś popierdoliło, ja widzę, wyobraziłeś sobie, kurwa, że kim jesteś? Bo Hans sobie wykombinował, taki się sprytny zrobił, że najmie niezależnego audytora, czy przypadkiem nie stracił kontroli nad tym wszystkim i czy go firma w chuja nie robi, no pewnie, że robi, ale ty co, myślisz sobie, że będziesz tym przydupasem, co mu zacznie otwierać oczy? Bo myślisz, że cię obroni? Bo się w nim zakochałeś? Popierdoliło cię, kurwa? Napij się – mówił – napij się, bo widzę, że tego potrzebujesz, naprawdę nie myślałem, że będziemy musieli o takich oczywistych rzeczach rozmawiać, no, ale skoro musimy, to miejmy to za sobą. Posłuchaj – teraz zawiesza głos, smakuje wino, patrzy przez kieliszek pod światło – posłuchaj, ty myślisz, że masz robić to, co ci każę, dlatego że firma ci płaci i cię ubiera, że za nasze pieniądze mieszkasz, za nasze pieniądze dupczysz, za nasze chlasz i się rozbijasz, firma za to wszystko płaci, i – ja mam naprawdę mózg z drewna, mnie się jeszcze wtedy wydawało, że mówiąc „firma", pedał ma na myśli holding Nowaczyka – i że z tego powodu coś się firmie należy? Nie, ja nie mam złudzeń. Na tym świecie nie ma żadnej wdzięczności. Nie wiesz naprawdę, dlaczego musisz mnie słuchać? Bo jesteś obrzydliwym, odrażającym zboczeńcem. Jesteś ohydnym pedofilem, który się przez całe lata dobierał do swojej własnej córeczki. Przecież ja mam jej zeznania. Ja mam zeznania twojej byłej żony. Co, myślisz, że nikt nie umie sprawdzić, jakie strony odwiedzasz w internecie i ile czasu na to poświęcasz? Że kurwy, na których sobie ćwiczyłeś supełki-węzełki, nie mogą o tym opowiedzieć, bo im kodeks etyki zawodowej nie pozwala? Zastanów się, te zeznania twojej córeczki trafiają do prokuratury i co się wtedy dzieje? Ktokolwiek cię będzie bronił? Twoja żona cię będzie bronić? Ty sam się obronisz? Będziesz się jeszcze modlił, żeby cię wsadzili i skazali bez rozgłosu, no, chyba że chcesz iść do tych swoich znajomych oszołomów poopowiadać im, jak się postkomunistyczny biznes przenika z polityką, no, chyba że chcesz jeszcze zdobyć sławę jako zwyrodnialec z pierwszych stron tabloidów. Nie bój się, nikt cię nie zabije. Takich jak ty nikt nie zabija, chociaż pewno tak by było dla ciebie lepiej.

A potem, jak już mnie zdeflorował do reszty, wyciągnął rękę przez stół, chwycił moją dłoń i ścisnął ją lekko, serdecznie, jak dziewczynie.

– Wiem, co musisz teraz czuć. Wiem, jak to jest. Ale w końcu trzeba być dorosłym. Pomogę ci, nie martw się.

Puścił moją rękę, poczułem, że ją puścił, jakby przez taką grubą trójpalczastą rękawicę, w której można palić tylko papierosy z długim, kartonowym ustnikiem, odsunął się na oparcie krzesła i znowu skupił wzrok na swoim kieliszku.

– Dobrze, dajmy już temu spokój. Przyjdziesz do mnie wieczorem, do domu, to pogadamy na spokojnie.

– Przyjdę – powtórzyło moje ciało, mam nadzieję, że powtórzyło to w tonie pytania, a Kreszczyński na to:

– No tak, przecież wiesz, gdzie mieszkam, a nigdy jeszcze u mnie nie byłeś. Chociaż cię zapraszałem. Nie wpadłeś na to, żeby mnie odwiedzić – mówi, i brzmi w tym głęboki wyrzut urażonego, zranionego niewdzięcznością przyjaciela. – A gdybyś wpadł, ile to by nam rzeczy uprościło. Ale dzisiaj przyjdziesz. No, nie mów mi, że nie odebrałeś listu od tej swojej przyjaciółki.

Nie mogę, kurwa, nie mogę o tym myśleć, nie mogę sobie tego przypominać. Rzygać mi się chce. Wtedy też mi się rzygać chciało, oczywiście, że odebrałem ten list, w jednej chwili mi ta fotka stanęła przed oczami i zachciało mi się rzygać, tak rzygać, żeby wyrzucić z siebie ustami wątrobę i serce, wszystkie flaki, z całym gównem, jakie je wypełnia. Ale jakoś się nie wyrzygałem. Podniosłem na niego oczy, popatrzyłem przez stół, stół w restauracji na dole wieżowca holdingu, który w tym momencie leciał z nami dwoma gdzieś w dół i w dół, w rozwierającą się pod nim otchłań, restauracyjna sala i ci wszyscy ludzie, w ogóle wszystko dawno zostało hen nad nami, popatrzyłem na niego przez ten stół, i jeszcze chyba się, kurwa, nawet spróbowałem uśmiechnąć, żeby jakoś go tym uśmiechem ułagodzić.

Nie mogę o tym myśleć.

Siedzę i patrzę w okno, ale nie ma w co patrzeć. Powinny za tym oknem sunąć domy i lasy, budki dróżników, po drogach jak kolorowe żuczki toczą się samochody, przystają w kolejkach przed biało-czerwonymi szlabanami, a w domach ciepło zapalają się prostokąty okien – jak to było na tym zapamiętanym z młodości rysunku? Lasy, góry, pola, panie, cholera, jaki to by mógł być piękny kraj... Ale za oknem jest tylko szarawa, śnieżna zamieć, mroźna szarość, powoli przechodząca w granat wieczoru.

Jakżeż tam w Brycznie było pięknie. Jest pięknie na pewno nawet teraz, zimą, a kiedy jechaliśmy z Magdą... Od stacyjki, jak się zakręci wzdłuż płotu, zaraz po parudziesięciu metrach kończą się zabudowania wsi, wieś zostaje po drugiej stronie torów, za plecami, i idzie się piaszczystą, wąską drogą, między łachami pól, a za zakrętem wchodzi w zagajnik. Niedaleko, może kilometr, może pół kilometra, jest niewielki pagórek, naprawdę niewielki, na jego wierzchołku można odłożyć plecaki pod drzewo, rozsiąść się wygodnie na trawie i podziwiać widok jeziora, bo właśnie z tego pagórka, zza jego wierzchołka otwiera się widok na całą ogromną taflę. Był wtedy ciepły, słoneczny dzień, ciepły, ale już nie upalny, już się czuło nadchodzącą jesień, koniec września, ostatnie dni, zanim się znowu zaczną zajęcia, i ostatnia okazja do takiego wypadu. To Magda oczywiście mnie namówiła, Magda jeszcze taka młodziutka, taka wesoła, patrzę na nią i aż jestem zdziwiony, jak to możliwe – że taka właśnie była. Że oboje tacy byliśmy. Tacy... normalni. W kraciastych flanelowych koszulach, dżinsach, z plecakami. Że szliśmy tym słonecznym przedpołudniem od stacji, Magda przodem, pokazywała drogę, i kiedy weszliśmy na pagórek, powiedziała: „Zobacz, jak tu pięknie – czy coś takiego – posiedźmy tu chwilę, popatrzmy". I zrobił się z tego nastrój, żeby sobie wreszcie to powiedzieć... Przytuliłem ją wtedy, pocałowałem, dopiero po długiej chwili odsunęła się delikatnie. W końcu nie byliśmy jeszcze narzeczonymi, jeszcze do tego daleko – inna sprawa, że jak byliśmy, nawet jak już byliśmy małżeństwem, też nie lubiła przytulania, znosiła oczywiście, kiedy pamiętała, ale jeśli tak próbowałem znienacka podejść i trochę się poczulić, to jej pierwszy odruch zawsze – odepchnąć, odsunąć się, uwolnić. Nie wiem, dlaczego taka była, i ona sama też, kiedyś, w rzadkim przypływie wylewności, powiedziała, że jej przykro, że się tak przede mną opędza, ale tak po prostu ma, sama nie wie dlaczego. A ja wiem. To znaczy dokładnie nie wyjaśnię, ale w ten czy inny sposób musiał to być wpływ Potwora. Żadnych czułości i żadnych czułych słówek, zdrabniania, „ćwierkania" – „A co, mam ćwierkać?" – irytowała się Magda, kiedy usiłowałem jej przetłumaczyć, że to jest nieznośne, ta jej oschłość na co dzień, ale tak po prostu miała, czułość była dla niej czymś niestosownym, niewłaściwym. Ciężko myśleć o tej naszej wycieczce sprzed lat, żeby nie przeskakiwać od razu do tego, co było potem, ciężko oddzielić. Ale ja właśnie tego chcę, żeby to oddzielić. Bo nikt poza mną i Magdą nie zna tego miejsca, gdzie zdjęliśmy plecaki i siedzieliśmy ze sobą, wyznawaliśmy sobie miłość, byliśmy tacy ze sobą szczęśliwi, długo nie chciało nam się ruszać w dalszą drogę, w końcu tyle to trwało, że już zrezygnowaliśmy z tej przystani i z łódki, tylko poszliśmy na długi spacer wzdłuż brzegów, trzymając się za ręce, zanim trzeba się było zbierać z powrotem. Nikt poza nami go nie zna – tego miejsca, gdzie zostanie znalezione moje ciało. I – tak – liczę na to, że kiedy Magda się dowie, no bo przecież chyba będzie o tym głośno, to się domyśli, że coś chciałem jej jedynej przez to powiedzieć. Nie, w żadnym wypadku nie zależy mi, żeby za mną płakała czy żeby miała wyrzuty sumienia. Ale a nuż przejdzie jej przez głowę, że może nie byłem taki najgorszy. I z tych trzech przysiąg, że zawsze będę ją kochał, zawsze będę wierny i nigdy nie opuszczę, złamałem tylko dwie ostatnie.

Te turystyczne nawyki Magdy, bo potem często jeszcze wyciągała mnie w różne malownicze miejsca, to była jedna z nielicznych rzeczy, jakie miała po swoim ojcu. A, bo Magda miała też ojca. Uwierzylibyście? Ja uwierzyłem. Ale nie znałem go. Wyniósł się z tego łez padołu, zanim się z Magdą poznaliśmy. Nie pił, nie palił – spróbowałby zresztą – zdrowo się odżywiał, uprawiał sport i ledwie przeżył czterdziestkę. Ot, zagwozdka dla wszystkich przemądrzałych łapiduchów z telewizji. Magda rzadko przez tych kilkanaście lat o nim opowiadała, właściwie miała do powiedzenia tylko to jedno – kiedy tylko mógł: góry, kajak, żaglówka, narty, z drepczącą za nim córką, uginającą się pod ogromnym plecakiem i rozpaczliwie usiłującą dotrzymać kroku znikającemu za horyzontem ojcu. Domyślam się, że mu Potwór kazał zabierać na te wyprawy córkę, no to ją zabierał, ale musiało go wkurzać, że jest obciążony takim szkrabem. Gdyby nie to złamane kolano na Skrzyżnem czy Krzycznem, ja na nartach nigdy nie jeździłem, więc nie pamiętam, jak się ta górka nazywała, gdyby w każdym razie nie ta sprawa, w ogóle nie wywarłby na życie Magdy żadnego wpływu, no bo jakiejkolwiek obrony przed Potworem, jakiejkolwiek ucieczki nie stanowił dla niej za grosz.

Trzynastoletnia Magda pojechała z tatą na ferie w góry, tata szalał po stoku od rana do wieczora, żeby wykorzystać czas, więc ona nie mogła go zawieść i zejść przed nocą, w końcu nogi dziecka nie wytrzymały, Magda się wywróciła, zawyła z bólu, tatuś podjechał, spytał, czy może chodzić, powiedziała, że może, jakżeby inaczej, przecież człowiek musi być dzielny – no to fajnie, odprowadził córkę do dolnej stacji wyciągu, posadził na ławce, żeby sobie tam puchła i łzawiła, i jeździł dalej. Kiedy wreszcie dotarła z tym potrzaskanym kolanem do lekarza, ten tylko gwizdnął i powiedział coś w stylu: „Taka ładna dziewczyna, no, szkoda, że już nigdy nie będziesz mogła chodzić". Tak źle nie było, chodziła, tylko czasem łapały ją w tym kolanie straszne bóle, głównie wtedy, kiedy ze swoim rozpaczliwym uporem i talentem nieprzyjmowania faktów do wiadomości próbowałem raz jeszcze rozbudzić w niej pożądanie – i tak było to lepsze niż to wieczne: „łaskoczesz, przestań, nie dotykaj mnie tu, strasznie łaskocze, zróbmy to normalnie, dobrze?". Chodziła, ale oczywiście z tańcem koniec.

Jak ona głęboko to w sobie musiała ukryć, że dopiero po latach się dowiedziałem o tańcu, o tym, jakie to dla niej w dzieciństwie było ważne, ile wysiłku i marzeń w to włożyła, od dziecinnych zajęć na rytmice po szkołę. Ukryła to w sobie. Zdusiła. Nie to nie, przestań się nad sobą litować. I tak pewnie w końcu Potwór by jej nie pozwolił. Co to za pomysł, jakieś wygibasy? Z kolei Nusi nic do tego nie ciągnęło, ale Magda ją zapisała do zespołu i jestem pewien, że Nusia chodzi tam nadal, że tych wygibasów całym sercem nienawidzi, ale się stara, żeby zasłużyć na odrobinę czułości ze strony matki. Na pewno tak jest, przecież zanim nas tu zabraknie, musimy jeszcze unieszczęśliwić nasze dzieci na obraz i podobieństwo własne. Ale gdyby nie upór żony, że mimo wszystkich przeciwności Nusia na rytmikę chodzić musi, nigdy bym się o tym wszystkim nie dowiedział. Magda też o mnie nie wiedziała i nie wie tak naprawdę niczego, to niesamowite, że można tyle lat ze sobą przeżyć, siedemnaście lat, i nic zupełnie o sobie nawzajem nie wiedzieć. Ciekawe, czy jest jeszcze coś takiego, czego o tobie nie wiem, ukochana. Coś, co gdybym poznał, to zdumiałbym się tak, jak ty się zdumiałaś, gdy ci powiedziałem, że wynajmowałem na mieście garsonierę i sprowadzałem tam sobie kobiety. Albo jak się musiała zdziwić żona Kreszczyńskiego, kiedy się dowiedziała, że jej mąż i ojciec jej dzieci jest pedałem.

No. Opowiadał mi o tym. Oswajał mnie, już nie wiem, czy sam to tak nazwał, oswajaniem, czy ja, w każdym razie tak to wyglądało. Siedziałem w jego napakowanej antykami chałupie, zrezygnowany, obolały i pełen... właściwie nie, obrzydzenie do siebie przyszło potem. Wtedy byłem tylko odrętwiały i chciałem, żeby to się skończyło, żeby ten obrzydliwy fragment mojego życia dało się już wyciąć jak kawałek taśmy filmowej i wyrzucić. Nalał mi drinka, jednego, drugiego, nawet miałem nadzieję, że doda tam jakiś znieczulający narkotyk jak na filmie, ale próżno marzyć, zagadywał, jak zwykle ujmująco miły, zachęcał, żebym się rozluźnił. I w końcu rzeczywiście jakoś się wciągnąłem w tę rozmowę. Właśnie na tematy rodzinne.

Też był nieźle popierdolony, nie ma co gadać. To nas

do siebie zbliżało. Cała ta sprawa, że ma mnie w ręku, że doktor Hans, no i że w końcu po to do niego przychodziłem, żeby mnie przecwelił, wszystko pozostawało w zawieszeniu, poza rozmową. Trzymał mnie u siebie prawie do północy i nawet nie wymacał. Zaprzyjaźniał się. Nie – bawił się moim strachem, rezygnacją i obrzydzeniem, zagadywał, wzbudzał współczucie, a kiedy mu się udawało, nagle szturchał, wulgarny, bezczelny skurwysyn.

– A co, myślałeś, że cię będę od razu ruchał? Poczekaj. Oczywiście, że cię wypierdolę, ale musisz do tego dojrzeć. Musisz zrozumieć. I zachcieć. Ty sobie wyobrażałeś, że po prostu zamkniesz oczy, rozluźnisz mięśnie odbytu i będzie po sprawie. A to nie będzie takie proste.

Upadłem tak nisko, że próbowałem go uprosić.

– Staszek, dlaczego to robisz? Przecież ja ci nie zrobiłem niczego złego. Nigdy nie miałem nic przeciwko temu, że jesteś gejem...

– Pedałem, kurwa! – przerywa wściekły. – Jestem pedałem, a nie żadnym popierdolonym gejem. Zapamiętaj.

– Ale przecież wiesz, że ja nie jestem... Wiesz, że ja jestem heteroseksualny.

Śmiech.

– Tak ci się tylko wydaje.

Chyba tu się zaczął ten wątek, że jemu też się tak zdawało. Że się ożenił, męczył, ona się męczyła, dzieci się męczyły. A wszystko dlatego, że tak jak ja był pełen zahamowań. Potrzebował wielu lat, żeby się z nich wyzwolić, żeby zrozumieć, o co w życiu naprawdę chodzi. Nikt mu w tym nie pomagał. Ja mam więcej fartu, bo mi ma kto pomóc: on, mianowicie. Po to przecież właśnie jest to wszystko: żeby mi Kreszczyński pomógł zrozumieć zasady, które rządzą światem.

A może to wyglądało inaczej:

– Staszek – mówię – jest tylu facetów, którzy lubią innych facetów. Przecież bez trudu poderwiesz sobie kogoś... No, dlaczego...

– Dlaczego sobie nie poszukam innego pedała? Daj spokój. Sam popatrz, jakie te cioty są obrzydliwe. Rzygać się chce na ich widok. Fryzurka, buciki, kolczyk, a głupie to, że tylko płakać. Szczyt marzeń, żeby móc jak na Zachodzie wyjść w przebraniu na ulicę i pokręcić dupką.

– Ale dlaczego...

– Bo taką mam ochotę. Bo lubię ruchać właśnie takich zastrachanych heteryków jak ty. I bo ciebie akurat mogę. To dlaczego mam nie skorzystać z okazji? Ja się przez takich jak ty musiałem zmuszać do spania z kobietą, to ty też możesz się trochę postarać.

– Ale wiesz doskonale, że to nigdy nie będzie szczere – Jezu, naprawdę doszedłem do wygadywania takich andronów. Nic dziwnego, że mnie wyśmiał:

– No, trudno. Jeżeli naprawdę nie umiesz mnie szczerze pokochać, zadowolę się z twojej strony udawaniem. Tylko będziesz musiał udawać naprawdę przekonująco.

A potem ucina nieznoszącym sprzeciwu ruchem ręki:

– I ani słowa więcej na ten temat. Bo cię zaknebluję.

Ciężko było siedzieć w domu tego faceta, pamiętając to wszystko, co się wypisywało w mejlach do

Iris. I co przychodziło w odpowiedzi z jej adresu. Ale nie rozmawialiśmy o tym. Nie rozmawialiśmy o doktorze Hansie, o Firmie, moim audycie, który oczywiście wręczyłem pieprzonemu cinkciarzowi w wersji Kreszczyńskiego, wdzięcząc się przy tym usłużnie. Zaprzyjaźniał się ze mną. Nawet nie wypytywał, w końcu wiedział o mnie dużo. Może więcej niż ja sam. Korzystał z okazji, że muszę go słuchać. Opowiadał o swoim życiu. O swoim udanym życiu. Żebym go podziwiał.

Myślałem o tych wszystkich Ukrainkach, Białorusinkach czy naszych wsiowych garkotłukach, ale czasem i o zupełnie fajnych, sensownych dziewczynach z niezłym wykształceniem i perspektywami, które po prostu uważały, że po to mają dobre cycki i tyłek, żeby zarobić na nich kasę i mieć w życiu należyty start. No, krótko mówiąc, o tych wszystkich specjalistkach od francuskiego bzu, między które zredystrybuowałem kasę Firmy. One jakoś potrafiły przede mną udawać. Niektóre przekonująco. To dlaczego ja miałbym nie móc?

Patrzę na zegarek, strasznie wolno suną wskazówki, chociaż i tak za szybko. Teraz mogę się napić jeszcze raz. Znam siebie, mogę. À propos garkotłuków, opowiem coś, co było zabawne. O moim pierwszym podrywie po odejściu od Magdy, oczywiście nie licząc Ewy. Ona się nazywała Sylwia i zainaugurowała to wielkie łóżko w wynajętym wreszcie mieszkaniu. Dała się wyjąć nadspodziewanie łatwo na bankiecie jubileuszowym, chyba to była jakaś firma komputerowa, zresztą, mało istotne. Łaziłem na wszystkie takie imprezy, na paru narobiłem wiochy, bo się strasznie wstawiłem, ale – generalnie – zawsze było na nich pełno samotnych dziewczyn z dużych firm; zadbanych, wygadanych, ale zbyt zagonionych, żeby jakoś zdyskontować swoje zalety. No więc siedziałem u Przema i Artura w agencji, pomagając im w zrobieniu jakiejś prezentacji, padło hasło, że jest taka impreza, no więc idę. Knajpa bardzo elegancka, wódeczka zimna, katering trochę banalny, ludzi mnóstwo i zupełnie zero znajomych, czyli tylko się cieszyć. No i w którymś momencie wypatrzyłem tę Sylwię, i od razu mi się jej zachciało – bardzo mi się spodobało, jak była zbudowana. Ja uwielbiam tak zbudowane kobiety, Groszek też jest w tym typie, chociaż Sylwia była troszkę od niej większa. Jak to opisać – nie taki chudzielec jak z kolorowych pism, tylko solidnie zbudowana, taka dzioucha, uda, pośladki, piersi, że się chce chwycić i jest za co, a zarazem kształtne, zgrabne, jędrne, w żadnym wypadku nie tłuste czy pulchne. Po prostu dziewczyna była solidnie zbudowana i przy tej solidności zarazem miała odpowiednie proporcje. Poza tym chyba mnie strasznie podnieciły jej wargi, bardzo pełne, na Zachodzie baby wstrzykują sobie sylikon, żeby zrobić takiego kaczorka, ale u niej to na pewno było naturalne. Do tego miała jakąś zupełnie niemodną fryzurę przypominającą to, co nosili na głowach enerdowscy piosenkarze z fridrichsztadpalas – wielką, pofalowaną plerezę spływającą na kark i ramiona. Potrząsała tymi piórami, też nieźle napita, wykonując samotnie na parkiecie jakieś wygibasy, sprawiała przy tym wrażenie, że nic ją nie obchodzi, co się dzieje na imprezie, i ona też wydawała się być przez imprezujących zupełnie ignorowana. Co dzisiaj doskonale rozumiem.

Była tak niemodna i źle ubrana, jakby wiatr przyniósł ją nagle wprost z discopolowej potańcówki pod Hajnówką. Ale ja byłem po pierwsze – wlany, po drugie – strasznie chciałem coś wyhaczyć, skoro wreszcie miałem chatę, a po trzecie – też chodziłem ubrany jak siódme dziecko stróża, bo po prostu nosiłem się jak zawsze, czyli tak jak mnie ubierała Magda, a jej gust był bardzo odległy od tego, co jest na takich imprezach trendy. Opowiadam dalej: ściągnąłem marynarkę, rozpiąłem koszulę, podwinąłem rękawy, poluzowany krawat przeniosłem z szyi na czoło, jak indiański pióropusz, pojęcia nie mam, kiedy i od kogo się nauczyłem w ten sposób sygnalizować, że się świetnie bawię, i też zacząłem skakać po parkiecie, powoli się do niej zbliżając. W końcu zagadałem, zaprosiłem ją do stolika i zacząłem bajerować. Koło północy, kiedy się przerzedziło, zaczęliśmy się w kącie całować i obmacywać, potem powiedziałem, że idziemy do mnie, trochę się opierała, ale arcygłupio, biorąc mnie na litość: że bardzo jej się podobam, ale się boi, bo jeśli potem już do niej nie zadzwonię, to jej będzie strasznie, strasznie przykro. Już nie pamiętam jak, ale jakoś te obawy rozwiałem. Nosiła żałosną bieliznę z targowiska pod Pałacem Kultury i nie była szczególnie wprawną kochanką, ja też się zresztą dla niej specjalnie nie wysilałem, ale ciało miała naprawdę bardzo podniecające, chciało mi się je miętosić bez końca – kiedy już byliśmy oboje rozgrzani, tuż-tuż, klękała tyłem do mnie, pochylała się i namiętnym skowytem, w ogóle hałasowała jak Niemra z pornosa, błagała, żeby ją wziąć jak suczkę. Za nic się nie chciała kochać w innej pozycji. Ciekawostka.

No dobrze, nie o tym chciałem: rano uświadomiłem sobie, że leżę w łóżku z jakimś przeraźliwie prostym organizmem, który im bardziej chce być dla mnie miły, tym bardziej szczebiocze do mnie miłośnie jakieś straszne głupoty, jeszcze zdrabniając idiotycznie słowa. Okazało się, że przyjechała do Warszawy niedawno z jakiejś dziury pod Olsztynem, takiej, gdzie największym pracodawcą jest urząd gminy, i załapała się tu w zakładzie kosmetycznym. A skąd się wzięła na takiej imprezie? Koleżanka, z którą na spółkę wynajmowała pokój, była dziewczyną barmana mieszającego w tej knajpie drinki, a ten po znajomości wpuszczał je na różne zamknięte rauty i promocje. Strasznie mi się chciało z siebie śmiać, kiedy to wszystko do mnie dotarło – wybrał się palant na rwanie japiszonek. Jakoś tam w końcu się jej pozbyłem, nie od razu, bo jednak było w tym jej nieobyciu i głupocie coś podniecającego, ale jak już się człowiek spuścił, to pogadać zupełnie nie szło, a seks z kobietą, z którą nie da się potem pogadać, to niczym się właściwie nie różni od onanizmu.

Potem przez długi czas bombardowała mnie czułymi esemesami: „Marzę o tym każdej nocy, żeby móc ci patrzeć w oczy, lecz że próżne me marzenie, więc zasyłam pozdrowienie". I tego typu.

Ale jednak próbowałem o czymś z tą Sylwią pogadać i opowiedziała mi historyjkę, jak do jej zakładu kosmetycznego przyszła na kontrolę pani z sanepidu. Wzięła na bok właścicielkę i oznajmiła jej, że zgodnie z przepisami wszystkie watki, waciki, chusteczki ligninowe i inne takie muszą być oddawane do spalarni spełniającej unijne normy. Tu jest adres tej spalarni i ona – ta pani z sanepidu – przyjdzie sprawdzić. Jeśli zakład będzie miał z tej spalarni faktury, to będzie dobrze. Postaci ze starych komedii dodawały na zakończenie takiej przemowy pytanie: „Rozumiemy się?", ale dzisiaj to już zupełnie zbędne. Wszyscy wszystko rozumieją, nawet w zapadłej dziurze pod Olsztynem, wszyscy wiedzą, że w tym kraju trzeba łapać, co się da, choćby żarówkę z biura, póki jeszcze coś do wyszabrowania pozostało.

Większe na mnie wrażenie zrobiła ta opowieść Sylwii niż wszystkie historyjki dozowane mi przy okazji wspólnych lanczy i sesji roboczych przez Kreszczyńskiego. Może dlatego, że taki holding wiadomo jak musi działać. I to nawet nie w centrali, gdzie jeszcze się trochę ludzie boją, jeśli nie kogo innego, to Hansa. Ale w tych wszystkich spółkach, spółeczkach, które powchłaniały całe piramidki dawnych miejscowych banków, oddziałów poprywatyzowanych central handlowych, nomenklaturowych spółek, które się wcześniej utuczyły na bankructwach miejscowych kombinatów. Audyt komunikacyjny to naprawdę pożyteczna dla firmy sprawa, miałem w życiu dość okazji, żeby to tłumaczyć różnym szefom, dyrektorom i prezesom, ale po prostu nie może być tani. Nie dlatego, że trzeba objechać wszystkie komórki firmy, wszystkie placówki sprzedaży, kantory, podwykonawców i z każdą osobą, która o czymkolwiek decyduje, odbyć mniej więcej godzinną rozmowę, wypełniając wspólnie całą ankietę – ale dlatego, że trzeba wiedzieć, jak pytania w ankiecie sformułować i – przede wszystkim – jak potem zinterpretować odpowiedzi. I to za tę wiedzę się płaci. Za moje doświadczenie, które zdobyłem, uciekając latami od domowego grobowca i od Potwora. Ale najeździć też się trzeba. Ja dużo jeździłem. Zdarzało mi się często, że znajdowałem się w tej samej firmie, którą badałem przed laty, kiedy jeszcze była państwowa, teraz należała już do Nowaczyka, ale gabinety są mniej więcej te same i gęby w nich też mniej więcej te same. Nowe były tylko opowieści, jak się czyje losy potoczyły, który z dawnych prezesów i dyrektorów dobrze obstawił, który źle, który poszedł do województwa albo do Warszawy, założył własną firmę, z sukcesem albo właśnie bez, a który się stoczył, zapił czy zszedł na zawał. Mój Boże, gdybym ja miał pamięć do tych historii i umiał to przynajmniej komuś potem opowiedzieć, toby z tego było takie „a to Polska właśnie" – ale ja, nie wiem dlaczego, nie potrafię. Mam marną pamięć, zresztą nie jestem przecież wyjątkiem, tutaj, w naszej części świata, wszyscy mają z pamięcią kłopoty, ale moja jest nie tylko marna, jeszcze ma taką cechę, że przechowuje tylko to, co dotyczy mnie samego. Poza strzępami, obrazkami i tym, co mi ktoś wyrządził złego albo dobrego, nikogo innego w niej nie ma. I z tych jazd, po pięć dni w tygodniu, wywiadów robionych za dnia i wieczornych bankietów, bo kto tam rozumie, że audyt komunikacyjny to nic wspólnego z kontrolą, na wszelki wypadek trzeba rewizora z Warszawy należycie ugościć – z tych wszystkich jazd najlepiej pozapamiętywałem kobiety. Nie dziwki, które też mi czasem, w ramach tego goszczenia, serwowano, bo dziwkę człowiek użyje i nie ma żadnego powodu być z tego dumny, tylko te, które mi się zdarzało w przejeździe na jedną noc uwieść. Zgoda, może to nie było trudne. A ja i tak zawsze czułem potem straszną dumę, strasznie mi było dobrze nie tyle z tym, że moje grepsy zadziałały, ale że w ogóle byłem na tyle odważny, by je powiedzieć. Nikt poza mną tego nie pojmie, nikt, kto nie widział tego nieśmiałego, pobożnego chłopczyka z oazy, który przy dziewczynach robił się czerwony i tracił głos, tej galarety łkającej Diabełkowi w konfesjonale o swoich nieskromnych uczynkach, nigdy nie zrozumie, jaka to satysfakcja wciągnąć do łóżka taką jedną czy drugą panią Bożenkę, Basię albo Marzenkę czy jak jeszcze, choćby nawet nie była szczególną seksbombą. Nie byłem wybredny, jeśli chodzi o urodę kobiety. Byle tylko nie była za chuda. Nie żebym miał coś przeciwko tym, które się dały ogłupić i naśladowały wynędzniałe biedactwa z reklam i okładek żurnali, ale jak kobiecie widać w dekolcie gnaty, to mi do niej nie stanie za cholerę, przykro mi bardzo.

– To był tak piękny wieczór... Chcę, żebyśmy go oboje pamiętali zawsze – mówię najcieplejszym, najniższym głosem, jak tylko potrafię, kiedy już udało się to odpowiednio podprowadzić. – Chodźmy teraz do mnie i będę cię do rana kochać tak, jak tego nikt nigdy z tobą nie robił i nikt nie będzie umiał zrobić.

I patrzę, jak na twarzy Małgosi czy Marzenki odbija się wewnętrzna walka, nie zawsze oczywiście, bardzo często kobiety szły ze mną, ledwie zadbawszy o pozory, ale to nie było to samo, jeśli tej rozterki i walki z samą sobą zabrakło. Aż w końcu ona wyrzuca z siebie jeden z możliwych wariantów zawsze tego samego zdania:

– Ależ ja jestem mężatką.

– Kochanie, ja przecież powiedziałem, że chcę z tobą iść do łóżka, a nie się żenić.

Rozważa przez długą chwilę – powinna się teraz obrazić i wstać, ale boi się, że jeśli to zrobi, mogę za nią nie pobiec i nie przeprosić. Więc milczenie się przedłuża, aż wezmę ją delikatnie za rękę i powiem:

– Może się pomyliłem. Jeśli tak... Jeśli mi spojrzysz w oczy i powiesz, że czujesz się w tym małżeństwie spełniona, że twój mąż cię zaspokaja i dostajesz od niego wszystko to, na co zasługujesz, to przeproszę cię za te słowa i odejdę. Będzie mi strasznie przykro spędzić tę noc samotnie, ale jeśli tak powiesz...

I tu sprawa jest zazwyczaj już załatwiona, ale kobieta musi się jeszcze trochę pokrygować, żeby nie stracić szacunku dla siebie. Musi coś powiedzieć, choć zupełnie nie wie co, więc w dziewięciu wypadkach na dziesięć mówi:

– Jesteś strasznie pewny siebie.

To ma być zarzut. Tak jak nieśmiertelne żonine: „bo ty zawsze masz na wszystko odpowiedź". Ale niech Pan Bóg broni nie uszanować tej kobiecej logiki! Trzeba koniecznie zaprzeczyć.

– Nie, nie jestem pewny siebie. Może się taki wydaję, bo tak bardzo cię pragnę. Pragnę cię aż do bólu. Aż cały drżę.

I teraz pozostaje już tylko skonsumować zwycięstwo.

– Przyjdę za chwilę do twojego pokoju – mówi ona.

Ściskam jej rękę mocniej:

– Nie puszczę cię.

– Ależ głuptasku... – co one cholera mają na tym punkcie, głuptasku, niegrzeczny chłopczyku i tak dalej, zawsze jakieś niewyżyte kwocze instynkty – głuptasku, muszę iść do łazienki.

– Nie mogę cię puścić – mówię – boję się, że wtedy już nie przyjdziesz. Zaczniesz się dotykać pod prysznicem, ugasisz pożar i strach weźmie górę nad pożądaniem, nie mogę ci na to pozwolić, bo potem będziesz długo żałowała.

– Przyjdę, obiecuję ci, że się nie będę dotykać, przyjdę na pewno.

– Wiem – mówię z taką miną, jakbym wpadł na to właśnie w tej chwili – dasz mi teraz swoje majtki i będziesz musiała przyjść, żeby je odzyskać.

I wiecie co? Zdjęła je rzeczywiście. W półmroku hotelowej knajpy, gdzie większość gości była już mocno napita i nikt się nie rozglądał, odważyła się unieść na krześle, mocować przez chwilę z ubraniem, aż w końcu podała mi je zwinięte w dłoni zawstydzonym gestem i umknęła.

Taki potrafiłem być, na to się potrafiłem odważyć, Madziu kochana. Szkoda, że nigdy wobec ciebie. Gdybym tak zamiast sentymentalnych gestów złapał cię za kark i zerżnął, gdybym ci zatkał usta twoimi własnymi majtkami, sprał tyłek, związał i zgwałcił, na nic się nie oglądając, wyruchał jak tę podobną do ciebie niczym złudzenie modelkę z internetu – miałabyś oprawcę, którego tak potrzebowałaś, miałabyś kogo w nieskończoność przepraszać za to, że żyjesz, wyjąłbym cię w ten sposób twojej starej, przyznaj sama: tego właśnie potrzebowałaś, a nie rozkochanej w tobie, na każdym kroku ustępującej pierdoły!

Ależ ja takimi nocami byłem z siebie dumny. Ależ mnie roznosiło, gdy Iwonki, Basie i Marzenki mnie chwaliły, zapewniały, że z nikim nigdy tak dobrze, że nigdy sobie nie wyobrażały, ach, o Boże, Boże, i tak dalej. Wystarczało mi tego zadowolenia i dumy z siebie na długie tygodnie dalszego udawania.

Prawda, że były jeszcze poranki. Gdzieś koło piątej, szóstej nad ranem, kiedy wino wyszumiało w głowie i organizm zdążył je już przepalić, budził mnie nagle paniczny strach. Strach tak intensywny, jakby zdarto ze mnie skórę i wszystkie nerwy znalazły się nagle na wierzchu, i poczucie winy tak głębokie, że aż niosące fizyczny ból. Wyślizgiwałem się wtedy cicho z pościeli, zostawiając śpiącą w najlepsze, rozgrzaną kobietę, zamykałem się w hotelowej łazience i kuliłem pod uderzeniami tego mdlącego uczucia, zwinięty na klapie sedesu, trząsłem się, podciągałem pod brodę nogi i kurczowo zaciskałem ręce wokół ciała, aż wreszcie atak ustępował. Czasem pomagało coś mocniejszego, choć też było to wstrętne, nawet najlepsza whisky wchodziła z trudem, ciało broniło się mdłościami i skurczami, musiałem zaciskać mocno gardło, żeby nie zwymiotować – ale pomagało. Nie zawsze. Zwykle. Z czasem te ataki porannego strachu zaczęły mnie dopadać także w domu. I to przez nie zrobiłem największe głupstwo w życiu. Przez nie, bo tak już tego miałem dość, i przez idiotyczną wiarę, że jeśli wszystko szczerze wyznam żonie, to uda mi się jeszcze wrócić w koleiny przyzwoitego życia.

Pan Bóg pewnie chciał mi tymi napadami strachu coś dać do zrozumienia. Może to, że byłbym doskonałym Jego dzieckiem, gdyby nie hormony – tylko po co mnie w takim razie nimi obciążył. A może po prostu że cokolwiek bym myślał, nie stworzył mnie na uwodziciela.

Na bohatera zresztą też nie.

Szczerze mówiąc, próżno się głowię, na chuj w ogóle mnie stworzył.

– Mogło być gorzej – mówi Kreszczyński. I raz mi się wydaje, że wyrwało mu się to prosto z serca, a raz, że po prostu szydzi. – Mogło ci się zdarzyć coś znacznie gorszego: wyobraź sobie, odkrywasz nagle, nie że tam supełki-węzełki i francuski bez, tylko że cię w ogóle baby nie kręcą. No, i co by to było? Jaka tragedia! Taki katolik, syn takiego ojca i pedał?! Jak byś siebie wtedy umiał polubić, jak byś to sobie wytłumaczył, co?

A odwal się, pedale. Ja i tak siebie nie lubię. Co to za różnica, z jakiego powodu.

Chociaż nie aż tak, jak nie lubiła siebie Magda. To przez całe lata było dla mnie niepojęte. Ona patrzyła w lustro i musiała tam widzieć zgrabną, młodą dziewczynę, ładną buzię, okoloną krótko przyciętymi, ciemnymi włosami, zgrabniutkie nogi, płaski brzuch, no, musiała tam widzieć siebie. A ona widziała pokrakę. Wszystko źle. Wszystko nie takie. Spoglądała w to lustro, jeśli już musiała w nie spojrzeć, bo mowy nie było, żeby sobie ot, tak jak normalny człowiek, przystanęła, popatrzyła i uśmiechnęła się do siebie – spoglądała w to lustro z nieopisanym wstrętem. Jeśli ktoś powiedział jej jakiś komplement, jeżyła się cała, może inni tego nie widzieli, ale ja widziałem, jeżyła się, co mi tu będą wciskać takie bzdury, jakbym nie wiedziała, że jestem brzydka i nic niewarta. Wieczorna kąpiel, zwłaszcza jeśli mieliśmy się kochać, trwała bez końca, pół godziny potrafiła się szorować i szorować, jakby chciała zedrzeć z siebie skórę, całe to znienawidzone ciało, odskrobać je aż do kości, a skoro to niemożliwe, przynajmniej wydezynfekować, pozbawić ludzkiego smaku i zapachu.

I co ja z tym zrobiłem? A nic. Bałem się cokolwiek zrobić. Czekałem, że może przejdzie samo. Mówiłem sobie głupkowato, że w sumie i tak nie jest nam źle, a jeśli mamy jakieś kłopoty, to nikt poza nami o nich nie wie, nikt się nie dowie, więc tak jakby ich nie było. Jeśli pojawia się jakiś problem, najlepiej o nim nie myśleć i nie mówić, zrobić unik, odłożyć sprawę na później. A kiedy już uświadomiłem sobie, że to samo z siebie nie minie, że trzeba się ratować, bo katastrofa nadchodzi nieuchronnie – to nie byłem już dla niej mężem, kochanym mężczyzną, byłem już tym łajdakiem, który ją zdradził, okłamał, i żeby się wybielić, ma jeszcze czelność robić z niej wariatkę!

– To ze mną, tak, ze mną ma być coś nie w porządku? – omalże krzyczy z wściekłością na najmniejszą, najbardziej nieśmiałą moją wzmiankę. – Śmiesz mi jeszcze coś takiego mówić po tym, co zrobiłeś?!

Nie było z tego wyjścia. Tylko sam nie wiem, od którego momentu. Bo kiedyś, gdybym miał jaja i zareagował odpowiednio wcześnie, kiedy jeszcze było między nami dobrze, a Potwór był przez Magdę trzymany na odległość, chyba by się z tego dało wyjść. Może gdyby nie ten wielomiesięczny koszmar, jakim były kolejne próby odebrania żonie dziewictwa, oboje – zero jakichkolwiek doświadczeń czy wiedzy na ten temat, poza tym, że należy sublimować popędy i brać zimne prysznice, śmiech i żałość, ja przestraszony onanista z erekcją chwiejną jak stos talerzy na głowie żonglera, ona walcząca ze swoim strachem i wstrętem do „tych rzeczy", cała skurczona, wroga, z gęsią skórką, kurważeż, jak to sobie przypominam... No dobrze, w końcu te trochę krwi popłynęło, ale jak miało potem być normalnie, jak miało potem być dobrze? Jeszcze ja z tym wielkim ogonem, który tak zachwycał Kasię czy Dankę, a ona malutka, obolała, ledwie się byłem w stanie tam zmieścić. Panie Boże, ja nie jestem jak mój brat, ja nie neguję, że generalnie tak być powinno, jak to sobie wyobrażaliśmy, że tak by było dobrze, najlepiej – ale przeciwko nam zbyt wiele się sprzysięgło, naprawdę zbyt wiele.

Jak to pali w gardło ta gorzała. Zwykłe świństwo. Nienawidzę wódki. Od lat nie brałem tego paskudztwa do ust. Wino, o tak. Uwielbiam dobre wino do dobrego obiadu. Wcale nie musi być szpanerskie, nie powinno być, okrzyczane marki są dla frajerów, którzy w ogóle nie odróżniają smaków i płacą za etykiety. Zwłaszcza to, co upychają na światowych rynkach Francuzi, to przeważnie podłe sikacze, których nie chce im się pić samym, za pieniądze o klasę większe, niżby się należało. Pijałem tanie wino, bułgarskie czy mołdawskie, lepsze od kilka razy droższego bordeaux. Wino uwielbiam, do obiadu, kolacji, do łóżka i seksu. A jeśli trzeba czegoś mocniejszego, to whisky. Nie szkocka, jest przereklamowana – prawdziwa whisky to ta z Irlandii. Albo jeśli naprawdę potrzebujesz czegoś, co ci podrapie gardło jak brona i naleje w żyły ognia – bourbon, ten kukurydziany bimber z Kentucky. Ale na litość boską, nie wódka! Wszyscy moi znajomi wiedzą doskonale, że wódki nie biorę do ust.

No i właśnie dlatego ją piję, przez całą podróż, i dlatego znajdą mnie na zaśnieżonym pagórku właśnie z butelką wódki. Żeby nikt nie uwierzył. Hrabia i wódka? Bzdura totalna, nafty by się prędzej napił niż czystej gorzały. Jeden z wielu drobiazgów, który ma wzbudzić wątpliwości.

Ale oprócz drobiazgów zostawiam ślady znacznie poważniejsze. Groszkowi naopowiadałem, że wszystko, co odkryłem w holdingu Nowaczyka, trafiło do specsłużb i – specjalnie trochę niejasno – że to właśnie na żądanie speców jadę pod Suwałki na konfrontację z jednym z głównych oszustów, bo tam akurat ma on willę. Maćkowi innymi słowy sugerowałem coś podobnego. A wczoraj podjechałem do redakcji i w przelocie na korytarzu z poważną miną wręczyłem mu kluczyk do swojej skrytki w banku, przepraszając, że to trochę idiotyczne, że jak zabawa w Indian i sam głupio się czuję, ale proszę, na wszelki wypadek weź, gdyby coś się stało, wyjmij to, co jest w skrytce, i zrób z tymi informacjami – tak powiedziałem: „z tymi informacjami" – co uznasz za najstosowniejsze. Kiedy Maciek się dowie, co mnie spotkało, otworzy skrytkę i odkryje, że nie ma w niej niczego. Zupełnie niczego, nawet kurzu, bo w jakimś niezrozumiałym odruchu wyczyściłem ten kurz higieniczną chustką, którą potem starannie złożyłem i schowałem do kieszeni.

Tak, znowu robię to, co mi przez większość życia najlepiej wychodziło: udaję. Dzięki temu udawaniu będę przynajmniej miał pogrzeb z księdzem. Chociaż, zdaje się, dzisiaj Kościół już tak zszedł na psy, że i samobójcę pochowa, i każdego w ogóle, choćby największego gorszyciela. Jeszcze parę latek, a pobłogosławi i ślub zoofila z owieczką. Nie, oczywiście nie po to robię to wszystko, komplikując swoje rozstanie ze światem, żeby mieć księdza na pogrzebie. Nie tylko. Robię tak, bo to ostatnia broń, jaka pozostała takiemu bezwolnemu tchórzowi jak ja, i jedyny sposób, jaki potrafiłem wymyślić, żeby zaszkodzić Buchalterowi i wszystkim tym draniom, którzy za nim stoją, wszystkim tym łajdakom, którzy zniszczyli mojego ojca i zgnoili mnie samego, tym bandytom, którzy bawią się moim życiem i wiedzą o mnie wszystko, choć ja nawet nie znam ich twarzy i nazwisk. Firma, mówił Kreszczyński. I Buchalter też tak mówił. Firma. Poczekajcie, jeszcze się nieźle zdziwicie, skurwysyny.

Bardzo szczegółowo to wszystko zaplanowałem, choć czasu miałem tak mało i choć trzęsło mnie i piłem niemal bez przerwy, żeby się zupełnie nie rozsypać. Takiego planowania pewnie nauczyłem się od Magdy. To była część tego jej neurotycznego pancerza: wszystko musiała mieć zaplanowane do najmniejszych drobiazgów. Przemyślane zawczasu, spisane, każdy, dajmy na to, wyjazd na wakacje to były całe wielkie płachty zapisane przez nią drobnym maczkiem, lista rzeczy do zabrania, lista spraw do załatwienia przed wyjazdem, do zrobienia na miejscu, i tak zawsze się działo coś nieprzewidzianego, ale bez tych kartek, na których usiłowała zakląć i oswoić wszystkie możliwości, byłaby chora. Ja sobie nic nie zapisuję, ale też starałem się przewidzieć wszystko. Więc na przykład siedzę cały czas w idiotycznym, pomarańczowo-zielonym szaliku, który potem wyrzucę i nikt go ze mną nie skojarzy. Jeśli ktoś przypadkiem zajrzał do przedziału, to zobaczył faceta w idiotycznych, papuzich kolorach. Jak ten facet wyglądał poza tym – tego na pewno nikt nie zapamięta. Czytałem, że tak właśnie z ludźmi jest, i jak się zastanowić, to po sobie samym widzę, że tak – w każdym razie nikt z ręką na sercu nie będzie mógł powiedzieć, czy to rzeczywiście był ten gość ze zdjęcia, czy nie, bo na zdjęciu szalika nie ma. O czym ja zresztą, tu w ogóle prawie nikt o tej porze roku nie jeździ, pociąg jest pusty, przynajmniej ten pierwszy wagon za lokomotywą jest pusty, pierwszy wagon zawsze jest najluźniejszy, dlatego tutaj usiadłem. Nawet konduktorowi nie chciało się jak dotąd przyjść spytać o bilet. Wiem, powinienem jeszcze inaczej. Znaleźć przedział z jakimiś w miarę inteligentnymi ludźmi, zachowywać się przy nich spokojnie, czytać książkę, prowadzić mądre rozmowy, a potem znienacka zniknąć, zostawiając w przedziale bagaż. Ale nie mam do siebie zaufania, czy zdołałbym odegrać taki spektakl do końca. No i golnąć bym przez całą drogę nie mógł, a pić mi się dzisiaj chce potwornie, pragnienie mam takie, jakbym nie pił nigdy w życiu.

Bagaż zostawiam, a w torbie, oprócz zmiany bielizny i pustego skoroszytu po audytowych papierach, z powydzieranymi strzępkami przy zaczepach, zostaje bilet do Suwałk i dokumenty. A kiedy przyjdą do mojego mieszkania, zobaczą, że wszystko jest wysprzątane na błysk, biurko puste i czyste, a twardy dysk wyrwany z laptopa z mięsem. Ale w mieszkaniu pod wysuwanym blatem kredensu zostawiłem swój audyt z holdingu, wydruk, w tej prawdziwej, a nie poprawionej przez Kreszczyńskiego wersji.

Mam nadzieję, że pomyślałem o wszystkim. Kiedy pociąg będzie dojeżdżał – Boże, to już raptem kilka stacji – stanę przy ubikacji, gdyby ktoś się nagle pojawił, że niby po prostu chcę skorzystać, a potem szybko wysiądę. Wszystko tu zostawiam, puste butelki powyrzucałem za okno, a ta ostatnia, ten złoty strzał, leży w wewnętrznej kieszeni mojej niby-wojskowej kurtki i jest starannie wytarta, jak barman wyciera w barze godzinami kieliszki. Będę z niej pił, trzymając za denko przez rękaw albo połę kurtki, żeby nie pozostawić żadnego śladu. Gdyby nie cokolwiek innego, samo to musiałoby być wystarczająco wymowne: no jakże, zapił się na śmierć, a potem starannie wytarł z flaszki swoje odciski palców? Oczywiście, jest duża szansa, że wioskowemu gliniarzowi, którego wezwą do moich zwłok, nie przyjdzie do głowy, by zdejmować z flaszki odciski palców. Ale coś wypali, nie jedno, to drugie. Jeszcze karta od telefonu – może już teraz ją wyjąć? Telefon zostaje w mojej kieszeni, też go wytrę do czysta chustką, ale karty w środku nie będzie. Gdzieś ją wcisnę po drodze, ukryję w jakimś papierze czy butelce w dworcowym śmietniku, nikt takiego drobiazgu wielkości paznokcia na kciuku nie wypatrzy. I trzeba sobie jeszcze będzie tylko rozbić o jakiś słup mordę, rozkwasić nos, żeby popłynęła jucha, to nie będzie trudne, znacznie trudniej będzie wbić sobie w gębę szyjkę butelki tak mocno, pewnie się nie uda, ale to by było najlepiej, tak mocno, żeby wybić sobie przednie zęby. Tak mordowali w latach osiemdziesiątych esbecy, drukowaliśmy o tym, to znaczy Wacenty drukował, artykuł w „Polsce Młodych", tak wtedy mordowali solidarnościowców i księży, zapijając ich na śmierć – wbijali skurwysyny ofierze całą butelkę do gardła, głęboko, jak karmionej na stłuszczone watróbki gęsi, i wlewali za jednym zamachem do żołądka. Pewnie nie dam rady sam sobie tego zrobić, ale ślady będą. No i trup będzie, co jeszcze więcej mogę zrobić?

Podobno śmierć przez zamarznięcie jest przyjemna, to jakby się po prostu zasypiało – dobra śmierć dla tchórza, bez bólu. Kiedy byłem mały, uwielbiałem fantazjować o śmierci. Chyba nawet częściej fantazjowałem o niej niż o miłości. Oczywiście zawsze byłem w tych fantazjach bohaterem ginącym od faszystowskiej kuli prosto w pierś, gdy ratując życie kolegów, rzucam we wrogi czołg granatem... Straszne skutki powtarzanych w kółko w Teleranku *Czterech pancernych*, chociaż i tak największe wrażenie robiła na mnie już wtedy porwana i związana przez hitlerowców w jednym z odcinków radiotelegrafistka. Ale śmierć przez zamarznięcie jakoś mi do tego wszystkiego pasuje i nawet nie o to chodzi, że nie boli, już teraz wiem, że ból to przy śmierci nieważna sprawa, bólu się prawie nie czuje, najgorszy jest ten strach, paniczny, zwierzęcy strach, on zagłuszy każdy ból. Pasuje mi do tego – sam nie wiem, z jakiej przyczyny. Lód. Wieczna zmarzlina. Kosmiczny mróz, kosmiczny lód, w którym wszystko ma swój początek i koniec. Coś jest w tej myśli, prawda? Gdyby tak się dało zastygnąć w tym kosmicznym lodzie, jak mucha w bursztynowym sarkofagu po wiek wieków chroniącym śpiącego od gnicia... Napawałem się po dziecinnemu wizjami różnych swoich bohaterskich śmierci, no tak, ale o tym, że można by skończyć ze sobą samemu, nie pomyślałem nigdy. Nawet kiedy było najgorzej pod słońcem, nie przeszło mi to przez myśl. Magda by parsknęła drwiąco, że za bardzo siebie samego kocham. Tak mówiłaś, pamiętam, wiesz, że nawet dokładnie pamiętam, kiedy to powiedziałaś – że jedyne uczucie, do jakiego jestem zdolny, to miłość do siebie samego. Mów sobie, co chcesz, i tak lepszy dla otoczenia narcyz niż ktoś, kto tak siebie samego nienawidzi jak ty. A zresztą, co tam wiesz. Przez siedemnaście lat latałaś koło mnie i zajmowałaś się wszystkim, co tylko nieważne, obiadami, sprzątaniem, co ja mówię sprzątaniem – dezynfekowaniem, kupowaniem mi tych strasznych, zgredowskich krawatów i garniturów, nad którymi potem moja stylistka tylko przez grzeczność nie parsknęła śmiechem, a co tutaj, o, tu, w środku się działo, to cię w najmniejszym stopniu nie obeszło, nic nigdy o tym nie wiedziałaś i nie chciałaś wiedzieć – będziesz teraz szydzić ze mnie, że jestem w sobie zakochany? Jestem. Ale bez cienia wzajemności. A ty mnie nie kochałaś nigdy, dla ciebie mąż był tylko jeszcze jednym cholernym przymusem jak trzepanie, gotowanie i to ciągłe pucowanie domu. Przynajmniej znalazła sobie dobrą pracę, żeby dogodzić tej manii poświęcania się dla innych – bo w końcu, jak zamknęli wydawnictwo, Magda wylądowała w warszawskim biurze UNDP, chyba pracuje tam nadal, wysyłając do Afryki wolontariuszy. Żeby karmili, uczyli czarne dzieci pisać i kopali na pustyni studnie. Ma to jakiś związek ze studiami, w które włożyła tyle pracy. Tylko sensu nie ma, nic z tego i tak nie wyniknie, bo co czarne dzieci trochę podrosną, to łapią za karabiny, puszczają szkoły i szpitale z dymem, studnie zasypują i mordują tych wolontariuszy, których im przysyłają Narody Zjednoczone z moją byłą żoną, i siebie nawzajem. Nie umiemy pomóc samym sobie, więc by ulżyć sumieniu, próbujemy pomagać innym, ale innemu i tak pomóc nie można, bo trzeba by go najpierw zmusić, żeby chciał sobie pomóc sam.

No więc, z jakiejkolwiek tak było przyczyny, w najgorszych momentach życia coś podobnego, że można samemu ze sobą skończyć, nawet mi przez myśl nie przemknęło. Ten pomysł podsunęła mi dopiero Ewa. Ewa, mój Boże, jeszcze jeden wyrzut sumienia. Taka fajna dziewczyna – dlaczego to nie ona jest żoną Maćka, choć się przecież od dawna znają, tylko taka jędzunia? W jakiś sposób ona może służyć za symbol. Symbol nadchodzącej cywilizacji, cywilizacji kobiet – samodzielnych, samowystarczalnych i samotnych. Przeraźliwie samotnych.

A dlaczego ja sam z nią nie zostałem, skoro jest taka dobra?

Dlatego, że trafiliśmy do łóżka w złym momencie. W momencie, kiedy nie potrzebowałem żadnej tam dobrej dziewczyny, tylko dziwki. I to nie jednej, całego legionu dziwek.

Nie ma się co oburzać, nie ma się czego wstydzić, każdy facet po rozwodzie przechodzi taką fazę – kurwa, to teraz będę brał wszystko, co chodzi, choćby i zegar, byle był z kukułką. Tym bardziej, im bardziej i im dłużej był wierny i terroryzowany. Po paru miesiącach powoli zacznie wracać do normalności, a po pół roku, po roku staje się zdolny do zupełnie poprawnych układów z kobietą, jeśli mu się akurat odpowiednia kobieta trafi i jeśli nie zajdzie nic nieprzewidzianego. Czyli odwrotnie akurat, niż to było w moim wypadku. Gdybyśmy z Ewą wylądowali w łóżku po tych sześciu miesiącach czy po roku – pewnie tak.

Co prawda z Kingą zacząłem właśnie po ośmiu

miesiącach, kiedy szał kutasa już trochę minął, a też nic z tego nie wyszło. Ale to może dlatego, że ona była taka... Skupiona na sobie. Ewa to co innego. Niewymagająca i kochana, tak kochana, że można było przy niej dostać cholery. Nie masz gdzie mieszkać? Zamieszkaj u mnie. Wolisz mieszkać osobno? Ależ oczywiście. Zostałeś na noc u jakiejś dziwki? Nie rób sobie wyrzutów, mężczyzna czasem tego potrzebuje. Potrzebowałeś się uchlać, biedaku? Nic się nie przejmuj, naprawdę jesteś kochany, kiedy mnie tak budzisz nad ranem, ziోnąc nieprzetrawionym alkoholem. A może masz ochotę, żeby ci obciągnąć? Ułóż się wygodnie, już służę, to ci dobrze zrobi na kaca.

No, może trochę przesadzam. Ale niewiele. Nigdy ani słowa pretensji. Cokolwiek zrobiłem, było fajnie. To miło, że zechciałeś się na mnie położyć, że mnie pieściłeś, nic więcej naprawdę nie trzeba. Miała swoje życie, swoją firmę i zawodowe sukcesy, bo te zlecenia dla Artura robiła właściwie po starej znajomości, i tylko tego jednego jej brakowało – mężczyzny.

Nie nadawałem się do tej roli.

Umówiliśmy się z Przemem, bo Artur gdzieś wtedy wyjechał, że będę normalnie u nich pracował. Świetna sprawa. Nie minęło kilka dni, siedziałem w biurze i pisałem jedną z niezliczonych ofert, nie tyle właściwie pisałem, ile dopasowywałem standardową ofertę agencji do oczekiwań klienta, akurat przyszła w swoich sprawach Ewa, oczywiście organizm na baczność, jesteś wolnym, wreszcie wolnym mężczyzną, więc się trzeba sprawdzić, a może pójdziemy gdzieś na drinka, a może jeszcze jeden, a może będziemy tego żałować, ale wiesz, mnie życie nauczyło, że lepiej żałować tego, co się stało, niż tego, co się nie stało, no i już jesteśmy w pościeli, a ja, oczywiście, zachowuję się jak ostatni skurwysyn – za grosz delikatności, po prostu łapię ją za kark i niemal na siłę popycham do kutasa, no bo tak, taką akurat mam ochotę, i ona po chwili wahania poddaje się temu, pieści mnie posłusznie, tylko połknąć nie była w stanie, ale mniejsza, odprężam się, przygarniam jej jasnowłosą główkę do piersi, i nie, to wcale jeszcze nie jest najgorsze – najgorsze, że w tym momencie, popychany jakąś, sam nie wiem, jakąś resztką sumienia, przyzwoitości, mówię do niej, wzdychając z ulgą:

– Kocham cię. Kocham cię.

Do dziś się tego wstydzę, tego głupiego, wymuszonego „kocham cię".

W każdym razie spędziliśmy ze sobą trochę czasu, zanim się zdołałem z tego układu wymiksować. No, chyba każdy zrozumie – musiałem się wymiksować. Przecież ledwie co rozstałem się z Magdą, wszystko było w mojej pamięci tak świeże i bolesne, i co, ładować się na nowo w stały związek? Łatwo się mówi „kocham cię", łatwo się nawet naprawdę zakochuje, ale co będzie za parę lat, kiedy namiętności ostygną i na horyzoncie pojawi się ktoś nowy? Znowu kłamać, znowu brnąć w podwójne życie, męczyć się porankami w hotelowym kiblu? Nie, w żadnym wypadku, nie chciałem tego, bałem się, miałem już dość. Dobrze się bawmy, ale nic więcej. A Ewa potrzebowała właśnie czegoś więcej, nie mówiła nic takiego, nie dawała poznać, że czegokolwiek oczekuje, ale ja i tak to czułem, i znowu się zaczynały wyrzuty sumienia, no a tego to już naprawdę miałem dosyć, że bardziej nie można.

Ale spędziliśmy ze sobą trochę czasu i sam nie pamiętam, kiedy Ewa to powiedziała:

– Ja tam nie zamierzam żyć dłużej, niż to ma sens.

Myślałem w pierwszej chwili, że żartuje. Nic nie powiedziałem. Ale przy jakiejś innej okazji wróciła do tej myśli. Dopóki będzie w stanie żyć tak, jak chce, będzie żyła tak, jak chce. A potem – do widzenia. Widzę ją wciąż, jak to mówi: „Starość to zbyt straszne upokorzenie". Niedołęstwo, choroby, zdanie na cudzą opiekę, zresztą kto by miał tę opiekę sprawować, skoro ona żadnych dzieci mieć nie zamierza – po co to wszystko? W odpowiedniej chwili trzeba będzie sobie umieć powiedzieć dość, i już. Bez robienia z pożegnania Bóg wie czego.

Czy ja wiem. Zaimponowała mi tym. I zaraziła tą myślą. Miałbym kończyć tak jak moja matka? Przeżyć własny rozum, nie poznawać ludzi, gadać do jakichś dawno temu zmarłych przyjaciółek i nie móc się stąd wynieść, bo cholerna medycyna zrobiła takie postępy, że – chcesz czy nie – utrzyma cię przy życiu, nawet jeśli mózg ci już wygładziło do gołego pniaka?

Za którymś w końcu razem nie mogłem odmówić Martynie, no, rodzinna rocznica, a poza tym musiałem jej podrzucić pieniądze – Boże, jakie to było straszne przeżycie. Mama plotła od rzeczy, trudno ją zresztą w ogóle było zrozumieć, Martyna wyrzucała nam, że się nie interesujemy i nic nie pomagamy, Andrzej urażony chwalił się, że specjalnie ściągnął zza siedmiu granic jakiegoś tybetańskiego mistrza, z którym przez cały wczorajszy dzień pobrzękiwali misami, ściągając na mamę lecznicze energie z kosmosu, potem z kolei, nagle zapominając o pretensjach, siostra zaczęła mnie męczyć, że koniecznie muszę zrobić jakieś tam badania – czułem się tym wszystkim przygnębiony, tak potwornie zdołowany, aż niezdolny do myślenia... Ale kto by mnie tam zrozumiał, kto by w ogóle próbował. Żeby mieć chwilę na oddech, nie pojechałem potem do siebie taksówką, tylko tramwajem. Usadziłem się ponury i zajęty swoimi myślami koło drzwi, nie myślałem o niczym konkretnym, raczej tylko smakowałem tę gorycz, którą mnie napełniło obserwowanie, co się porobiło z moją matką – a parę przystanków potem ustawiły się nade mną dwie dziewczynki, tak że – chcąc nie chcąc – słyszałem każde ich słowo. Dwie słodkie licealistki, nie wiem, piętnaście czy siedemnaście lat, utlenione na klony jakiejś tam modnej obecnie gwiazdy reality szoł:

– Ten Dżery – szczebiocze jedna – to jest pojeb kompletny, ty wiesz? Jak on mnie wczoraj zmordował u Andżeliki, ty wiesz, że no ci mówię, ja widzę, że jest narypany i nic z tego nie będzie, no to mu mówię, weź, kurwa, daj spokój, bo jesteś narypany i się nie spuścisz, daj, zrobię ci narciarza, inaczej nie pójdzie, a ten, ty wiesz, mówię ci, nic, uparł się i mnie piłuje, i piłuje, no i nie może skończyć, mówię ci, tak mnie zmordował, pojeb jeden, no.

– No – odpowiada na to ze zrozumieniem ta druga, i tak sobie gaworzą, a ja tylko czuję, jak mnie skręca taki bezgłośny, pusty śmiech, bo rzeczywiście, przecież gdybym tym stworzeniom usiłował opowiedzieć o swoich rozterkach, to by wywaliły na mnie te krowie gały, a potem w ogóle pękły ze śmiechu.

Dinozaur. Oboje z Magdą – dinozaury. No tak, chłopie, świat się zmienia, świat się już pozmieniał i kto się tym zmianom jest zdolny stawiać? Ten żałosny, rachityczny, przepraszający za to, że wciąż jeszcze w ogóle jest Kościół mojego ojca? Kościół, który księdza przy ołtarzu obrócił dupą do Najświętszego Sakramentu, żeby ludziskom robił szoł i starał się przypodobać, zamiast im, Boże broń, wygłaszać kazania – a może i po to, żeby mu łatwiej było tym ludziskom wyciągać pod nos tacę? Dobrze, dobrze, ja wiem – ja akurat i tak mam przesrane. Ale wolałbym mieć przesrane w prawdziwym Kościele i u prawdziwego kapłana, niż ma mnie głaskać po główce jakiś ekumeniczny palant i opowiadać, że wcale nie trzeba wierzyć w Boga, żeby być chrześcijaninem, i że nic się nie muszę wysilać – cokolwiek bym zrobił, Jezus mnie i tak kocha, i żaden szatan nie dybie, żeby mnie sprowadzić na złą drogę, bo w ogóle nie ma żadnych złych dróg, są tylko te w twoim guście i nie w twoim guście, wrzuć monetę.

Być chrześcijaninem. Katolikiem. Ja nie wiem, Panie Boże, czy to coś jeszcze znaczy. Ja jestem chory, popierdolony, ty widzisz jaki, i ja tego naprawdę nie umiem żałować, chociaż bardzo bym chciał, naprawdę bym chciał, boby mi taki żal bardzo to wszystko uprościł. Ale czy Ty jesteś dla ludzi doskonałych? Czasem mi się tak wydaje, jak o Tobie czytam czy słyszę. Tylko jeśli Ty jesteś dla doskonałych, to po co Ty jesteś? Ciebie doskonali ludzie nie potrzebują, nie musisz ich podnosić, bo nie upadli, nie musisz ich pocieszać, bo nie mają powodu do smutku, nie masz im czego przebaczać, bo są właśnie doskonali – doskonali jak moja była żona Magda, o, tak, ona była doskonała, doskonała jak ten z jej ulubionej powieści kapitan Montague Brierly z rozwijającego prędkość szesnastu węzłów stalowego parowca „Ossa". I nie zdziwię się, jeżeli spotkawszy Magdę po tamtej stronie, dowiem się, że tak samo skończyła.

No, więc to Ewa mnie zaraziła tą myślą. Myślą, która zapadła gdzieś pomiędzy zwoje mózgowe, gdzieś głęboko, jak kwiatowy pyłek – i pozostała tam, długo nie kiełkując. Bo na razie, nie było powodu, żeby kiełkowała. Byłem z siebie zadowolony. A jak. Zacząłem chodzić na siłownię – fakt, że długo w tym nie wytrwałem, za bardzo to kłopotliwe i męczące – do masażysty, do solarium, rzeczy, które w tamtym życiu nigdy by mi nie przyszły do głowy. I skorzystałem z tej stylistki, którą mi polecił Kreszczyński, duża, tleniona czterdziestka w wydekoltowanym, skórzanym pancerzu, nie wiem, czy to nazwać gorsetem, czy bluzą.

– No cóż – powiedziała – radziłabym panu w ogóle wymienić całą garderobę.

Bardzo dobrze, mówię, oczywiście. Chcę w ogóle zerwać z tamtym życiem, wywalamy to wszystko, co zostało po Magdzie, w kibini mater.

– Fryzurę też bym zupełnie zmieniła.

Bardzo dobrze.

– Wiesz – ona na to, bo zaraz przeszliśmy na po imieniu – ja mam tu zaprzyjaźnionych krawców, sklep, salon fryzjerski też, pytanie tylko, ile możesz na to przeznaczyć.

No jak to ile? Ile potrzeba!

– Aha, a Staszek mówił, że będziesz urządzać mieszkanie, a ja tu znam też znakomitego architekta.

– No jasne, jeśli go polecasz, bardzo dobrze, tylko żeby szybko i pod klucz, po prostu żebym sobie nie musiał niczym zawracać głowy, chcę po prostu wejść i mieszkać.

A architekt oczywiście też miał swoją ekipę i swoich dostawców – Jezu, ależ mnie oni wszyscy musieli narżnąć na kasie. Przecież wiem, jak to jest w tej branży, widzisz pan-pani, ja tu mam bogatego leszcza, wezmę dwieście metrów wykładziny, szafy, to-tamto-siamto akurat od was, nie musi być tanio, ale dziesięć procent z ceny dla mnie. Jak powiedziałem, że urządzam mieszkanie, wszyscy znajomi zaraz mnie zaczęli ostrzegać, uważaj, kradną, ile wlezie, trzeba pilnować, machnąłem oczywiście ręką na to wszystko. Niech kradną, kto w tym kraju nie kradnie, mnie to ganc – łatwo przyszło. *Grab nagrablionnoje* połączone, dwa w jednym, ze smithowskim *trickle-down*, powiedziałem Maćkowi, bo on, myślałem, akurat wyłapie taki dowcip, ale tylko pokręcił z niedowierzaniem głową, jak mogę być taki frajer i dawać się kroić na kasę.

Prawdę mówiąc, kombinowałem, żeby Dorę, tę stylistkę, też przelecieć, więc niech tam sobie i ona, i nawet ten jej dobiegacz zarobią. Chyba zresztą nie zamierzała swojej cnoty zbyt uporczywie bronić, ale i nie chciała jej oddać zbyt łatwo, trochę krążyliśmy wokół siebie, zawsze w ostatniej chwili robiła unik, i w końcu zabrakło czasu. Może gdyby sprawy się nie potoczyły tak, jak się potoczyły, właśnie teraz bym na nią właził?

No, słowem, wcale nie wyglądało tak, że się wciąż gryzłem, wciąż coś rozpamiętywałem i miałem sobie za złe. Wcale nie, podobałem się sobie i polubiłem siebie w tej nowej wersji; gdyby się w to nie wpieprzyli Kreszczyński i Buchalter, to może bym się ze sobą nadal bardzo dobrze czuł. Po pierwsze, zostałem teraz u Artura etatowym specjalistą. Nie jak dotąd konsultantem z doskoku. Parę miesięcy wcześniej wynajęli nowe biuro, w starej kamienicy przy Żurawiej, na trzecim piętrze, bo taki jest w stolicy fason, że trzeba mieć biuro w kamienicy, siedzieć w którymś z tych nowoczesnych, szklanych drapaków to dla firmy obciach. Miałem w tym nowym biurze przez jakiś czas swoje własne biurko w pokoju dzielonym z samymi Przemem i Arturem, którzy i tak odbywali większość rozmów na mieście albo w saloniku. Trochę robiłem za gadżet zaświadczający gościom o znaczeniu firmy, jak gdzie indziej rząd statuetek na dyrektorskiej szafie czy dyplomy, i doskonale się czułem, odbierając w tej roli honory za swoje nazwisko i naukowy dorobek. To nie znaczy, że nie pracowałem. Ale taka praca mnie nie męczyła, było jeszcze luźniej niż na uczelni – właściwie żadnego rygoru godzin, własne projekty do prowadzenia i dość płynna granica pomiędzy spotkaniami służbowymi a towarzyskimi. Chyba już mówiłem, że w oczach większości ludzi jestem po prostu beztroskim farciarzem, ale to On tak urządził, żeby moje popierdolenie obserwować jak na mikroskopowym szkiełku, w stanie czystym, żebym się nie musiał rozpraszać na żadne konkretne życiowe problemy, boby mnie to trochę prostowało i zaburzało wyniki eksperymentu. Miałem swoje miejsce w życiu, szykowałem prezentacje, oferty, pisałem konspekty szkoleń, pełny szacunek, dzień dobry, panie doktorze. A co wieczór – bania. A potem albo Ewa, albo jakiś podryw, a jak podryw nie wypalił czy całkiem już mi się z opilstwa nie chciało wysilać, to na dobranoc jakieś bułgarstwo z agencji.

Przemo i Artur to była swoją drogą ciekawa para i dobrze się w tej robocie uzupełniali – jeden od polityki, drugi od biznesu, no, jeszcze mieli tę swoją szefową, gdyby nie blondynka, powiedziałbym, że w typie Magdy, zimną i nieprzystępną, dyrygującą dziewczynami i całą bieżączką, bo szefowie byli do wyższych rzeczy stworzeni niż użeranie się z personelem. Znali się ze studiów, których zresztą Artur nie dokończył, rzucił, jak tylko zdołał sobie załatwić zwolnienie z ludowej armii, ale wspólny biznes postanowili założyć dopiero niedawno, po latach różnych doświadczeń. Artur, tak sobie uskładałem z różnych rozmów, kombinował niemal w każdej branży, od szczęk i hurtowni poczynając, po handel polisami ubezpieczeniowymi, a Przemo kręcił się parę lat przy OKP i Kongresie Liberalnym, zanim tamtych do reszty nie wyautowano. I stąd też wziął się między nimi podział pracy i nieustający spór, w co angażować firmę. Przemo bez przerwy prowadzał się z jakimiś posłami czy innymi cwaniaczkami z ministerstw, a Artur co drugi dzień klarował mu, że trzeba szukać zleceń w uczciwym biznesie, w dużych, zachodnich firmach. W pierwszej chwili obśmiałem się w duchu, że spór jest teoretyczny, bo w tych wszystkich światowych koncernach, znaczy w ich polskich oddziałach, dział pijaru to były same partyjne przydupasy, no, bo żeby robić tu interesy w tej kartoflanej republice, chcieli mieć prosto z władzą, a w pijarze takich przydupasów usadzać było najłatwiej, tak że mieli działy na etatach po kilkanaście, kilkadziesiąt osób, a niezdolne nawet do zorganizowania najłatwiejszej konferencji prasowej i wszystko dawali na miasto, nie powinienem oczywiście narzekać, bo z tego Artur i Przemo nieźle żyli, więc i ja z tego żyłem, ale że bez sensu, to bez sensu. Ale potem przyznałem Arturowi trochę racji, bo tacy Niemcy i Francuzi, jak tylko zaczynało się w sondażach wyraźniej zmieniać, wywalali jednych i zatrudniali następnych, więc te układy się nie rwały tak gwałtownie jak u Przema.

Układałem sobie grafik sam, poza sekretariatem, zawsze tak, żebym musiał się zwlec na dziesiątą, najdalej jedenastą, bo potem już jakoś szło – tak, dzień po dniu, żeby nie zostawało czasu się za bardzo zastanawiać i dręczyć pytaniem, czy z Magdą mogło się ułożyć inaczej.

Bo może mogło.

Napij się jeszcze, chłopie, bo to już niedaleko.

No, więc powiem tak, że może mogło. Pan Bóg zrobił mi wtedy jeszcze jeden podły dowcip. Właśnie po tym jak ostatecznie zdecydowałem się rozpocząć nielegalne życie seksualne, nazajutrz po hotelowej randce z pierwszą Kasią, wróciłem z wyjazdu, to znaczy właśnie nie byłem na żadnym wyjeździe, ale tak w domu powiedziałem i coś się tak poukładało, sam nie pamiętam dlaczego, bawiłem się cały wieczór z Nusią, a potem Magda przytuliła się do mnie na fotelu, i może dlatego, że byłem odprężony i spokojniejszy, a może to jej się trafił dzień takiego lepszego nastroju, byliśmy dla siebie czuli jak za narzeczeńskich lat – Magda powiedziała, że jestem jej szczęściem, jedynym światłem w jej świecie, nagle jakoś wylądowaliśmy w łóżku bez tego całego rytuału półgodzinnego mycia i szykowania się, to było jak raz, kurwa, właśnie tego dnia, właśnie nazajutrz po mojej utracie dziewictwa, ten bodaj jedyny raz, kiedy wyszło dobrze, kiedy Magda była podniecona, wiła się pod moją dłonią i pomrukiwała z rozkoszy. I jeszcze żeby mnie to dobijało przez resztę życia, szeptała: „Jestem twoja, jestem twoja, możesz ze mną zrobić wszystko, na co masz ochotę". Ale nie odważyłem się z nią zrobić wszystkiego, nie odważyłem się na ani odrobinę tego, na co miałem ochotę, w ogóle się, kurwa, nie odważyłem na nic, poza jak Pan Bóg przykazał – za żadne skarby bym przecież się nie przyznał Magdzie, co za brudy i sprośności chodzą mi po głowie, i od następnego ranka wszystko jakoś było znowu po staremu, Magda jak zawsze chłodna i poważna, rozmowy grzeczne, układne. Nigdy więcej coś takiego się nie powtórzyło. Bo niby po co? Chciałaś mi pokazać, kochanie, że mogłoby być inaczej, gdyby się inaczej poukładało, i pokazałaś. Nie, to nie ty, przepraszam, że się czepiam, to On sam tak zrobił, żebym miał, dupek nieszczęsny, jeszcze ten jeden zgryz więcej.

No, ale tak, ale nie miałem na myślenie o tym czasu, więc nie było źle – chociaż za cholerę bym nie umiał poukładać po kolei, co konkretnie robiłem, co wcześniej, co potem, z kim... Jedyny w miarę jasny punkt orientacyjny to jak Artur, właśnie on, a nie Przemo, wpadł do biura w stanie intensywnej lewitacji, że złapaliśmy Pana Boga za nogi, to znaczy Nowaczyka. I to właściwie za dwie nogi, bo zlecenie dla agencji to jedno, ale przy tej okazji, słuchaj, Hrabia, mówi Artur, przy tej okazji rozmawiałem z jednym z jego wice, że szukają, mało tam szukają, że sam doktor Hans szuka kogoś naprawdę dobrego do audytu komunikacyjnego w całym holdingu, no więc przy okazji, przy okazji, polecił oczywiście mnie. To nie było przy okazji, Arturze, nie poczytaj mi tego za zarozumialstwo – twoje zdrowie – ale założę się, że po to tylko Kreszczyński zlecił wam obsługę pijaru tych kamienic remontowanych przez holding w Warszawie, żeby przy tej okazji napomknąć: „A tak nawiasem, nie znacie kogoś odpowiedniego, bo Hans właśnie dostał jazdy na komunikację wewnętrzną w firmie...". Sam mi, pedaliszcze, wygłaszał przecież pochwałę haków, jakie to zasadniczo ważne pracować z ludźmi, na których ma się mocne haki, więc skoro Hans mu się w zaufaniu zwierzył z tym audytem, musiał, swołocz, ściągnąć do tej roboty kogoś, na kogo będzie mógł sobie tego haka łatwo znaleźć. Na pewno dobrze mnie przeczesali już wtedy, a ja, cymbał, oczywiście myślałem tak samo jak Artur, że po prostu jestem świetny, mam dorobek, no to komu innemu zlecać taką robotę jak nie mnie. Poszliśmy na to spotkanie, na którym Nowaczyk raczył mnie jakimiś naprędce płodzonymi pierdółkami o wielkim wpływie, jaki wywarł na kształtowanie się jego postawy patriotycznej mój ojciec, a potem Kreszczyński z tą swoją niby niedbałą uprzejmością omotał mnie w parę tygodni, nawet teraz nie wiem w sumie, jak to zrobił, że zaczął decydować o moim mieszkaniu, ubraniu, fryzurze, stanie konta, kurwa mać, przecież właściwie to on mi nawet wsadził do łóżka Kingę. Oczywiście nie jakoś na chama, po prostu przydzielił mi dziewczynę ze swego sekretariatu, no bo ktoś musiał kserować te moje ankiety, rozsyłać je i tak dalej, ale pewnie przewidział, że ja oczywiście do niej też zacznę startować, jak do wszystkich dających jakąkolwiek szansę na dymanie kobiet w okolicy, a ona przyjmie to spokojnie jak zaproszenie na kawę, po prostu uniosła w pewnym momencie wzrok i przerwała moje popisy rzeczowym: „To wpaść do ciebie wieczorem czy wolisz przyjść do mnie?".

A potem się zdarzyła najdziwniejsza rzecz w moim życiu. Wszystko zrozumiem – Magdę, Kreszczyńskiego, Nowaczyka, nawet Potwora, ale tego, co właściwie czuję do Groszka i jak to mogło tak idiotycznie wszystko wyjść, tego nie zrozumiem nigdy.

Od początku: trafiłem na bankiet kablarzy. Ciągle wtedy chodziłem na różne imprezy, promocje, otwarcia, wręczenia nagród, w Warszawie codziennie się coś takiego odbywa i jak już raz się dostaniesz na listę gości, możesz utonąć w zaproszeniach. Zresztą, jak już ktoś trochę się opatrzy, to rzadko go w ogóle o zaproszenie pytają. Zapowiadała się impreza jak impreza, nawet nie nastawiałem się cokolwiek wyhaczyć, poszedłem z Kingą, tak, teraz sobie przypomniałem, że to ona mnie tam zabrała – coś dla kablarzy kiedyś organizowała i od tego czasu była na ich liście. Broń Boże oczywiście tak przy nich powiedzieć: „kablarze" – obrażali się. Byli Krajowym Stowarzyszeniem Operatorów Kablowych czy Satelitarnych, czy tam Izbą, w każdym razie Operatorów. Mówiąc nawiasem, z ludzi, jakich w życiu poznałem, nikt się nie ustawił lepiej od nich. Może jeszcze ten bliżej mi nieznany szef Danki, co prosto z komitetu poszedł na wydawcę pornosów. Bo tak: w latach osiemdziesiątych to byli przeważnie prezesi czy funkcyjni spółdzielni mieszkaniowych, taka drobniejsza nomenklatura, poukładali te kable za składki lokatorów, a potem na ustawie Rakowskiego pozakładali spółki, umowa ze spółdzielnią, raz-dwa – i eldorado. Masz, powiedzmy, dwadzieścia tysięcy gniazdek, zatrudniasz księgową i dwóch monterów do obcinania kabli niepłacącym, a od gniazdka co miesiąc trzy dychy, niechby nawet dwie. Polak gotów nie zjeść, wypić najpodlejszego bełta i przerzucić się na palenie sierściuchów, ale na kablówkę mieć musi. Bez telewizji się żyć nie da. Jak odetną, pożyczy choćby od gangstera, żeby następnego dnia przynieść kasę w zębach. Im mniejsze zadupie i gorszy syf, tłumaczył mi jeden z tych kablarzy, tym interes lepszy, w Warszawie ludzie biorą głównie pakiety podstawowe, a po zadupiach każdy strukturalny bezrobotny musi mieć kodowane filmy, kanały sportowe, no i erotyczne, ma się rozumieć, w pierwszym rzędzie. A cała ta kasa to i tak nic, bo najważniejsze, że każda telewizja, a już zwłaszcza nowa, jak chciała wejść na rynek, tańczyła wokół nich na dwóch łapkach. Prezenty, bonusy, wycieczki – ten, co mi opowiadał, że najlepsze interesy robi się na prowincji, cwaniaczek z powiatowego miasteczka, zdążył już być i na safari, i w Brazylii, i na Nowej Zelandii, sam twierdził, że wszystkie te dżungle mu się już znudziły, teraz wybiera podróż tylko wtedy, jeśli na miejscu organizują dobre dupy, to znaczy dupy, przepraszam najmocniej, sekretarki, nawet nie muszą być egzotyczne, bo to mu się już też znudziło, tylko z warunami... No tak, ale znowu uciekam. Nie miało być o kablarzach, Bóg z nimi, pogratulować, że się tak w nowej rzeczywistości umieli znaleźć, pewnie w końcu ich pożrą, poprzejmują wielkie sieci, ale za taką kasę, że będą mogli do końca używać życia z odsetek – no więc przestań uciekać, chłopie, nie o kablarzach i ustawianiu się, tylko wykrztuś z siebie wreszcie, co zrobiłeś Groszkowi.

To ona właśnie wręczała te jakieś tam kablarskie statuetki, dla których urządzono całą imprezę. Bo Groszek załapała się na redagowanie pisma rozsyłanego abonentom razem z rachunkami – dobrze to zresztą wymyślili, dużo fotosów, streszczenia filmów i seriali, plotki z życia gwiazd, kolorowa okładka, lakierowany papier i od metra reklam. Tak naprawdę robiła to pismo sama, nie skarżyła się zresztą, nie była to wyczerpująca robota, ale formalnie redaktorem naczelnym był jakiś pan prezes, który oczywiście ani fiutem ruszył, a kasował dwa razy więcej. Ale do wręczania nagród wystawili na scenę Groszka, żeby była piękna kobieta.

Bo Groszek jest piękną kobietą. Ma i biodra, i pośladki, i piersi, i wciętą talię, nogi o kształcie kobiecych nóg, a nie patyków, no, w ogóle. Nie mam zupełnie pamięci do kobiecych fatałaszków, ale zdaje mi się, że była wtedy w jakiejś wydekoltowanej, błyszczącej sukni, włosy zaczesane do góry i upięte, wyglądała bardzo szykownie, nic tylko się zakochać.

Ale wcale się nie zakochałem. Poprzyglądałem się: faktycznie superlaska, ale obstawiona, widać, że przyszła z jakimś większym towarzystwem. Zresztą kto się nastawia na imprezie na superlaskę, może wyjść z niczym, a te odrobinę mniej efektowne są i łatwiejsze do wyjęcia, i bardziej się potem starają. Popatrzyłem tylko z daleka i zająłem się obserwacją uczestniczącą oraz gubieniem Kingi. Chodziłem tu i tam, zagadywałem, popijałem, aż wlazłem w którymś momencie na Maćka, który akurat tam zajrzał z ludźmi ze swojej redakcji, no więc jakaś gadka-szmatka, a Groszek akurat zaplątał się w pobliżu i okazało się, że się skądś znają. No i Maciek nas sobie przedstawił. A potem gdzieś poszedł i tak jakoś zostaliśmy przy stoliku sami. Oczywiście zacząłem ją czarować. A była nawalona jak bombowiec, śmiała się z byle czego i kupowała wszystkie moje grepsy, fakt, że wtedy już wielokrotnie przećwiczone. Tak, podniecała mnie, ja też byłem wlany, a jeszcze pewny siebie i rozbezczelniony, wciąż w tej porozwodowej fazie, żeby nie odpuścić żadnej okazji, więc poszedłem bez żadnego oporu – co tam, najwyżej się obrazi, sam i tak tej nocy nie będę. Jaka szkoda, sunę do niej, że się nie spotkaliśmy wcześniej, no jak to dlaczego, bo jesteś tak piękna, wybacz, ale nie umiem się powstrzymać, żeby ci nie powiedzieć, jak bym cię bardzo chciał pieścić, i tak dalej. Tak, kupiła to, a opowiedz, co byś ze mną zrobił? A mogę cię o coś spytać, mówię? Kochałaś się kiedyś związana? Byłaś kiedyś związana w łóżku, co? Albo myślałaś, żeby to tak zrobić? A ona uśmiechnęła się, no, niech to szlag, nie umiem tego inaczej nazwać, takim uśmiechem niegrzecznej dziewczynki, i mówi: „Tak, często, lubię tak, właśnie tak najbardziej lubię, a co – mówi – chciałbyś mi to zrobić? No, to opowiedz – a jak byś mnie chciał związać?".

Jakby mnie piorun trafił, wytrzeźwiałem w jednej chwili. Nie umiem tego opisać, po prostu zaczęło się. Odwaliło. Coś tam gadałem, ona komentowała moje pomysły z miną konesera, i posługując się z wprawą żargonem z pornosów, co to *hogtie*, a co *ballgag*, mało ze skóry nie wyskoczyłem – ale na razie na gadaniu się musiało skończyć, bo nagle znalazła się przy stoliku ta jej obstawa, jakieś tam przyjaciółki, które za punkt honoru miały nie dopuścić, by ktoś wykorzystał to, że koleżanka ledwie się trzyma na nogach i ma nastrój się poobściskiwać. Więc skończyło się na grzecznej wymianie wizytówek i na Kindze, na której pojechałem wtedy jak nigdy, ciągle mając przed oczami Groszka i wszystko, co pewnie zwykła w łóżku wyrabiać, wciąż ją miałem przed oczami w najbardziej podniecających sytuacjach z obejrzanych w życiu pornosów. Może to i nie było wobec Kingi w porządku, ale co miałem zrobić, zresztą, nie mogła się przecież domyślać, że nie ona jest przyczyną tego nagłego wybuchu namiętności.

Rano, jak już podleczyłem kaca i wróciłem do siebie, spróbowałem sprawę rozważyć na chłodno. No, takiej okazji przecież zmarnować nie mogłem. Banalnie to zabrzmi, że się czułem, jakbym miał gorączkę, ale tak właśnie się czułem. Dostałem kompletnej małpy i przez następny tydzień – sześć dni, żeby być ścisłym – nie mogłem myśleć o niczym innym, tylko co z nią w końcu zrobię i jak to przygotować, żeby nie było obciachu.

Zadzwoniłem podziękować za miły wieczór i tak dalej, odniosłem, prawdę mówiąc, wrażenie, że przez długi czas nie mogła skojarzyć, z kim właściwie rozmawia, ale jakoś łatwo się nad tym prześlizgnałem. Zaprosiłem na kawę, zgodziła się, kwiatki, czarowanie, wszystko na dobrej drodze – ale oczywiście o seksie na tym etapie ani słowa, jakby nic – bardzo bym chciał, żebyśmy mogli spędzić więcej czasu, ale muszę na kilka dni wyjechać, służbowe sprawy, no wiesz, no wiem, ja też haruję, a w sobotę muszę wyjechać na konferencję, no to może w piątek, w piątek tak, dałabym radę, no to bardzo dobrze, zaklepmy sobie piątkowy wieczór, znakomicie. To zadzwonię, to czekam, pa – a tak naprawdę wcale nie musiałem nigdzie służbowo wyjeżdżać, przeciwnie, pozawalałem sprawy i poprzestawiałem terminy, bo potrzebowałem czasu, żeby się przygotować.

Do takiej dziewczyny, uświadomiłem sobie, która to robiła nie wiadomo ile razy, która się na tym zna, nie mogę wystartować jak leszcz, bo mnie wyśmieje i tyle z tego będzie, a chciałem, żeby było jak najwięcej. Nie byłem taki napalony od czasu Kasi i pierwszych zdrad, rozum w ogóle poszedł w kąt, grzebałem cały dzień po internecie, wchłaniając instruktaże, a przede wszystkim ćwiczyłem na dziewczynach z agencji. Kosztowało, pewnie, ale ich tam nic nie dziwi, a targować się jako tako potrafiłem. Ręce z tyłu i nad głową, do łóżka, do krzesła, najczęściej nogi i ręce razem, z tyłu, nadgarstki do kostek, bo nie wyobrażam sobie niczego, co by mogło być bardziej podniecające niż ładna dziewczyna skrępowana w taki sposób i zdana zupełnie na łaskę i niełaskę tego, kto jej to zrobił. Musiałem być pewien, że nic mi się w decydującej chwili nie pochrzani, że się przed Groszkiem nie ośmieszę, że zniewolę ją sprawnie, bez wysiłku, mimochodem, nie zostawiając cienia wątpliwości, że jestem w tych sprawach nie mniej doświadczony niż ona. Więc wiązałem dziwkę i kazałem się jej z całej siły szarpać, szamotać, kneblowałem i kazałem wrzeszczeć, potem siadałem do internetu ze słownikiem w ręku, próbując zrozumieć, co robię źle, i dzwoniłem po następną. To tylko na filmach się wydaje łatwe – porywacz przewiąże aktorce buzię chusteczką i już biedactwo nie może wezwać pomocy. Ale tak naprawdę jak ze wszystkim – trzeba wiedzieć jak i mieć wprawę. Zwłaszcza jeśli się nie chce przysporzyć kochance bólu ani narobić jej śladów.

Przełożyłem na następny tydzień wyjazd do rafinerii, zapomniałem Kindze oddać do powielenia ankiety i tak dalej, zamiast tego szukałem w sklepie dobrych, miękkich ścierek we właściwym rozmiarze, odpowiednio grubych i łatwo się mnących, nakupowałem bawełnianego sznurka, wyprałem go w pralce i powyciągałem o klamkę, jak doradzała któraś z internetowych witryn, pociąłem na pięciometrowe kawałki, nawet kupiłem i schowałem przy łóżku zakrzywione, lekarskie nożyczki do cięcia przy ciele opatrunków. Na wypadek gdyby moja zdobycz użyła umówionego wcześniej sygnału, że coś jest niedobrze. Stuprocentowy profesjonalizm.

W nocy z czwartku na piątek w ogóle nie mogłem zasnąć, taki byłem z tego wszystkiego rozedrgany, i cały czas popijałem jamesona, pomalutku, po parę łyków, ale stale, żeby nie tracić animuszu. Tak że w końcu wprawiłem się w ten szczególny, najmilszy dla organizmu stan, kiedy człowiek jest zupełnie naprany, a zarazem zupełnie trzeźwy. Trzeźwy, bo nie bełkocze, nie ma kłopotów z koordynacją ruchów i myśli nawet bystrzej niż normalnie – a jednak naprany, bo nic, co w takim stanie strzeli mu do głowy, nie wydaje się złe czy niemożliwe.

Umówiliśmy się na kolację na dziewiętnastą, stolik zaklepałem już trzy dni wcześniej – a gdzieś około siedemnastej dopadł mnie atak, jak rano w hotelu, tylko silniejszy niż kiedykolwiek – żołądek zmienił się w stalowy zacisk, głowa paliła jak w gorączce, metal w ustach i przede wszystkim jakiś przemożny lęk, nic, tylko uciekać w panice dalej, niż wzrok sięga. Byłem o włos, żeby zadzwonić do Groszka, nałgać, że jestem chory – właściwie nie musiałbym łgać, byłem chory – i odwołać spotkanie. Niestety, rozsądek w końcu wygrał. Wiedziałem, że jeśli nie odważę się teraz, to się nie odważę już nigdy. A potem spłynęło na mnie ponure, fatalistyczne przekonanie, że i tak nic z tego nie będzie – po pierwsze, ona w ogóle nie zechce z takim palantem iść do łóżka, po drugie, jeśli pójdzie, to jestem zbyt wielkim dupkiem, żeby się odważyć zabrać do rzeczy jak należy, a po trzecie, z tych nerwów i tak mi nie stanie. Skompromituję się, zblamuję, ośmieszę – ta pewność nagle mnie całkowicie uspokoiła, dobrze, niech to się tak właśnie skończy, totalnym blamażem, skoro się nie może skończyć inaczej, byle się skończyło, będę miał to za sobą. I z tą myślą golnąłem solidnie łyskacza, wylazłem spod prysznica, wyperfumowałem się, ułożyłem na głowie ten idiotyczny osełedec wymyślony przez fryzjera Dory, wpakowałem w równie idiotyczny garnitur wymyślony przez jej krawca, ciekawe, po ile procent jej za to oddawali, golnąłem jeszcze raz i pojechałem do restauracji.

Przyjechała, spóźniona w granicach przyzwoitości, prosto z pracy, tłumaczyła się, przepraszając za swój strój, chociaż nie widziałem w nim nic, za co by można przepraszać – jakiś kostium w stonowanych, biurowych kolorach, a na szyi ładnie dobrana jedwabna chusta, uśmiechnąłem się do niej porozumiewawczo, że dobrze wiem, co chciała mi tą chustą powiedzieć. Trochę miałem obaw, że zrobi się sztywno, że trzeba będzie zacząć od opowiadania sobie, co u wspólnych znajomych i skąd ich znamy albo jeszcze gorzej, od wspominania imprezy u kablarzy, ale Groszek ma wrodzoną łatwość w nawiązywaniu kontaktu i niemal od pierwszej chwili zrobiło się, jak to powiedzieć, jakoś serdecznie. Niekiedy tak jest, że kobieta samym przebywaniem w pobliżu sprawia ci przyjemność, że uspokajasz się przy niej, jest po prostu miło patrzeć na jej buzię, słuchać brzmienia jej głosu, i tak właśnie wtedy było w tamtej chwili – mimo otępienia pochłoniętą w ciągu kilku ostatnich dni gorzałą i nerwowego spięcia przed czekającym mnie tej nocy wielkim zadaniem uspokoiłem się przy niej i poczułem pewniej. Rozmawialiśmy o wszystkim i o niczym, poleciłem carpaccio i mus, rybę na szpinaku wybrała sama, chwaliła mój gust co do wina. Piła ostro. Opowiadałem o holdingu Nowaczyka, ona mi o tym, przy trzeciej butelce, że wszystko jest na jej głowie, ani chwili na jakiekolwiek życie prywatne, szefowie nie mają o żadnej robocie zielonego pojęcia, a podwładni to banda śmierdzących leni i złodziei, których musi na każdym kroku rozstawiać i opierdalać. Jestem straszną jędzą, naprawdę, kokietowała, zupełnie cię sobie nie wyobrażam w takiej roli, mówię, bo masz szczęście, roześmiała się na to, że nie znasz i nie poznasz mnie od tej strony. I tak dalej, aż się doczekaliśmy jedenastej.

Mogło się na razie skończyć na odwiezieniu jej do domu, tak by wypadało, ale przecież nie po tej rozmowie, którą odbyliśmy na bankiecie kablarzy i która wciąż milcząco wisiała nad nami. Oczywiście usłyszałem, że jestem strasznie pewny siebie, oczywiście wyjaśniłem, że to nie zarozumialstwo, tylko nieprzeparte pragnienie, żeby ją dotykać i pieścić, opowiedz, co ze mną zrobisz, szepnęła mi gorąco w taksówce, ale już nie było czasu na szczegóły. Huśtawka moich nastrojów poszła w przeciwną stronę niż przed spotkaniem, teraz, czekając w przyćmionym świetle, aż Groszek wyjdzie z łazienki, czułem bezgraniczną pewność, że wszystko uda się jak należy – mały prężył się pod brzuchem w gotowości do działania, cały przygotowywany pracowicie sprzęt tkwił poukrywany dyskretnie w różnych zakamarkach w zasięgu ręki, a namiętne szepty do ucha w taksówce napełniły mnie spokojem, że wszelkie wahania Groszka, jeśli kiedykolwiek je miała, mój osobisty urok stopił do reszty.

Przyszła, zacząłem ją obsypywać komplementami i pieszczotami, które oddawała chętnie i nie trwało długo, kiedy byliśmy oboje podnieceni do granic możliwości. Więc już o nic nie pytając, usiłując być zarazem delikatny i stanowczy, ułożyłem ją pośrodku swego megałóżka na brzuchu, przez chwilę gładziłem po karku i wzdłuż kręgosłupa, a potem złożyłem jej ręce nadgarstkami i sięgnąłem do ukrytego pod materacem skarbczyka. Czując, jak przyśpiesza serce i ogromnieje erekcja, wydobyłem jeden ze zwojów sznura, zręcznie jak kowboj strzepnąłem nim, trzymając za wystającą pętelkę, tak że rozwinął się od razu złożony na dwoje, po zapleceniu wokół nadgarstków Groszka wystarczyło tylko przełożyć koniec przez powstałą pętlę, zaciągnąć, okręcić parę razy pionowo i poziomo, a potem ściągnąć starannie przećwiczony supeł.

Nabrała głęboko powietrza i wypuściła je gwałtownie, a potem zaczęła oddychać głośno, coraz szybciej. Wziąłem drugi sznur, obróciłem się, i ułożywszy jedna na drugiej jej nogi, związałem je w kostkach.

– Co ty robisz? – zapytała zupełnie trzeźwo, kiedy

zacząłem ściągać trzecią pętlę, znowu na rękach, tym razem nad łokciami.

– To, o czym marzyłaś – szepnąłem czy coś w tym stylu, robiąc dalej swoje. Nagle szarpnęła się, bardzo mocno, zdołałem mimo to ściągnąć i zawiązać sznur nad łokciami, tylko znacznie mocniej, niż to w pierwszej chwili planowałem. Kutas sterczał jak stalowy hak, mógłbym nim w tej chwili coś stłuc albo połamać.

– Popierdoliło cię?! – podniosła głos. Tyle w nim było teraz erotyzmu co w dźwięku cykliniarki do podłóg. – Co ty robisz? Rozwiąż mnie natychmiast, ty zboczeńcu, ty... Co ci odbiło? Rozwiąż mnie natychmiast, bo cię...

Zgłupiałem.

– Dobrze – powiedziałem. – Dobrze. Uspokój się. Tylko nie krzycz!

– Rozwiąż natychmiast, to boli, słyszysz? Nie bawię się w takie rzeczy, ty idioto, co ci strzeliło... Wypuść mnie stąd natychmiast, wracam do domu, rozumiesz, natychmiast...

– Dobrze, dobrze – uspokajałem ją. – Przecież ci nie zrobię nic złego. To tylko taka zabawa, myślałem...

– Gówno mnie obchodzi, co myślałeś! Idiota... Skąd ci przyszło do głowy...

Nie wiem, czy to była wściekłość, czy strach, w każdym razie zacząłem posłusznie rozsupływać świeżo zaciągnięte węzły nad jej łokciami, tam gdzie sznur rzeczywiście wpił się głęboko w ciało, powtarzając, że nie ma się czego bać, że jasne, zaraz, już ją rozwiązuję, to ją uspokoiło na tyle, że przestała się drzeć. Z nastroju oczywiście nie zostało nic.

Uwolniłem jej łokcie i klęcząc obok wciąż leżącej na

brzuchu, sięgnąłem do nadgarstków, ale tylko udawałem, że próbuję rozsupłać sznur, bo w tym momencie szlag mnie trafił i straciłem nad sobą panowanie. Jakaś taka czerwona mgła zasnuła mi rozum, jakby głowa poleciała w rozwartą nagle studnię, a potem przyszła zimna wściekłość, poczułem chęć, żeby ją za ten numer rozerwać na kawałki, zatłuc, urwać łeb – poczułem się doprowadzony do ostateczności, wykiwany, jak nigdy nikogo na świecie nie wykiwano. I jeszcze poczułem w tej chwili, że jest mi kompletnie wszystko jedno.

– No pośpiesz się! – rzuciła ostro, poruszając nerwowo wciąż skrępowanymi rękami, i ostatecznie przesądziła w ten sposób sprawę.

– Już, chwileczkę – mówiłem przymilnie pantoflarskim głosikiem, jakim zwykle reagowałem na pretensje Magdy. – W porządku, skoro nie masz na to ochoty, to już cię rozwiązuję, tylko nie ruszaj się przez chwilę, bo nie mogę...

Namacałem pod materacem zwiniętą mocno ścierkę i szybkim, krótkim ruchem wepchnąłem ją Groszkowi pomiędzy zęby, brutalnie, głęboko, szarpnęła się przejmująco, próbowała krzyczeć, ale prawie ślepy ze złości już siedziałem jej na plecach, już tkałem jej do ust kolejną szmatę, tłumiąc protesty, wierzgała wściekle, ale ściskałem ją udami i łydkami, wciąż z tą ogromną erekcją, a moje ruchy były mocne, szybkie, sprawne jak u robota, przydawał się teraz ten cały trening i pieniądze wyrzucone na dziwki, które wychodząc ode mnie, pukały się w czoło, bo przez cały tydzień byłem tak zafiksowany na Groszku, że większości z nich nawet nie przeleciałem. Upewniłem się, że ścierki wypełniły Groszkowi dobrze usta, zmuszając do maksymalnego rozwarcia szczęk, zawiązałem na jedwabnej chuście supeł i umieściwszy go tak, żeby nie pozwalał wypluć knebla, obwiązałem, zaciągając chustę mocno na potylicy podwójnym węzłem. Potem cofnąłem się odrobinę, tak że obrzmiały kutas obijał się o jej uda, i następnym kawałkiem sznura, owijając go wokół bioder, przytwierdziłem do miejsca skrępowane nadgarstki.

Jeśli mnie nie rozerwało, to chyba tylko dlatego, że złość znalazła ujście w słowach. Przez cały czas cedziłem do niej, że jest dziwką, że mi zapłaci za wszystko, zrobię z nią, co mi strzeli do mojego zboczonego łba, i nic na to nie poradzi, bo – chce czy nie – będzie musiała spełnić każdy mój rozkaz, a jeśli nie, ty dziwko, powtarzałem, to cię spiorę tak, że będziesz błagać o litość, zerżnę, wypierdolę jak sukę, co sobie myślałaś, że możesz mnie zwodzić, że możesz mnie podpuszczać, a potem sobie powiesz nie i pójdziesz do domu, co ty sobie myślisz, zamknij się teraz, dziwko, zamknij się, pokażę ci, kto tu rządzi, pokażę ci, gdzie jest twoje miejsce, będziesz błagać o litość, i tak dalej – wciąż próbowała protestować czy może wzywać pomocy, przez knebel mogła tylko wydawać z siebie nieartykułowany pisk, ale na tyle głośny, że przestraszyłem się sąsiadów, moje nowe mieszkanie ciągle jeszcze urządzano i byliśmy w tym starym wynajmowanym, gdzie ściany nie były aż tak dźwiękoszczelne. Więc poradziwszy sobie z grubsza ze sznurami, przełożyłem ją przez kolano, trzymając jedną ręką mocno za kark, ściskając między udami jej uda, i zacząłem bić. Nie były to pieszczotliwe klapsy, nie panowałem nad sobą, biłem z całej siły, powtarzając, zamknij się, zamknij, milcz, dziwko, przy każdym uderzeniu wciśnięty między nas kutas podrygiwał, potem zobaczyłem, że w zasięgu ręki leżą moje spodnie, wywlokłem z nich pasek i biłem tym paskiem, biłem nawet, kiedy już dawno przestała krzyczeć i tylko przejmująco pomrukiwała przez knebel, aż jej tyłek pokryły gęsto czerwone pręgi.

Nie wiem, po jak długim czasie w końcu się uspokoiłem. Dotarło do mnie, że dyszę, jakbym miał zaraz wypluć płuca, przed oczami latają mi mroczki, i – co najważniejsze – że dziewczyna na moim kolanie już nie stawia oporu, tylko mruczy i porusza się lekko, w podnieceniu ocierając się o moje uda i przyciśnięty do nich korzeń. Sięgnąłem palcami, piersi miała obrzmiałe, sutki twarde jak kamyki, a między nogami można było się poparzyć, soki aż płynęły jej po udach.

Pamiętam to tak, jakbym siedział wygodnie na fotelu obok, popijał ze szklaneczki i przyglądał się samemu sobie z zainteresowaniem badacza przyrody. Trzeba było grać dalej: moje ciało ułożyło Groszka przed sobą, potem wzięło klęczącą dziewczynę pod brodę i zaczęło wykład: teraz słuchaj, dla innych możesz sobie być panią dyrektor, postrachem, jędzą, czym tam chcesz, ale dla mnie jesteś niewolnicą i będziesz spełniać moje zachcianki, wiesz dlaczego? Nie dlatego, że cię związałem, zakneblowałem i sprałem ci tyłek, ale dlatego, że to było właśnie to, czego potrzebowałaś i pragnęłaś, że odkryłem w tobie to pragnienie, tę straszną dziwkę, która w tobie tkwi. Posłuszeństwo, rozumiesz? – powiedziałem, a Groszek, z zapchanymi kneblem ustami i ze łzami w kącikach oczu skinęła tylko głową. Wtedy wstałem, ukląkłem za nią, pchnąłem za kark twarzą do dywanu, rozepchnąłem kolana i zerżnąłem od tyłu, aż zaczęła się wić z rozkoszy.

Myślicie, że to był koniec? Gdzie tam. To był dopiero sam początek. Z nabrzmiałego korzenia nie pociekła ani jedna kropla. I tak było cały czas. Stał jak kamień, ale coraz mniej to miało wspólnego z normalną erekcją, z podnieceniem, a coraz bardziej przypominało opuchliznę. Z początku wydawało mi się, że straciłem w nim czucie, jakbym miał w tym miejscu przyklejony kawał drewna. Potem zaczął boleć. Nie jestem lekarzem, nie wiem, jak to możliwe, ale tak to było – ani w tę, ani we w tę, ani się nie chciał spuścić, ani zwiędnąć, chwilami wydawało się, że mięknie, ale miękł tylko trochę, a potem znowu twardniał, posłuszny jakimś swoim rytmom, zupełnie niemającym nic wspólnego z tym, co robiłem. A to, co robiłem, zacząłem sobie niejasno uświadamiać, właściwie mnie coraz mniej bawiło.

Za to moją „niewolnicę" coraz bardziej. W pierwszej chwili z wyrachowania – jak ją rozwiążę, to diabli wiedzą, co zrobi, a na razie przynajmniej panuję nad sytuacją – a potem z braku lepszego pomysłu, co właściwie dalej, zacząłem dodawać coraz to kolejne sznury. Ściągnąłem jej łokcie, owiązałem nad i pod piersiami, potem przeciągnąłem sznur spomiędzy łopatek, łączący te dwa pomiędzy piersiami, i z powrotem, potem jej rozwiązałem nogi, bo pomyślałem, że jak będę miał wygodniejsze wejście, to wreszcie się spuszczę, ale skończyło się tak jak poprzednio, ona pode mną lewitowała i miała skurcze, że mało mi tego opuchniętego kutasa nie urwało, a on nic. Pomyślałem, że może Groszek należy do tych kobiet, u których liczy się tylko łechtaczka – nic na to właściwie nie wskazywało, ale już nie miałem lepszego pomysłu. Więc dla odmiany związałem ją w ten swój, w ten nasz ulubiony sposób, i wypieściłem do maksimum, w nadziei, że po takim szaleństwie skurczy się i będzie mi łatwiej wreszcie dojść, może rzeczywiście zrobiła się trochę ciaśniejsza, ale nic mi to nie dało. Miałem tego coraz bardziej dość, a tymczasem ona, obwiązana jak baleron, zmieniła się w jedną wielką strefę erogenną, cycki obrzmiały jej tak, że wystarczało je ledwie musnąć, pomasować odrobinę, a już zaczynała szaleć. Nie wiem, ile to trwało, ale na tyle długo, że szmaty, którymi zapchałem Groszkowi usta, czy to nasiąkły śliną, czy już tak je ugniotła zębami, w każdym razie jej pomruki stawały się coraz bardziej zrozumiałe – klęła przez knebel straszliwie, w kółko o chuju, piździe i pierdoleniu, włóż mi tego chuja w pizdę, pierdol mnie jeszcze, ależ ty mnie pierdolisz tym wielkim chujem, i tak w kółko. Co zrobić? Zostawić ją związaną i iść do łazienki zwalić konia? Albo po prostu zwalić go przy niej? No, nie mogłem, to by było jakieś takie... zboczone. I głupie jakieś.

Pomyślałem w końcu, że jakoś wytrzymam z tym suchostojem, aż Groszek wyjdzie. Siły do szamotania się w więzach zaczęły ją wreszcie opuszczać, więc sięgnąłem po chirurgiczne nożyczki, błogosławiąc, że miałem pomysł je kupić, i uwolniłem ją, ręce na samym końcu. Położyłem się, podłożyłem dłonie pod głowę i patrzyłem, co teraz zrobi. Oczywiście byłem przekonany, że wreszcie wyjmie sobie knebel, zacznie masować obolałe zawiasy szczęk, rozcierać palce, nadgarstki – ale nie. Najpierw przyglądała się śladom, które sznury zostawiły na jej nogach, rękach i wokół piersi, głaskała je delikatnie, dopiero potem wypluła te szmaty z ust, jedwabną chustkę z supłem pozostawiając sobie na szyi niczym szalik. Spojrzała mi w oczy wzrokiem pełnym oddania, potem popatrzyła na mojego, wciąż zadartego ku niebu kutasa i bez słowa zaczęła go obrabiać ustami. Zacisnąłem zęby, żeby nie syknąć z bólu. Robiła to coraz mocniej i mocniej, zaciskała na nim wargi, jednocześnie posuwając po trzonie w górę i w dół dłonią, omiatała koniuszek językiem, czułem się, jakby kutasa wciągnęło mi w wyłożone aksamitem tryby, bolało, choć jednocześnie ten ból był w niezrozumiały sposób przyjemny – no i w końcu to jej obciąganie okazało się skuteczne, w końcu, cokolwiek tam się we mnie pozaciskało, pod wpływem jej starań puściło, poczułem, jak uwolniona fala wzbiera – połknij to, rozkazałem, trzeba było grać dalej, połknij to wszystko co do kropli, z dołu odpowiedział mi aprobujący pomruk, a potem już nie mogłem, krzyknąłem, właściwie przypominało to raczej krakanie, jak wbijany na pal Azja Tuhajbejowicz, no i wreszcie – trysnęło. Ale z takim bólem, że dałbym się zabić, że to, co ze mnie poszło, to nie była sperma, tylko krew.

Ale to oczywiście było to, co powinno, bo kiedy ból zelżał, zatrzymała się karuzela pod czaszką i mogłem unieść głowę na tyle, żeby popatrzyć na bladą, umęczoną twarz mojej kobiety, która teraz przywarła do mnie ciasno i wtuliła mi się pod pachę, to na jej górnej wardze i policzku przysychał mętnymi kropelkami mój mlecz.

– Kazałem ci połknąć wszystko – powiedziałem, bo

nie przyszło mi do głowy nic innego, co bym mógł powiedzieć.

Groszek sięgnęła sennie do twarzy, rozmazała odrobinę spermy, musnęła umazanym palcem usta, uśmiechnęła się i nie otwierając oczu, zamruczała:

– Chyba będziesz mnie musiał ukarać.

A ja poczułem, że robi mi się niedobrze i zaraz się wyrzygam.

A co myśleliście, kiedy mówiłem, że jestem popierdolony? Że to takie tam gadanie? Nie. Wiem, co mówię.

Spotykałem się z nią nadal, ale nigdy potem, za żadną cholerę, choć naprawdę bardzo chciałem, nie potrafiłem skrzesać w sobie choć odrobiny pożądania. Najpierw myślałem nawet przerażony, że dopadła mnie kara boża i w ogóle już nie będzie mi stawał do żadnej kobiety. Ale było podobnie jak z kacem po alkoholu. Rano w sobotę – paskudnie, Bogu dzięki, że miałem tyle zaległej roboty i nią zdołałem się jakoś wygłuszyć. Pierwsze esemesy od Groszka powodowały dreszcz wstrętu i falę panicznego strachu, z trudem zmusiłem się do równie namiętnych odpowiedzi. Ale gdzieś po południu zauważyłem poprawę. Zacząłem być z siebie dumny, a wspomnienia tego, co na żywca wywołało tak dziwne odczucia, stały się bardzo podniecające. Usiadłem do klawiszy pochwalić się Iris, posłałem do Groszka dłuższego esemesa w tonie kategorycznego rozkazu, co ma zrobić, kiedy wróci ze szkolenia, i wprosiłem się na wieczór do Ewy, bo Kinga nie mogła.

Pomysł nie był najlepszy – Ewie akurat strasznie dojadło, trafił jej się klient, dystrybutor parafarmaceutyków, idiota kompletny, sto pretensji na godzinę –

bez przerwy wydzwaniał z awanturami, a dil był za duży, żeby mogła sobie pozwolić spuścić cymbała na drzewo, na dodatek kolejna sekretarka okazała się tępą, leniwą krową, której trzeba wszystko pokazać palcem i dopilnować, a ponieważ narobiła młynu z tym upierdliwym aptekarzem, Ewa w końcu musiała ją wylać, miała sto procent racji, ale sumienie i tak ją gryzło, że krowa została bez środków do życia, słowem, zupełnie nie była w nastroju, jakiego potrzebowałem. W ogóle, wbrew pozorom zdecydowania i profesjonalnego dystansu, bardzo przeżywała wszystkie głupstwa związane z pracą, czasem widziałem, że tak naprawdę niczego nie jest pewna, stale szuka w sobie winy, nie muszę tłumaczyć, jak mnie to irytowało. Zabrałem ją do kina, na kolację i jakoś wyluzowałem na tyle, że nadawała się do łóżka, choć wielkiego entuzjazmu z jej strony nie było – ale ja tego wieczora po prostu musiałem, to było dla mnie strasznie ważne sprawdzić, czy jestem w porządku, bo męczył mnie lęk, że uczucie wstrętu powróci, ale nie, korzonek działał sprawnie, a najbardziej zabawne było, że przez cały czas myślałem o Groszku, jej rozkosznym sposobie poruszania się w więzach i o pomrukach, jakie wydawała przez knebel, więc ułożyłem Ewę tyłem i biorąc ją tak, wyobrażałem sobie, że to Groszek. Tak że pod tym względem wyszedłem od Ewy rano uspokojony.

Ale akurat tej nocy coś w niej pękło. Już prawie zasypiałem, kiedy dotarło do mnie, że Ewa płacze. Płakała strasznie, przepraszała za ten płacz, ale po prostu nie mogła go opanować, skręcała się, nic nie pomagało, żadne przytulanie, gładzenie po włosach i ramionach, gorąca herbata, trwało z godzinę, nim zaczęła się zwierzać, a zanim się wygadała, był prawie ranek. Nie, nic w sumie specjalnego – po prostu dobiło do kreski i musiało się przelać, opowiadała i opowiadała, o swojej popapranej rodzinie, o ciągłych awanturach z matką, z braćmi, ucieczce do Warszawy i harówie, żeby zaliczyć podyplomowe i certyfikaty języka, o tych różnych gnojkach pousadzanych z układu, którzy tylko pieprzą każdą robotę, jakiej się dotkną, jeśli w ogóle się jej tkną, jeszcze trzeba znosić ich chamstwo, a kiedy wreszcie nie wytrzymała, o szarpaninie z własną firmą, z dnia na dzień nigdy nie wiadomo, czy już ją trzeba będzie zwijać, czy pociągnie się jeszcze przez miesiąc, a o każdą pieprzoną bumagę trzeba się wykłócić z biurwami, i tak dalej – niewiele z tego w sumie pamiętam, poza tym, jak mówiłem jej, że jest silna i wspaniała, że bardzo ją podziwiam i na pewno da sobie ze wszystkim radę, że prędzej czy później znajdzie pracę w jakimś porządnym, międzynarodowym koncernie, wyjedzie stąd i będzie mogła pluć na wszystkich z piątego piętra, ze mną włącznie, ten ostatni żart był zupełnie niepotrzebny, bo nagle zaczęła mnie zapewniać, że jestem taki kochany, tak wiele jej daję, nie spotkała nigdy w życiu faceta równie czułego i troskliwego, głupio mi było, aż nie wiedziałem, gdzie oczy podziać, ale chyba naprawdę w to wierzyła, zresztą w takim stanie raczej się nie zmyśla. Widocznie z przyzwyczajenia machinalnie odstawiałem przez cały czas ten swój tradycyjny teatr i przed nią, a miała, biedactwo, znacznie mniej niż Magda możliwości sprawdzenia, jaki jestem naprawdę. W każdym razie, choć ścierpnięty do bólu, odczekałem, aż się uspokoi w moich ramionach i głęboko zaśnie, wtedy dopiero odważyłem się ostrożnie wyślizgnąć z jej mieszkania – zadzwoniłem po taryfę, obróciłem na Centralny, żeby zostawić Ewie koło łóżka bukiet róż z całodobowej kwiaciarni, a potem pojechałem do domu, zapętliłem na kompakcie *Kind of Blue* i uczepiony dźwięku trąbki Davisa, zimnej jak nóż krojący czarne otchłanie, uwaliłem się w fotelu ze szklanką rosy z Tullamore, od razu z pełną, żeby już potem nie wstawać do barku. Miało być, powtarzałem sobie, zero wyrzutów sumienia wobec kobiet, i co, i jak ty wyglądasz, popierdolona istoto?

Czułem się pełen winy wobec Ewy, chociaż naprawdę niczego sobie nigdy nie obiecywaliśmy. Czułem się winny wobec Kingi, bo nie było co udawać, ona też czegoś ode mnie chciała, na coś liczyła, czułem się winny nawet wobec Groszka, co już było zupełnie idiotyczne, o Magdzie nie wspomnę. Chyba gdzieś w tym momencie przyszła mi do głowy myśl, żeby po prostu przeszukać ogłoszenia w jakimś pornosie i znaleźć układ, który będzie zupełnie czysty, jasny, niekrzywdzący dla nikogo.

A może przyszło mi to do głowy później, po kolejnej wizycie Groszka, która okazała się katastrofą kompletną. Łatwo było udawać przez telefon albo pisząc esemesy, ale kiedy Groszek, napalona po kilku dniach przerwy jak cholera, znowu się znalazła w moim domu, nagle uświadomiłem sobie, że nie stanie mi do niej za żadne skarby świata. W ogóle nie byłem podniecony, nic nie pomagało – żadne klapsy, żadne wymyślne sposoby niewolenia, rozmowy o tym, co z nią zrobię, nawet jej gorące i chciwe usta. Dupa zimna, skończyło się na intensywnych palcówkach i minecie, chyba tylko przez grzeczność nie dała po sobie poznać rozczarowania, nawet znowu wyglądała na zaspokojoną, ale chyba udawała, nie mogła przecież nie zauważyć, że jestem kompletny flak. Trochę wpadłem w panikę. Odczekałem dłuższy czas, parę dni, sprawdziłem się na dziwkach, wszystko znowu było w porządku – ale jak przyszło do rzeczy, to bez żadnych zmian. W końcu zacząłem przed Groszkiem uciekać, udawałem strasznie zajętego, nawet nabzdurzyłem o jakiejś „próbie cierpliwości", autentycznie się bałem przypadkowego spotkania, a sygnał odebranego esemesa przyprawiał mnie o skurcz żołądka, bo te esemesy były w rodzaju: „Znowu cię nie zastałam w domu, ale w twoim sklepie jeździeckim na dole kupiłam piękny pejcz, nie mogę się doczekać, aż go wypróbujesz na moim tyłku, pragnę tego bardzo – N", „N" oczywiście znaczyło „niewolnica". Szczęśliwie nie podałem jej nowego adresu i po paru tygodniach wreszcie odpuściła. Myślałem o niej ciągle, przypominanie sobie tego, co jej zrobiłem, podniecało mnie, wyobrażałem sobie, że to ona, kiedy brałem Dankę, ale perspektywa, że mógłbym znowu znaleźć się z Groszkiem w łóżku, wprawiała mnie w panikę.

A ten pociąg, kurwa, chyba stanął w miejscu. Już dawno powinna być następna stacja, a po niej już Bryczno, jeszcze tylko dwie stacje i wyjdę w ten mróz, w nieprzeniknioną zadymkę za oknem, dobrze, że jest ta zadymka, nikt się nie będzie szwendał po okolicy, nikt mnie nie zauważy, jeszcze jeden znak, że On zaaprobował moje plany. Tylko trzeba najpierw dojechać na miejsce, a cyferki zegara jakby zupełnie się przestały zmieniać.

Na szczęście mogłem uciec w ten audyt dla Hansa, cała sprawa mocno go przyśpieszyła, bo z kolei zacząłem nadrabiać stracony czas, ledwie Kinga nadążała umawiać mi wyjazdy. Musiała widzieć, że coś się ze mną porobiło, ale dyskretnie o nic nie pytała. Raz czy drugi zajrzałem do Artura i Przema, ci zapytali, wykręciłem się tajemniczo, że z tym wszystkim, co się dzieje w holdingu, to bardziej pokręcona sprawa, niż kiedykolwiek mógłbym przypuszczać, tylko nie bardzo mogę o tym gadać, przynajmniej na razie, muszę po prostu dużo pojeździć. Dzisiaj się cieszę, że tak mówiłem, bo wyobrażam sobie, jak będą po mojej śmierci przypominać sobie każdy taki strzęp i sklejać go z innymi. Ale wtedy chodziło mi tylko, żeby jakoś z twarzą wycofać się z ich imprez, bo byłem pewien, że Groszek, nie mając innej możliwości znalezienia mnie, prędzej czy później przyjdzie na któryś z Arturowych bankietów. Towarzystwo z tych badanych firm i oddziałów było bezpieczniejsze, przede wszystkim zupełnie inne – poznać po gębie, kto pracował w ZREMB-ie i takie tam, w końcu zawsze schodziło na opowieści z kontraktów, o budowaniu bajkarsko-amurskiej magistrali albo autostrad w Iraku, a zwłaszcza o Ruskich, o Ruskich od gazu, o Ruskich od nafty, no i przede wszystkim od wódki i koniaku pitego na szklanki, teraz to już nie to zdrowie, ale wtedy, pamiętasz, Józiu, Zdzisiu czy Rysiu, jasne, że pamięta, do końca życia wszyscy pamiętają – chociaż też niby to wszystko tak fajnie-miło, wódka, zagrycha, opowieści różnej treści, ale pod spodem czujne napięcie, o co tu chodzi, co znowu za audyt, co za fiut przysłany nagle z Warszawy, po co przysłany, kto go zna, kto wie. A za dnia –

rozmowa za rozmową, pytania normalne i takie bardziej podchwytliwe, żeby ustalić, co naprawdę kto wie o planach i poczynaniach zarządów, na ile się z firmą identyfikuje, wszystkie te fachowe szczegóły. Rozśmieszył mnie taki jeden w Ciechanowie, informatyk i od razu widać, że lokalny abnegat, zupełnie z innej paczki, ale wie, że mu skoczą, bo nikt tam inny o sieci i komputerach bladego pojęcia nie miał – na moje pytania wzruszył tylko ramionami i zaśmiał się, o czym pan mówi, ci tutaj, pokazał gdzieś w bok podbródkiem, tylko się potrafią wdzięczyć do naczalstwa jak chamska dupa do bata. Najpierw mnie to rozśmieszyło, ta „chamska dupa wdzięcząca się do bata", a potem jakoś mignęły mi w pamięci nasze z Wacentym beznadziejne boje, to upokorzenie, kiedy musieliśmy odbierać raporty o zwrotach „Polski Młodych", i śmiać mi się odechciało.

Ciekawe, co się dzisiaj dzieje z Frankiem? Bo co z Wacentym, Mirkiem i całą resztą tej ekipy, to wiem. A Franko zniknął mi zupełnie, z pisma wymiksował się jeszcze przede mną, chociaż swego czasu to on był najbardziej z nas wszystkich cięty na komunę, on nas wszystkich powciągał do tej młodzieży walczącej, nawet Wacentego, ale potem jakoś pierwszy machnął ręką. Tak naprawdę kontakt wygasł przez Magdę i przez tę jego słodką idiotkę, jak jej tam było – to głupie, że tak się rozpada przyjaźń, ale obaj po prostu nie lubiliśmy kobiety kumpla, żaden tego nie mówił, ale czuło się, Franko na Magdę miał po prostu alergię, a ta jego szczebietucha mi z kolei jakoś działała na nerwy. Coś słyszałem piąte przez dziesiąte, że nawet wylądował w hipermarkecie i dwanaście godzin dziennie pędzlował mięso na świeży kolor, ale teraz podobno się odkuł, założył firmę i prosperuje – od lat do siebie nie zadzwoniliśmy, bo niby po co, a kiedyś, w szkole, ze świecą by szukać takiej pary kumpli jak my. Ludzie mówili, że powinniśmy założyć kabaret. Rzeczywiście, z Frankiem kapitalnie improwizowało się hecne dialogi, mogliśmy się przerzucać godzinami, łapał w lot każde absurdalne skojarzenie, każdy dowcip, odbijał do mnie, a ja do niego – ludzie ryli ze śmiechu, nawet jak byli ledwie żywi, do dziś pamiętam, po jakiejś imprezie u niego, kiedy na pobojowisku Franko skacowany jak wszyscy zaczyna do mnie, ty, ten stary z lutnią czy lirą jakąś, to czyj to był znajomy, twój? No, ten dziadek taki, nie wiem, co mi tu wczoraj łaził, no wiesz, taki z brodą siwą, skądżeście takiego wytrzasnęli, gadał, gadał, czekaj, jakąś złotą trąbę dawał, czegoś chciał, cholera, nie pamiętam, jak mnie łeb boli... Więc ja: dziadka to nie widziałem, ale ten pajac taki w czapeczce z dzwoneczkami, skąd ty takich gości bierzesz, Franko, no i tak dalej. A najlepszy numer wyszedł kiedyś w pociągu, wracamy ze szkolnej wycieczki do Krakowa, wszyscy wymiędleni, przysypiają, przyszła i wybudziła nas z drzemki baba z barowym wózkiem, więc ja sięgam do portfela, wyciągam stówę i na cały głos: co to, kurde, kto mi tu tego nakładł?! W życiu takich banknotów nie widziałem, pieniądze do zabawy czy co? No co to za gęba? No Waryński, Franko już widzę załapał, jaki znowu Waryński, co ty gadasz, Waryński, komunista, by był na pieniądzach? Na naszych, polskich pieniądzach? A kto ma być? No jak to, kto ma być, Piłsudski przecież! No, przecież to stówa, największy nominał, to jest, mówię, prawie dwieście dolarów! – i rozglądam się, jakbym spadł z Księżyca: a co to jest za pociąg, co on taki brudny, co wy jesteście tak biednie poubierani, Jezu, co się dzieje, zasnąłem w normalnym ekspresie ze Lwowa, a budzę się cholera wie gdzie, jeszcze z fałszywymi pieniędzmi w portfelu... No, patrzcie, co tu jest napisane, jaka znowu „ludowa"? I orzeł bez korony?! Wszyscy się szczerzą, tylko nasza wychowawczyni, głupie było babsko, że zmiłuj Panie, stara partyjniaczka, nienawidziła nas serdecznie, i z wzajemnością, więc krzywi tę zasuszoną gębę i po prostu nie wie raszpla, co powiedzieć, coś tam w końcu do mnie zamargała – ty skończ znowu z tymi wygłupami, bo inaczej porozmawiamy, a ja oczywiście na całego, rzucam się na hamulec bezpieczeństwa, że ratunku, muszę wysiadać, Franko mnie odciąga, tłumaczy, co ty, to nie wiesz, przecież od czterdziestu lat mamy dzięki bohaterskiej krasnoj armiji najlepszy z możliwych ustrojów, a ja: jakiej krasnoj armiji, przecież ją rozwiązano, jak Piłsudski z Petlurą w dwudziestym zdobyli Moskwę, no wtedy, co powiesili Lenina, Dzierżyńskiego, Tuchaczewskiego i tych tam wszystkich, cały przedział szczerzy się z uciechy, a stara małpa widzi, że wychodzi na jeszcze głupszą, niż jest, więc w końcu normalnie uciekła, a my już do samej Warszawy robiliśmy ten szoł, tak nam się spodobało, jakby to Polska mogła wyglądać, gdyby nie ta czerwona zaraza...

Jakoś się wtedy człowiekowi chciało. Wszystkiego się chciało. Śmiać się. Robić coś. Wiwatować na przerwie, kiedy Breżniew pierdolnął w kalendarz. I ryczeć na zadymach: „Nigdy z króla-a-mi nie będziem w a-lian-sach!!!". Być po prostu się chciało.

A teraz – tylko się uchlać chce, i tego nawet też nie.

No więc:

– A właściwie – pamiętam, jak zdobyłem się, żeby wreszcie zadać to pytanie Kreszczyńskiemu – to co ci się tak nie spodobało w moim audycie?

W tym z kolei wypadku to ja byłem zaproszony na kolację. W Cyganerii na dole, pełen bajer, Kreszczyński w wieczorowym garniturze, z nitkami siwizny, wyglądał na kogoś szalenie ważnego i dystyngowanego, a ja też w eleganckim wdzianku Dory, wypindrzony, bo tak sobie zażyczył. Kelnerzy najwidoczniej go dobrze znali, ja wcześniej w tej knajpie nie bywałem, pochlebiam sobie, że mam lepszy gust – marmury, kryształowe żyrandole i na wszystkim secesyjne złote gluty. Skrzyżowanie katedralnej krypty z perskim burdelem. Kuchnia też taka sobie, chociaż tu mogę być niesprawiedliwy, przez pedała jedzenie po prostu puchło mi w ustach.

– Jest świetny – mówi, jak to on, jakby nie chciało mu się słuchać, o co pytałem. – Mnóstwo pracy. Mnóstwo ciekawych wniosków. Na pewno się nie zmarnuje, bądź spokojny.

– Naprawdę przeczytałem bardzo starannie obie wersje i wciąż nie mogę znaleźć odpowiedzi, co takiego tam odkryłem, o czym Hans nie ma prawa się dowiedzieć.

– Przeczytaj jeszcze raz. Przecież jesteś fachowcem. Może najlepszym w kraju.

Nikt na nas nie zwracał uwagi, od sąsiedniego stolika dobiegały podniecone głosy i jakieś okrzyki o Rywinie, wszyscy wtedy rozmawiali o Rywinie i wszyscy się zgadzali, że nie będzie żadnej tam sejmowej komisji, bo sprawa jest za duża. Tylko mnie jednemu akurat to wisiało aż do dna.

– Powiedz – mówię do niego. – Przecież już teraz nie dam mu starej wersji, bobym sam wyszedł na chuja, więc chyba możesz mi tę pieprzoną tajemnicę zdradzić?

Popatrzył na mnie surowo.

– Nie używaj przy mnie takiego słownictwa. To poza, nie pasuje do ciebie. Poza tym nie lubię tego.

– Przepraszam.

Dreszcz obrzydzenia, kiedy muskał i pieścił palcami moją rękę – nie, znowu mnie okłamuje własna pamięć. Tak powinno być, ale nie było. Po prostu znosiłem to, jakby dotyczyło kogo innego. Nie dotykał mnie, dotykał tego manekina, to mięso, w którym jestem uwięziony.

– Nie podoba mi się, że jesteś taki zdenerwowany. Tak jakby działo ci się coś złego, jakbym cię do czegoś zmuszał. Napij się wina, jest naprawdę dobre.

Napiłem się wina. Było naprawdę dobre. Wydawał na mnie kupę kasy.

– Zrozum, to nie wyjdzie tak, jak powinno wyjść, dopóki nie będziesz szczerze chciał mi się oddać. Odrzuć te swoje głupie zahamowania i poddaj mi się, zaufaj. Wtedy dopiero odkryjesz, czego naprawdę chcę cię nauczyć. Nie pamiętasz, co sam o tym pisałeś w mejlach do Iris?

– Nie pamiętam. Przepraszam cię, Staszku, ale naprawdę nie pamiętam.

Pokręcił głową, jak nieskończenie cierpliwy nauczyciel nad zeszytem klasowego matołka.

– Ciągle ci się wydaje, że chcę cię skrzywdzić.

A jest wręcz przeciwnie. Otwieram ci oczy na to, co powinieneś wiedzieć już dawno i bez zrozumienia czego po prostu zmarnujesz życie, mimo całej swojej fachowej wiedzy oraz wszystkich innych zalet. Tu naprawdę nie chodzi tylko o seks z mężczyzną. To ci się spodoba albo nie, zrobisz, jak będziesz chciał, ja cię nie będę długo używał, nie przyzwyczajam się do partnerów. Nawet jeśli poznałem kogoś tak dobrze i tak polubiłem jak ciebie. Tu chodzi o to, żebyś zrozumiał, co ci złamało życie. Dlaczego nie potrafisz znaleźć satysfakcji, dlaczego wiecznie się czymś gryziesz, nie możesz spać, wariujesz. Nie chcesz tego wiedzieć? A rozwiązanie jest takie proste.

– Chciałbym wiedzieć – znowu wrócił mi ten przymilny, pantoflarski głosik, którego tak nienawidziłem. – Tak.

– Musisz. Bo szkoda życia, po prostu. Może nawet – uśmiechnął się – może nawet dziś zaczniemy naukę, co? Podobasz mi się w tym ubraniu, Dora naprawdę ma fantazję i gust – coś zaczął o tym jej guście, ale nie poszedł w tę stronę. – A jak coś się człowiekowi podoba – jego głos nagle nabrał stanowczości – to trzeba brać. Nie mieć skrupułów. To z pozoru takie proste, ale to jeden z kluczy do zrozumienia wszystkiego: trzeba pokonać swoje zahamowania. Odrzucić to, co cię krępuje. Ja na przykład lubię rżnąć heteryków. Nie jakieś przegięte cioty, to obrzydliwe – takich jak ty. Więc ich biorę. Lubię luksus, antyki, piękne przedmioty – więc je zbieram. Lubię władzę, więc z niej korzystam. I ty też się przestań memłać w sobie, po prostu bierz, na co masz ochotę.

A potem powiedział coś w stylu:

– Jeszcze kiedyś odkryjesz, jak wiele mamy ze sobą wspólnego – i jeszcze raz powtórzył: – Może to już dzisiaj? W każdym razie odprowadź mnie do domu.

To już będzie ta stacja, następna, prawda? Tak, dobrze wiesz. Czas. Stanę na korytarzu, przy drzwiach. Żeby nie przegapić. Torba – torba zostaje. Zapasowa bielizna, szczoteczka i pusty skoroszyt. Nie mogę powiedzieć, żebym wiele po sobie zostawiał. Karta od telefonu, na pewno ją już wyjąłem? Tak, wyjąłem. Leży w kieszeni, wyrzucę na peronie. I mordy sobie na peronie rozbić nie zapomnij. Tu nie, bo hałas, jeszcze ktoś przylezie. Flaszki poleciały za okno, została ta jedna. Szalik – za okno. Jeszcze raz: nie zapomniałem o niczym? Chyba nie zapomniałem.

Wagon trzęsie. Drzwi – ledwie domknięte, podłoga obrośnięta mroźnym, białym kożuchem. Smród szczyn. Myślałem, że będę się bardziej bał. Ale nie, jestem tylko odrętwiały. Nie czuję smrodu ani mrozu. Mróz jest dobry. Otworzę się na niego, wezmę ten mróz w siebie. Kiedy byłem małym chłopcem, chciałem być człowiekiem z lodu. Z lodu, a nie z tych krwawych, cuchnących glutów, z których nas Pan Bóg ulepił. Nie wiem, dlaczego tak nas potraktował. Powinien był wyrzeźbić w krysztale. Chciałbym być z kryształu, czystego, twardego, kruszącego się pod ciosem wroga na roziskrzony proch. Taki się niedługo stanę. Człowiek z lodu.

Nie. Teraz nagle czuję, jestem pewien – nie, nie wysiądę tu. Głęboki oddech. Stacja Bryczno, pół minuty postoju i pojedziemy dalej. Puls wali w skroniach, nogi miękkie, cała wypita gorzała gdzieś wyparowała i jestem nagle przeraźliwie trzeźwy, ani śladu znieczulenia, tylko jeszcze gorzej, rozbity i wrażliwy, jakby się w tej gorzale rozpuściła mi skóra, nerwy wyszły na wierzch jak kable ze starej, przetartej izolacji, nie mam nic, czym bym je mógł osłonić. Nie wysiądę. Pojadę dalej, do Suwałk, coś tam zrobię albo nic, przeczekam na dworcu i wracam. Przecież to nie ma sensu za grosz. Co ja sobie wyobrażałem? Że się wszyscy rzucą, jaka to straszna mroczna zagadka, tajemnicza śmierć audytora? Że trafię na pierwsze strony gazet i specjalnie dla mnie założą sejmową komisję? Chłopie, przecież w tym kraju oni mogą wszystko. W tym kraju zastrzelili generała policji i nic. Załatwili prezesa NIK-u – i nic. Sam wydawałeś tę nieszczęsną „Polskę Młodych", gdzie to wszystko chłopcy opisali, i gówno kogo obeszło. Ludzie, którzy cokolwiek wiedzieli o pieniądzach służb, poginęli w jakichś lipnych wypadkach, największy gangster, jak go mieli w ręku, powiesił się w celi, dziecko wie, że to wszystko pic – i nic, nic, kurwa, no nic! A ty myślisz, że pies z kulawą nogą się przejmie twoim zasranym żywotem? Jadę dalej, i do dupy z tym wszystkim. Znalazł się, hrabia. Hrabia, co psy obrabia, jasna cholera. Jadę, powiedziałem, dalej i już. Tak. Głęboki oddech i wracam do przedziału.

Spokojnie, stary, spokojnie. Myślałem, że mamy tę rozmowę za sobą. Tak, wszystko prawda, przecież o tym myślałem – ale wtedy oni wiedzieli, czego się spodziewać. Wtedy byli przygotowani. A po mnie, tchórzu i idiocie, wszystkiego się spodziewają, ale tego na pewno nie. Może się uda. A się nie uda – srał pies, co masz, kretynie, do stracenia?

Mróz na szybach, na drzwiach – mróz był taki sam wtedy, gdy wychodziliśmy z Kreszczyńskim z knajpy w krystaliczną noc, w światło ulicznych latarń na placu – nie wzywał taksówki, bo nie miałaby gdzie stanąć, zakazy, a niedaleko Cyganerii, za rogiem zaraz, był postój. Tamtych było dwóch, nie wyglądali jak dresiarze, nie wzbudzali swym wyglądem obawy – ot, kolesie z pubu, stali w kręgu światła pod latarnią i gadali, popijając piwo z puszek. Jeden rosły, tęgi, w krótkiej, dżinsowej kurtce na sztucznym misiu, włóczkowa mycka, wielkie jak dwa wiechcie wąsy świński blond na rumianej gębie, drugi drobniejszy, w czerwono-czarną kratę, twarzy nie potrafię sobie przypomnieć.

– Ej, Kreszczyński! – zawołał przyjaźnie ten większy, kiedy ich minęliśmy, jakby zobaczył starego znajomego, Kreszczyński dał się nabrać, przystanął, obrócił się.

– Skąd pan mnie zna?

– A kto by cię nie znał, stary pederasto – powiedział tym samym wesołym tonem świński blondyn, puszka z piwem jakoś zniknęła z jego ręki, chyba ją wyrzucił, i ni stąd, ni zowąd palnął Kreszczyńskiego w brzuch, Staszek krzyknął głucho: O! – bardziej to zabrzmiało jak okrzyk zdumienia niż bólu, zwinął się, zaciskając na brzuchu ręce, a blondyn bez słowa poprawił jeszcze raz, teraz w gardło. Dopiero w tym momencie uświadomiłem sobie, że to, co trzyma w ręku, co błyszczy w świetle latarni, to okrwawiony nóż.

Potem odwrócił się do mnie. Ten drugi jakoś znalazł się za moimi plecami i wykręcił mi ręce, zbyteczna fatyga z jego strony, bo i tak nie byłem zdolny drgnąć – zalała mnie fala gorąca, ogarnął kompletny paraliż, nie mogłem uwierzyć, że to się działo naprawdę, nie mogłem za tym nadążyć – ta rumiana, wąsata gęba przede mną i ostrze zbliżające się do mojej twarzy – on przyłożył mi nóż do szyi, patrzył przez chwilę, aż wreszcie rzucił:

– Ty się na razie nie bój. Na razie – odwrócił się i obaj odeszli powoli, zupełnie powoli, jakby chcieli pokazać, że niczego się nie muszą bać ani nigdzie śpieszyć. Nie patrzyłem za nimi. Trząsłem się. A Kreszczyński u moich stóp wił się rozpaczliwie i wołał mnie po imieniu, raz, drugi – upadłem przy nim na kolana, usiłowałem podnieść, chwycił mnie oburącz i przycisnął, z rany nad kołnierzem koszuli krew tryskała rytmicznie jak z fontanny, cały płaszcz już miał przesiąknięty. Płakał. Powtórzył jeszcze raz moje imię i szeptał, charczał właściwie:

– Przytul mnie. Przytul mnie. Boję się. Boję. Przytul. Mocniej – a potem, cicho: – Kocham cię – i jeszcze: – o Jezu, o Jezu – i chyba znowu: – przytul mnie mocniej.

I to: – Kocham cię.

– Staszku, spokojnie, Staszku – powtarzałem, przyciskając go do siebie. – Wszystko będzie w porządku, wszystko dobrze będzie, nie bój się – mówiłem i przytulałem go do siebie tak, jak kazał, mocniej i mocniej. Coś tam jeszcze mówiłem, długo mówiłem, aż uświadomiłem sobie, że on już nic nie mówi ani nie płacze, bo ściskam w ramionach tylko martwy, okrwawiony kawał mięsa, i dopiero wtedy rozdarłem się, rozdarłem się nie żadnym tam „pomocy!" czy co, tylko zupełnie nieartykułowanym wrzaskiem, na ulicy, na której nagle zrobiło się zupełnie pusto, ani człowieka w zasięgu wzroku, choć kiedy wychodziliśmy z knajpy, była to normalna wieczorna ulica w centrum Warszawy, dopiero od tego mojego wrzasku ktoś się znowu pojawił, zrobił się tłok gapiów, potem przyjechali lekarze, policja, ktoś rozprostował mi ręce, odprowadził na bok, szedłem za nim posłusznie odrętwiały jak manekin. Chyba zrobili mi jakiś zastrzyk, a może to przyszło i bez zastrzyku – taka niezwykła lekkość, jakby ktoś tego manekina, mnie, moje ciało, wydrążył i napełnił lekkim gazem. Zwalnia czy mi się zdaje? Zwalnia. Teraz też jestem odrętwiały, ale zupełnie inaczej, teraz stoję obok siebie, w tym śmierdzącym szczynami korytarzu, i mocuję, mocuję się z klamką – drzwi, kurwa, kurwa, zamarzło mocniej, kurwa, może do drugich, ale nie zdążę, ruszy, ja muszę tu wysiąść, muszę, oż kurwa!! – no! Serce wali jak młot, aż wytrzeźwiałem, prawie – coś takiego do głowy mi nie przyszło, aż śmiać się chce, że nie dam rady otworzyć drzwi – ale dałem, stoję na peronie, lodowaty wiatr szarpie, tnie po twarzy, nawet wydaje się to przyjemne, jakby łaskotanie w zdrętwiałe niczym z drewna policzki. Teraz – w głąb peronu, tam, w stronę budynku. Żeby nikt nie widział.

Idę. Idę w tej zawiei, dziękuję Ci przynajmniej za to, za ten mroźny wiatr, nikt mnie w nim nie zauważy, nikt nie zwróci uwagi. Tylko Ty się patrz. Chociaż już chyba kończymy tę zabawę, prawda? Już mnie przeczołgałeś w tę, we w tę i z powrotem – nie masz już wątpliwości, Galilejczyku, że zwyciężyłeś, ja też nie mam, więc możemy już z tym skończyć, możemy już dać sobie na wstrzymanie? Chyba już się napatrzyłeś dość, jak może Twoje stworzenie być popierdolone, chociaż to przecież nie ja sam tak siebie popierdoliłem, nie wiem kto, ale nie ja sam na pewno, w każdym razie – nie ciągnijmy już tego dłużej, tyle chyba możesz dla mnie zrobić. Tak, wiem którędy. Wiem, że niedaleko. Ominę budynek stacji, ktoś tam siedzi, światło się pali, ale nikt nie będzie wyglądał. Kto by wyglądał? Taki mróz, wiatr taki. Chociaż nie jest mi zimno, nie. Za bardzo jestem zdrewniały. Drewniany manekin. Oddzielam się powoli od tego manekina, zaczęło się od seksu, wtedy po raz pierwszy poczułem, jak mi on jest obcy, a potem, z czasem, z czasem – coraz bardziej. A niedługo – już zupełnie. Tylko minę ten budyneczek, bokiem, żeby nie wchodzić w światło latarni uczepionej pod dachem. Nic się tu nie zmieniło, nic nie mogło się zmienić – tamta droga prowadzi do wsi, a ja pójdę tu, na prawo, przez nawiewany śnieg, gdzie zaraz się skończą latarnie. Pamiętam dobrze, że z tego zakrętu trzeba było iść między drzewa w prawo, ścieżki oczywiście widać nie będzie, ale trafię. Stacja już za mną, i to światło w oknie, starsza, zaniedbana kobieta w swetrze miesza w szklance, brązowa, olejna lamperia na ścianach. Skąd to się u nas wzięło, te przeraźliwie brzydkie, olejne lamperie, w każdym takim miejscu – na komendzie rejonowej, gdzie mnie odwieźli ze szpitala, też były te lamperie. W ogóle było biednie, brzydko, kurz i starość, pokrzywione regały, stare biurko, wszystko jak za Gomułki. Na dole szeroka lada, szyba i szklane drzwi otwierane kartą, tak, ale on mnie zabrał, ten policjant, na górę, nie pamiętam, czy to było drugie, czy trzecie piętro. Bo, powiedział, jeśli pan da radę, spiszemy to wszystko, ale wiem, w jakim pan teraz musi być stanie, możemy to odłożyć do jutra. Nie, pokręciłem głową, chcę to już mieć za sobą – no i pojechaliśmy na komendę, najpierw ze szpitala zawiózł mnie ten gliniarz do domu, żebym mógł się przebrać, umyć, bo cały byłem we krwi Kreszczyńskiego, nawet twarz miałem umazaną we krwi, przecież umierał w moich objęciach, prosząc, żebym go przytulił mocniej, i jego krew tryskała mi na policzki, coraz słabiej i słabiej – przebrałem się i poszliśmy, mogłem nie zamknąć ze zdenerwowania drzwi, ale nie sądzę, żeby tak było. Zresztą gliniarz zwróciłby mi uwagę, poczciwy gliniarz, poczciwa, wsiowa gęba, zabrał mnie do komendy, usadził w pokoiku z lamperiami, na drugim albo trzecim piętrze, zrobił tej samej co sobie sypanej kawy – no i zaczął pisać. Czy ci ludzie coś mówili, kiedy was napadali, skrobie po papierze ręcznie, może to dziwne, że pisał sam, długopisem, powinna być jakaś sekretarka albo ktokolwiek, jakaś maszyna do pisania, nie wiem, nie zwracałem na to uwagi, tak, mówię, ten większy mu naubliżał od pedałów – długopis zatrzymał się na moment w tym pracowitym ryćkaniu kulfonów; a panowie, e? – zawiesił głos. On tak, powiedziałem. Ja nie. Po prostu przyjaciel. Gliniarz już o nic nie pytał, pewnie nie uwierzył, przecież widział, że tuliłem go do siebie i łkałem, że rodzonej siostry bym nie żegnał w taki sposób, ale nie pytał o to, zapisał, co obaj robiliśmy, że omawialiśmy służbowe sprawy, tak, na kolacji, bo to sprawy bardziej takie nieoficjalne, brnąłem, ale o to też się nie dopytywał. Spisywał po prostu. Nic mu nie ukradli, powiedziałem, bez jakiejś wielkiej nadziei, że zwróci na to uwagę, ale wiedział od razu: no tak, pewnie ich przechodnie spłoszyli, i nie chciało mi się już otwierać ust, spierać się, co to miało za znaczenie. Wie pan, mówi w końcu, jak już podpisałem te jego gryzmoły, wie pan, nie wiem, czy ja tak mogę pana wypuścić. Może pan, już się wziąłem w garść. Ma pan kogoś, no, przyjaciela, jeśli mogę spytać, rodzinę, nie powinien pan być teraz tak zupełnie sam, no, bo my, niestety, nie mamy jak – naprawdę, mówię, w porządku. Pojadę na noc do swojej dziewczyny, mówię. I naprawdę myślałem przez chwilę, że może pojechać do Ewy, ale jaki to by miało sens zwalać się z tym wszystkim jej na głowę. Pan poczeka, zadzwonię po kolegów, żeby pana odwieźli. Nie, nie, dziękuję. Wezmę taksówkę. No tak. No tak. Wie pan, no, co ja panu mogę powiedzieć, uścisnął mi rękę, co ja mogę powiedzieć, mamy takich spraw co noc kilka. Jak się takich nie złapie od razu, to potem już trudno, ale kiedyś w końcu wpadną i wtedy się odezwiemy, może ich pan rozpozna. Usprawiedliwiał się, chociaż go przecież o nic nie pytałem. Tak, będę czekał na telefon. To może, jeszcze raz zaproponował. Nie, zadzwonię po taksówkę, może gdzie indziej będziecie panowie potrzebni, może komuś innemu zdołacie pomóc, nie chciałem mu zrobić przykrości, ale chyba tak to odebrał, bo westchnął ciężko i jakby się zarumienił.

Aaaa! Ożżżkur, oż, zabolało. Dobrze. Niech boli. Niech cię boli, dupku, za to wszystko. I jeszcze raz. Nie tak, nie jak pedałek, z całej siły, aaa! – żeby krew się z mordy lała. To latarnia? Nie, przecież jest ciemno, ciemno zupełnie, i nic poza świstem wiatru, więc jakiś słup telegraficzny, ważne, że z chropawego betonu. Słony smak w gębie, nos poszedł w miazgę, na pewno. Oddychać – tylko ustami. Dobrze. Dobrze ci tak. Nie, wcale tak nie boli. Myślałem, że będzie gorzej. Myśłałem, że będzie bardziej bolało. I że strach będzie gorszy. Da się wytrzymać. Jeszcze raz? Na wszelki. Raz, dwa... Do góry. Lewa ręka, teraz prawa – do góry...

Oż, przesadziłem chyba. Już dobrze. Do pionu. Wstawaj, wstawaj. Nie tu. Tam dalej, do zakrętu, do lasu, dojdźmy jeszcze na to wzgórze. Jezu, ręce mam całkiem sztywne, nie będę się mógł tam dopić, a właściwie po co czekać... Oprę się o ten słup, tylko żeby nie zostawić śladów na butelce, przez rękaw przecież.

A co tu w kieszeni... Karta telefonu. Miałem wyrzucić na peronie, to nic, niech leci tu, wpadnie w śnieg, w trawę. Wódka – jak woda. Wchodzi już jak woda, nic nie czuję.

Dalej. Dalej, posłuchajcie mnie jeszcze przez chwilę – dalej coś mi nagle odpierdoliło, że muszę zadzwonić do Danki. Do nikogo innego, tylko właśnie do Danki. I zadzwoniłem, z komórki, spod posterunku policji. Słuchaj, powiedziałem, słuchaj, muszę z tobą porozmawiać. Muszę. Co, kto mówi? – ona. A potem: ach, to ty. A potem, pewniejszym głosem: ale co ty, kochana, zwariowałaś? Nie wiesz, która jest godzina? To nie mogłaś poczekać do jutra? Kochana, ale co mnie obchodzi, i jakoś tak dalej. Z pracy, kochanie, przepraszam. Drukarnia chyba coś zgubiła, rzuciła w bok. A do mnie: poczekaj, kochana, muszę wziąć te papiery. Nie wiem, gdzie się schowała, w każdym razie odezwała się jakieś pół minuty, minutę potem, zacząłem jej coś bezładnie opowiadać o Kreszczyńskim, o napadzie, w jakim stanie teraz jestem, ale chyba nic z tego do niej nie dotarło, wysyczała tylko zduszonym: kurwa, popierdoliło cię, zupełnie jak Groszek wtedy, ty idioto, co ci do łba strzeliło dzwonić do mnie do domu, i jak nie zacznie mi bluzgać, a ja coś jej nadal, jakbym nie słyszał, dalej o Kreszczyńskim i że jej bardzo potrzebuję – kurwa mać, i ty też, mówi, głos jej drży z wściekłości, jeszcze jeden gówniarz, któremu trzeba matkować, przecież ci mówiłam, nie waż się nigdy do mnie dzwonić do domu, jeszcze o tej godzinie, nie – waż – się – nigdy!! Jeśli nie potrafisz tego zrozumieć, to w ogóle nigdy do mnie więcej nie dzwoń, rozumiesz, nie jestem twoją nianią ani powiernicą i nie będę! – Walnęła słuchawką i na tym się skończyło.

Nie wziąłem taksówki, poszedłem do domu piechotą, żeby jakoś ochłonąć, jakoś pozbierać myśli. Głupie to było, wiedziałem, ten telefon do Danki, ale jak tak, to nie zadzwonię więcej, nie będę jej przepraszał, nagle uświadomiłem sobie – właściwie to jej nie chcę, właściwie to nic nie chcę. Chcę paść na łóżko, zwinąć się w embrion i zapaść w sen.

Ale jeszcze nie. Jeszcze się wciąż ta noc nie skończyła. Drzwi do mieszkania, kiedy w końcu, zziębnięty i wykończony tam dotarłem, były otwarte – pchnąłem je zdziwiony, w salonie paliło się światło.

I tam właśnie, w salonie, czekał na mnie on. Łysy, poczciwy grubasek. Brakowało mu tylko teczki ze świńskiej skóry, żeby wyglądał jak buchalter. I tak go w myślach nazwałem – bo wcale mi się nie przedstawił.

Skup się, chłopie, jeszcze przez moment. Więc siedział w moim fotelu, wśród tych wszystkich zupełnie obcych mi mebli, zdałem sobie sprawę, jak wszystko tam było w tym apartamencie obce, i bawił się kneblem, który kupiłem w sex shopie po tym szalonym popołudniu z Danką, ale jeszcze nie miałem okazji użyć. Trzymał go za oba paski i z drwiącą miną przypatrywał się odlanej z czerwonej gumy kuli, trącał ją palcem, jakby się chciał upewnić, że taka osobliwość naprawdę w przyrodzie występuje, a potem odrzucił na dywan, spojrzał na mnie i powiedział:

– No, siadaj.

Usiadłem. Na drugim fotelu. Na tym, na którym czasem siadała Danka, żeby z szeroko rozłożonymi nogami podziwiać, jak jej niegrzeczny chłopczyk robi sobie dobrze.

Cisza. Powinienem spytać, kim jest, jak się dostał do mojego mieszkania i tak dalej. Ale nie. Już aż taki głupi to jednak nie byłem.

– Dlaczego? – zapytałem wreszcie.

– Kreszczyński? – upewnił się.

Skinąłem głową.

– Bo zaczął myśleć chujem zamiast głową. Zapomniał o takiej prostej, podstawowej sprawie, że pewnych rzeczy się po prostu nie robi. A ty czego się nim przejmujesz? Powinieneś być głęboko wdzięczny, że cię uwolniliśmy od jego zalotów. Nie jesteś?

– No, jestem.

– I świetnie. To teraz idź się wykąp, golnij sobie, zwal konia, prześpij się i co ci tam potrzebne, żeby się zrelaksować, i od jutra śmiej się z tego wszystkiego. Wszystko jest świetnie. Nie będzie cię już więcej molestował żaden walnięty na twoim punkcie zboczeniec. Masz kasę, chatę, baby jakie chcesz, perspektywy zawodowe. Korzystaj i nie zapomnij się podzielić z tymi, którym zawdzięczasz sukces w życiu. Jest świetnie.

– Świetnie... Jak jest tak świetnie, to po co przysze... Po co pan do mnie przyszedł?

Nie byłem wobec niego odważny. Nie potrafiłem znaleźć żadnego powodu, dla którego miałbym być.

– A tak, żeby się upewnić. Miałeś ostatnio trochę burzliwych przejść, wyprowadziło cię to z równowagi, a człowiek wyprowadzony z równowagi po prostu potrzebuje szczerej, przyjacielskiej rozmowy z kimś godnym zaufania, żeby nie zrobić jakiegoś głupstwa. Więc przyszedłem pogadać.

– No to gadaj – westchnąłem z nagłą rezygnacją. – Gadaj, o co chodzi, byle szybko, bo chcę już iść do łazienki, golnąć sobie, a potem zwalić konia.

– Bardzo dobrze – przytaknął z uznaniem. – Bardzo dobrze, tak trzymaj. No to krótko: Kreszczyński chciał używać naszych haków dla dogodzenia swojej własnej dupie, ale rozumiesz chyba, że ich nie zmyślił? Firma naprawdę ma na ciebie wszystko, co potrzebne, żeby zgnoić. No, oczywiście, nie musisz się tym przejmować. Bo nikt cię gnoić nie zamierza. Po co? To by dla nas było czystą stratą. To nic osobistego, po prostu normalna procedura: jest hak, żeby ci przypadkiem nie odbiło. Ale nic poza tym, że jest.

– I co chcecie, żebym zrobił?

– Nic nie chcemy. Nic właśnie. Żyj sobie spokojnie, przyjmij pracę u Hansa i rżnij sobie na zdrowie tę tam mamuśkę. Wiem, że się na razie zezłościła, ale jak ją znamy, jeśli zaproponujesz, żeby za karę sprała niegrzecznemu chłopczykowi pupę, to się na pewno udobrucha. Albo jak tam chcesz – drwił ze mnie, milczałem. – Żyj sobie spokojnie, pracuj i nie myśl o żadnych bzdurach. Oczywiście, pewnie cię prędzej czy później ktoś poprosi o jakąś drobną przysługę. To chyba jasne, że ze strony człowieka, który tyle nam zawdzięcza, liczymy na elementarną wdzięczność. Jak będzie trzeba, pogadamy o tym osobno. O twoim wynagrodzeniu też. To nie jest prawda, że my łamiemy ludzi, wiesz?

– Nieprawda?

– Oczywiście. Co za pożytek ze złamanego człowieka? My ludzi kupujemy. Jeśli kogoś potrzebujemy, po prostu spełniamy jego marzenia. A on już sam dokłada starań, żeby się nam odwdzięczyć. – Poczciwa, buchalterska twarz ściągnęła się na chwilę w złym grymasie, głos stwardniał. – Rzecz jasna, trzymaj gdzieś z tyłu głowy, że gdybyś chciał się komuś zwierzać, to i tak nikt rewelacji kogoś takiego jak ty nie potraktuje poważnie. Gówno zdziałasz, a my cię zgnoimy. Prosta sprawa. Tylko nie nazywaj tego szantażem.

– A jak mam to nazwać?

Wzruszył ramionami, wstał i bez pożegnania wyszedł z pokoju.

Podniosłem się – jakiś nieoczekiwany przypływ męskości – i zawołałem za Buchalterem:

– Chwileczkę!

– Co jeszcze?

– Wolałbym być jedynym człowiekiem, który ma klucze do tego mieszkania.

– To wymień zamki – poradził mi poważnym głosem – jeśli to cię ma uspokoić.

I zamknął za sobą drzwi.

Przeliczył się. Z tego jednego mogę jeszcze być dumny, brnąc w śniegu – pozawiewa ślady – że się przeliczył. Nie wiem, czy od razu to pomyślałem. Teraz myślę, że wcześniej. Zanim się pojawił Buchalter, zanim stuknęli Kreszczyńskiego. Zanim w ogóle cokolwiek. Ale na to jedno nie mogą być przygotowani. Żywego mogą zgnoić. Ale umarłego nie. Nie człowieka, który zginął w tajemniczych okolicznościach, który coś o nich odkrył, nie wiadomo co. Kto uwierzy, gdy będą chcieli splugawić jego pamięć, unurzać go w błocie – po tej tajemniczej śmierci. Patrz, Magdusiu. Tylko to jedno mi dobrze w życiu wychodziło – udawanie. Ale tym razem nikt mnie nie złapie za rękę. Nikt nie nakryje, że to tylko udawanie. Będę udawał człowieka z lodu. Nie dlatego, bo to jedyne, co taki tchórz może zrobić. Bo to jedyne, na co oni nie mogli być przygotowani. Może im pokrzyżuję szyki. Może ktoś będzie za tym łaził, jakiś Maciek, któryś z jego kumpli, będzie łaził, aż się czegoś doszuka. Będzie zagadka. Będą sobie ludzie przypominać, poświęcać czas, żeby ktoś się tym zajął, jakieś śledztwo, jakieś przesłuchania, nie wiem – trupowi gęby nie zatkasz. Zagadki nie wyjaśnią, ale się w końcu prawdy o nich dogrzebią. Dobrze to wymyśliłem? Przeczołgałeś mnie, Ty tam, trudno, chociaż nie wiem, za co, nie widzę swojej winy, nie trzeba było tak ze mną pogrywać, dawać dość wiary, żebym chciał Cię słuchać, ale nie dość siły, żebym potrafił za Tobą nadążyć, to nie jest w porządku tak sobie z człowieka kpić. Ale już nieważne. Teraz już tylko: idźcie, ofiara spełniona. A ludzie wtedy: Bogu niech będą dzięki. Ja przez całe dzieciństwo myślałem, że to jednogłośne westchnienie ulgi, już, wreszcie, można iść, już wreszcie – jeszcze tylko kilka kroków upaść tu pod tym drzewem ciemno jest i nie widzę ale to na pewno to wzgórze na którym z Magdą młodziutką tak jest słonecznie i ciepło zrzucam kurtkę i teraz resztka goryczy w okrwawione usta o tak ciepło nareszcie błogo kraciasta koszula flanelowa plecak pod głową i wtedy tak kocham cię kocham mówiliśmy sobie powtarzaliśmy będę z tobą całe życie i Nusia kiedy tak tuli się do taty a teraz siedzisz tam pewnie w swoim biurze wysyłasz ludzi do kopania studni w twojej ukochanej dalekiej Afryce i tu też jest słońce gorące jak wtedy i trawa taka świeża i ja jestem ja taki młody tu na tym pagórku skąd anioły zaniosą duszę hrabiego do raju a ha ha jakie to śmieszne jakie wreszcie chce mi się mogę się śmiać

bo

duszę hrabiego

śmieszne błogo ciepło o spójrz

tam

jezioro

tam musi być jezioro nie siwa zadymka nie śnieg tam ciemno ale musi być jakbym chciał i

szkoda że nie mogę

zobaczyć tego jeziora